AIが会話できないのはなぜか

コモングラウンドがひらく未来

西田豊明

晶文社

イラスト
はしゃ
◆
装丁
寄藤文平＋古屋郁美（文平銀座）

まえがき

人類はこれまで考えられないほど多くの素晴らしいテクノロジーを作り出してきた。これからもそれは続くであろう。テクノロジーが人類にもたらしたメリットは計り知れない。テクノロジーは人々の生活を支え、義務から解放するものと、人々に新しい意味と楽しみを作り出すものに大別できる。新しい楽しみは新しい義務を生み出す。例えば、宇宙旅行はいまは新しい楽しみであっても、将来は当たり前の生活の一部となり、それを支えるための新しい義務が生まれるかもしれない。

新しいテクノロジーはこれまでのように人の手によってではなく、ＡＩによって生み出されていくようにみえる。その兆候は創薬などの最先端分野に見出すことができる。それによってテクノロジーの発展はこれから急加速されていくことだろう。

このような周囲の変化に対して、人間そのものの変化は肉体的な面はともかくも精神的にすらもゆっくりとしているようである。しばらく前までこうしたゆっくりした変化は良くないことのように言われてきたが、現実に変化が加速する世界を目の当たりにすると、変化を急に速めることは人類によくないことであるように思われる。ヒューマニティは変化を望んでいるとしても、秩序を保つ速度を維持することが必要であろう。

　そうであるならば、加速していくばかりのテクノロジーと、ゆっくりとした変化を望むヒューマニティの間をどう調整するかがこれからの大きな課題となる。


　本書では、コモングラウンドとコモングラウンド・テクノロジーの二つの概念を軸として、テクノロジーとヒューマニティの間の調和を図る企てを展開する。

　コモングラウンドは、ヒューマニティの側を語るための基本的な概念である。本書では、人間社会の基盤となる精神世界に目を向け、人々がそのなかで共有している精神的な存在を仮定してそれをコモングラウンドと呼ぶ。ここから直ちにいくつかの帰結がもたらされる。例えば、コモングラウンドは人類にただ一つ普遍的に存在するものではない。その真逆に、異なる人の集まりには、たとえ重なったところがあったとしても異なるコモングラウンドが存在すると考える。さらに、それぞれのコモングラウンドは決して隅から隅まで明確に規定されたものではなく、参加している人々が何となく「こんなものだろう」と想像しているものである。そして、コモングラウンドは、常に変化し、至るところで食い違いやほころびが生じる。

このようなコモングラウンドはどのように形成され、どのように発展していくのだろうか？

人々の会話の中に、コモングラウンド形成と発展の手掛かりを見出すことができる。会話は人々がそれぞれの精神世界を持ち寄って、共有し、発展させていく場である。会話の場ではそれまでに何が共有されてきたか、それぞれの参加者が陰に陽に意識し、新たな共有を生み出し、発展させていく。会話を観察することで、コモングラウンド形成と発展の謎に迫ることができる。実際、ヴィトゲンシュタイン以来、会話とそれを取り巻く社会的状況にはこれまで数多くの学者が興味を持ち、言説を残していった。

コモングラウンドに目を向けていけばいくほど、そのダイナミックな豊かさにも、その中で暮らしている私たち自身にも今更ながら驚かされる。他方、私たちの周りにあるAIとその向こうにあるテクノロジーの世界と私たちの間のコモングラウンドがいかに乏しいか改めて気づき、愕然とする。いくらテクノロジーが素晴らしくても、テクノロジーとの間のコモングラウンドが希薄であれば、テクノロジーのほんの一部しか享受できない。それどころか、どんどん進展していくテクノロジーとの乖離はますます広がっていく。人々の自助でそのギャップを埋めることはもはやできまい。
これからの時代には、人類がこれまで育んできた自然のコモングラウンドをこれまでよりはるかに強力なものにするための新たなテクノロジーが不可欠だ。本書では、それをコモングラウンド・テクノロジーと呼び、その核心の解明を図る。ゆっくりとした流れの中で、時にはめくるめく変化も味わってみたいとする矛盾に満ちたヒューマニティと、そのような人類の事情に無関係に加速していくテクノロジーの間の調和の道をつくること——それがコモングラウンド・テクノロジーのミッションだ。

本書では、コモングラウンドの概念、コモングラウンド・テクノロジーの役割を明確にしたうえで、コモングラウンドの理解と、コモングラウンド・テクノロジーの実現に役立ちそうなアイデアを拾い上げつつ、これからのコモングラウンド研究の道を探る。

コモングラウンドについても、コモングラウンド・テクノロジーについても、題材は主として古典の中から探し出した。というのは、今わかっていること、今利用できる技術をにわかにつないだり、拡張したりしてみてもいい結果に結びつかないように思えたからだ。長期的な視点に立って、テクノロジーとヒューマニティの未来をになうにふさわしい目標とロードマップをつくることに注力したほうがいい結果につながりそうに思える。大事なことだからこそ、懐深く構えて、ちょっとゆっくり目に、しかし、大きな構想を掲げて進もう。

目　次

第3章　コミュニティのコモングラウンド

第4章　協調作業のコモングラウンド　163

第5章　会話とともに変化していくコモングラウンド　197

第6章　会話システム　283

コミュニケーションの核心

第1章

「コモングラウンド」って何？　「コモン」＝「共有の」、「グラウンド」＝「基盤」だとすると、「コモングラウンド」＝「共有の基盤」となるが、それが「会話」——日常にしているおしゃべり——や、「ＡＩ」——人工知能——とどうつながるのだろう？

著者として少し加えるならば、「コモングラウンド」は比喩的な表現である。また、「基盤」は地面のような物理的な存在ではなく、精神的な存在——意識——を意味している。[*1]

コモングラウンドは心の中に作られ、共有され更新される

コモングラウンドが物理的な存在ではなく、精神的な存在であるとはどういうことか？

次のようなシーンを考えてみよう。

ミオさんとハルトさんが散歩していると、ままごとみたいな遊びをしている子どもたちを見つけた。「ままごと」のなかで、お父さん役の子が冷凍バーガーを電子レンジでチンし、子ども役の子が食べていた。

それを見たミオさんとハルトさんは、自分が子どものころは、ハンバーガーを作る

ときは、ハンバーグを焼いて手作りしていたことを思い出した〔図1〕。

この説明の中で重要なものは、

①「ままごとみたいなことをしている子どもがいる」という想い
②「お父さんが冷凍バーガーを電子レンジでチンしてくれたのを子どもが食べる」シーンであるという想い
③「自分たちの子どものころはフライパンでハンバーグを焼いて手作りする真似をしていた（ずいぶん変わったなあ）」という想い

の3つである。

これらの想いは、①、②、③の順に発生し、①と③はミオさんとハルトさんが共有し、②の大部分は、ミオさんとハルトさんだけではなく、子どもたちにも共有されている。ミオさんとハルトさんは、会話のなかで協力しながら、共有された想いを形成し、更新していく。

図1　子どもたちのままごとを見たミオさんとハルトさん

子どもたちが楽しくお遊びができるのは、まさしくこのような共通の想いをコモングラウンドとして協調的に形成し、遊びの基盤として更新し続けているからに他ならない。ここでは物理的な状況は、参加者たちのコモングラウンドの題材であるにすぎない。

コミュニケーションの核心は、コモングラウンドの協調的な更新

コモングラウンドの協調的な更新がどこかでうまくいかなくなると、コミュニケーションはたちまち危うくなる。子どもたちは、やりとりを不審に思い始め、

楽しい思いが遠のいていく。見守っている大人たちは、何か具合が悪いことが生じたと気づき、子どもたちが何をしているのかわからなくなっていく。

ＡＩとの会話がうまくいかないと感じるのは、私たちとＡＩとの間で共有された想い――コモングラウンド――の形成と更新がうまく行われているという実感がないからだ。そして、その実感がわいてくるようなテクノロジーを作り出し、そのバックボーンとなる学術のもとを作り出そうというのが本書の野望である。

とはいえ、コモングラウンドを理解し、その働きを強化するような学術とテクノロジーを作り出すことは容易ではない。第一に、コモングラウンドは心の中の存在であり、目に見えないから、白日の下にさらしだして、あげつらうこと――コモングラウンドを議論するためのコモングラウンドを形成すること――が難しい。

誰が共有しているコモングラウンドかまず考えてみよう

コモングラウンドについて考え始めるとき、まず意識すべきことは、考察の対象としているコモングラウンドは誰が共有しているものであるかという点だ。

図1の例について考えると、コモングラウンドは、それが誰の間に共有されたものであるのかによって、その内容は異なったものであり、次のように異なった発展の仕方をする。

❖子どもたちのコモングラウンド　子どもたちにとっては、コモングラウンドは楽しく遊ぶための手段である。楽しく遊ぶためには、細部にこだわりを持ち、共有を徹底することが望ましいが、それは目的ではない。子どもたちは遊びの世界に入っていることを半ば意識し、半ばそのことを忘れたかのように没入している。子どもたちは時として、思い思いの方向にコモングラウンドを発展させてゆき、その結果、コモングラウンドが破損することもある。破損が見つかると、相談して修復することになるが、うまくいかないと、遊びそのものが破綻してしまうこともある。

❖見守っているミオさんとハルトさんたちのコモングラウンド　ミオさんとハルトさんが形成するのは、傍観者としてのコモングラウンドである。子どもたちの世界に精通していないと、何が起きているかわからなかったり、子どもたちの気持ちがどうなっているかわからなかったりする。むしろ、今の子どもたちは自分たちとはずいぶん違うな、など比較的醒めた目で、子どもたちの遊びをとらえているかもしれない。ミオさんとハルトさんのコモングラウンドには、自分たちが子どもだった頃の記憶が入っており、それを目の前に展開されるシーンと対照していろいろ見つけることもしばしばあるだろう。ミオさんとハルトさんが子どもたちのことを知っている近所の住民であれば、「このふたりはいつもけんかしているけど、今日は仲良く遊んでいる」といった感想も含まれているかもしれない。

❖遊んでいる子どもたちとそれを見守っているミオさんとハルトさんの全員が共有しているコモングラウンド　遊んでいる子どもたちと、それを見守っているミオさんとハルトさんに共有されていると言えるものも多い。子どもたちがままごとをしていること、男の子が演じているお父さんが冷凍バーガーを電子レンジでチンして、女の子が演じている子どもがおいしく食べていること、等々。こうしたことは、子どもたちの間に共有されているコモングラウンドより解像度が落ちておぼろげになるが、こうした事柄について質問されたら、関係者4人のうちの誰もが尋ねられたらほぼ同じ答えを返す事柄である。

❖この本の読者と著者である私のコモングラウンド　図1に描かれているシーンそのものについては、現実感の強さはかなり下がるものの、子どもたちがままごとをしていること、男の子が演じているお父さんが冷凍バーガーを電子レンジでチンして、女の子が演じている子どもがおいしく食べていること、等々、概ね、遊んでいる子どもたちとそれを見守っているミオさんとハルトさんの全員が共有しているコモングラウンドと同等のものが共有されていることを期待している。さらに、著者である私が、本書の冒頭でこの例を取り上げて、読者とともにコモングラウンドの核心に飛び込めるようにしたということや、ここで導入された事柄について、これから話が進んでいくことになるだろうという予想が共有されているはずだ。

これらのコモングラウンドを状況に応じて、全部区別して考えてみたり、逆に一つまたは少数のものにまとめあげていくことになる。単純に別々のものとして個別に考えていたらきりがないから、共有されているところをどれくらい見つけ出せるかがカギになる。そのうえで、必要に応じて区別する。

ＶＵＣＡなコモングラウンド

「共有の基盤」というと、コモングラウンドは、地面のごとくそこに安定して存在しているかのように聞こえるがそうではない。常に揺れ動く頼りないものである。コモングラウンドは人が心に描いた想いを共有したものであるとしたので、これは宿命である。そのためはっきりといつまでもそこにある単純な存在ということはなく、人間もＡＩも簡単に見つけだすことができるものではなく、ＶＵＣＡなものである。

ＶＵＣＡとは、Volatility（変動性）、Uncertainty（不確実性）、Complexity（複雑性）、Ambiguity（曖昧性）の頭文字をとったものであり、現代を表すキーワードであるとされている。*2

第一に、世界に存在し得るコモングラウンドの数とコモングラウンド相互の関係、そして個々のコモングラウンド内部の構造が相まって、コモングラウンドの世界はとてつもなく複雑なものとなる。これがＶＵＣＡのＣである。

また、共有意識の内容は中心からはずれていけばいくほど当事者もはっきり意識していないわからないところが増えていく。しかも、曖昧性が増して、境界もぼやけていく。これが、ＶＵＣＡのＡだ。

曖昧性を写した私たちの心の中も曖昧性に惑わされて、ああかもしれない、こうかもしれないという迷いが増大する。これは、ＶＵＣＡのＵにつながる。

たとえそのようであっても世界が静止して不動であれば、時間とともに次第にその謎が解き明かされていくかもしれないという期待も生じるが、現実は、その真逆であり、「祇園精舎の鐘の声、諸行無常の響きあり」と平家物語に語られているとおり、世界は時間の経過とともに変化していく。ＶＵＣＡのＶである。

ＶＵＣＡなコモングラウンドを理解するためにはどうしたらいいか？

多くの理系領域では、計測などで間接的な証拠を集めて、正しい説を絞り込んでいく。何らかの方法でコモングラウンドそのものを観察して、グラウンドトゥルース——真実のデータ——がわかるのであれば、理想的である。

残念ながら、コモングラウンドを直接観察する装置を今の技術で作ることはまだ困難だといってよい。仮に、脳の活動を観察して、脳裏に浮かんでいるイメージを映像化できるのであれば、それでいいのかもしれないが、技術的な問題に加えて、我々の思考の重層性の問題があるうえ、倫理的な問題も発生する。

どうしたらいいのか？　それらしい方向にあたりをつけて、とにかく全力で走ってみる、というアプローチをとることが考えられる。しかし、間違っている方向に進んでいるかもしれないという恐怖心とのつらい戦いを続けなければならない。さらに、たとえ正しい方角に進んでいるという自信があっても一人では辛いことも多い。他の人に一緒に走ってもらえると心強いが、そうしてもらうためには、他の人にも納得してもらえるくらいの、根拠が必要になってくる。他の人と励まし合って進むとしても、核心がはるか遠くにあるのであれば、普通に進んでいては、一生かけてもたどり着かないかもしれない。

そこで、道具の開発から始めるというアプローチが考えられる。思った通りの方向に高速で進める乗り物を作れば遠くに行ける、空高くまで飛行できるようにすれば、遠くまで見渡せる。たとえそうであっても、めざすところは宇宙のかなたにあるかもしれない。そうだとしたら宇宙ロケットを開発するのか？

このあたりで、物理空間のメタファーを捨てる時がやってきた。そもそも情報空間は多次元であり、高いところに登れば、遠くを見渡せるというメタファーはあたらない。多次元のラビリンス――迷宮――のなかにいるようなものだ。しかも、ゲームの世界のように「創作者が何らかの意図を持ち、探索者に手掛かりを与えてくれている」ということは全くない。

……等々考えれば、小さな努力で大きな獲物を得ようなどという欲どうしいことを考えず、人類が歴史を通して培ってきた学術の伝統的手法を用いればいいのではないかという結論に戻る。

古典をひも解いてみよう

コモングラウンドもそれに関わるコンセプトも難しい。現代の考え方それ自体を考えることより、人々がどう考えてきたか、どのように批判してきたかという思想の流れのなかで位置づけて、一段メタの視点から浮かび上がらせた方がうまく本質に迫れるだろう。納得もできる。

学術は哲学から始まり、観察と錬金術的な試行錯誤の時代をへて、理論の時代に至っている。古典は、いたずらに古いわけではない。長い歴史にわたって、人々に親しまれ、サバイブして定番を勝ち取ってきたものが私たちが手にする古典だということを忘れてはならない。

私たちが関心を持つコモングラウンドについて、仮想現実や拡張現実やＡＩなど、現代のテクノロジーによる拡張まで視野に入れて、ずばり書いた古典はあるのだろうか？　幸か不幸か、そのようなものは寡聞にしてまだ知らない。ゆえに本書がある。

しかし、コモングラウンドの重要な側面、あるいは、関連する側面について書かれた古典はたくさんある。よく考えてみると、コモングラウンドは私たちの思考やコミュニケーションの全般に関わるから当たり前だ。私たちが何かを考え、それを誰かと共有するとそこにコモングラウンドができる。まさしく、「学ばざれば則ち殆《あやう》し」である。

暗黙知は共有できるか？

マイケル・ポランニーは、私たちの思考の中にある、言語的な作用だけでは到達できない「暗黙知」を取り上げ、身体感覚を介して暗黙知を感知する方法を論じ、暗黙知の存在を前提とした科学的探究の自立の重要性を主張した［Polanyi 1966］。語り得ぬことをコモングラウンドのなかに共有できるのか？　野中・竹内の提唱したＳＥＣＩモデルでは、ともに生活して、見よう見まねで学び取ることができるかもしれないと、内面化による暗黙知の共有の可能性が提唱されている［Nonaka 1995］。

もし、ともに生活するなかで、暗黙知が発動する様子を眼前で観察することができたとしたら、自らの思考の奥にあるプロセスが喚起され、少し暗黙知に近づくことができ、その分少しだけかもしれないが、暗黙知の共有が進むということになるかもしれない。そのあたりを期待しながら、議論を進めることにしよう。

観察と素朴な実験の報告

観察と報告は有力な手法である。ＡＩによって、観察と報告を身近なものにし、さらに新しい地平を広げていくことは十分意味あるものだと思う。本書では、この道を追求する。

幸いなことに、我々の学術はすでに十分に進歩したものであり、コモングラウンドという問題意識をもって文献をひも解けば、たくさんの有益な成果が得られていることがわかる。最も古典的な科学的方法は、観察報告と素朴な実験からの報告だ。すでに社会学者や文化人類学者、最近では、認知言語学者たちが素晴らしい業績を残している。

ダーウィンは、進化論の前に、ミミズの観察をしている［Darwin 1881］。また、感情モデルについての考察もある［Darwin 1872］。理論的検討、モデル化、実証に進む前に観察の段階をしっかりと押さえておきたい。

モデル論で解明？

モデルとは模型ということである。一番わかりやすいのが、本物を小さくした物理模型である。本書の読者もプラモデルに没頭した時期があるかもしれないが、プラモデルも物理モデルの一種である。本物のもつメカニズムを数式を用いて抽象的に捉えたものは数学モデルと呼ばれる。模型の役割は、本物のもつ特徴を理解することである。形状について理解したければ、本物の縮小版を作れば、手に取っていろいろな角度から眺めることである程度の特徴を把握することができる。本物のもつメカニズムを数式で表すことができれば、数式をいろいろな観点から分析することでその特徴を捉えることができる。例えば、気体の数式モデルを作ると、それを数学的に分析することで様々な条件下での気体の動きを予測することができる。

20世紀の計算科学の黎明期を振り返ると、アロン・チャーチ、エミール・ポスト、アラン・チューリングらの数学者が計算（コンピュテーション）という概念で我々の知的活動の数学モデル化を試みた。人間の知的活動を数学という得体のしれた世界に対応付けることで、人間も機械も表面（生命的な基盤の上に立つのか、機械や電気仕掛けの基盤の上に立つか）の違いはあるにしても、同じ計算という基盤の上で抽象的な作業を行う存在という意味では同じだと捉え、その本質は何かを探ろうとした。

「計算」は、かつて人間だけにしかできなかったが、数学者たちは計算概念の数学的定式化に成功した。そして機械工学者が機械的なからくりで実現できるようにし、電気工学者が電気的にも再現できるようにしてしまった。その結果、人間が手作業で行う計算よりははるかに大規模な計算があっという間に高速に実行できるようになった。

数学者のアラン・チューリングが考え出した万能チューリングマシンという概念は偉大である。この万能チューリングマシンは他のチューリングマシンのデータを受け取って、その動きをシミュレートすることができる。例えば、平均値を求めるという個々の計算法を、インプットデータを記述した「テープ」を読み取って実行するチューリングマシンAがあったとしよう。万能チューリングマシンは、インプットデータを記述したテープと、Aの作業手順を記述したテープを受け取って、Aと同じ計算――平均値を求める計算――

をする。

これがなぜすごいかと言うと、万能チューリングマシンをいったん製造してしまえば、それ一つを持っているだけで、すべての計算ができてしまうからだ。現在私たちが使っているコンピュータは、万能チューリングマシンをフォン・ノイマンが考案した方式で電子的に実現したフォン・ノイマン型コンピュータであり、プログラムとは、「Aの動作原理の記述」に他ならない。

ノーム・チョムスキーのような言語学者、リチャード・モンタギューのような論理文法学者、デイナ・スコットのような計算機科学者は言語やコンピュータプログラムの、一部の意味を数学モデルとして定式化してみせた。

ところが、先に書いた、「一部」というところが曲者である。それを「全て」に広げようとすると、人工的に定義されたプログラミング言語ではうまくいくが、長い歴史を経て発展してきた自然言語では手に負えなくなってしまう。対象となっている自然言語は唯一の解釈が存在するよう一つの意思で設計されたものでないので、捉え方が千差万別であり、標準的な解釈が存在しない。仮に特定の解釈を限定できたとしても、長年の歴史を引きずった自然言語は、膨大で雑多なものとなる。さらに、それを投影できても数学モデルの方も膨大で雑多なものになってしまい、数学モデルの利点であるはずの見通しの良い分析など到底できそうもない。

観察に重点を置くアプローチ

言語哲学者のルートヴィヒ・ヴィトゲンシュタインは、生涯の前半で取り組んだモデル論的アプローチを後半で破棄し、観察主義［Wittgenstein 1953］に転換し、社会学、言語学、エスノメソドロジー［Garfinkel 1967］の祖となった。ここに象徴されるように、対象が人間社会の場合は、あまりに複雑で個別的であるので、普遍性だけで押し通そうとしても、メリットのある議論につながらないように思われる。社会基盤を設計したり、病気の治療法を開発したりしようとするときには、普遍性は非常に重要だ。しかし、個々の人ばかりかグループの幸せをめざし、心の問題を解決しようとしたときには、そもそも何がよく、何が悪いのかもはっきりしない。

人々の行動を虚心坦懐に観察し、綴るための方法論を確立した社会学、エスノメソドロジーの手法と成果は、私たちのコモングラウンドがどのような成分から構成されるか、それがどのように機能するか、理解を深めていくために大変有用である。本書では、社会学とエスノメソドロジーで得られた知見を起点に、認知言語学などで作られた枠組みを用いて概念化し、情報学やＡＩの手法で再体験・拡張可能なコンテンツとして実装するための道筋をつけることをねらう。

会話に焦点を当てる

人の世のコモングラウンドはＶＵＣＡだから面白く、冒険に満ちているという側面がある一方で、コモングラウンドが確立できないから、困ってしまったり、様々なトラブルが引き起こされてしまったりすることもままある。

本書は、コモングラウンドのＶＵＣＡなところがもたらす困難を学術やテクノロジーの力でどう乗り越えるかという問題意識に応えることの方に重点を置いている。コモングラウンドを理解し、テクノロジーの力を最大限に活用して、これまでよりもはるかに堅固で効率的なコミュニケーション基盤を作り上げていきたい。

会話は心を映し出す。人々が会話する様子を観察して、その奥のコモングラウンドがどのように動いているかを推定することが考えられる。これまで論じてきたように、コモングラウンドそのものはなかなか見えないから、コモングラウンドと表裏一体の関係にある会話のほうからアプローチしようというわけである。このアプローチはこれまで私自身が会話情報学として取り組んできたアプローチ［Nishida 2007; Nishida 2014］の次段階としても位置付けられる［Nishida 2018a; Nishida 2018b］。

会話は、私たちの日常的なコミュニケーションの中心になっている。会話がうまく進んだ日は、まわりが輝いて見えて、ちょっとくらいうまくいかないことがあっても、明日は何とかなるさと思えるが、その逆のときは、重い霧が立ち込めたような暗い気分に陥ってしまう人も多いかもしれない。

会話がはずむときは、会話の相手と心の中に共有されたものがはっきり感じられて、会話が進むにつれて、次々とイメージが湧き上がり、言葉の速さと心地よく調和し、時の流れを忘れてしまう。会話参加者たちが会話をしている間に、それぞれがこれまで別々に培ってきたことの中に、共通する事柄がずいぶん多いことに気づき、それを確認するや、今度は参加者の誰かは知っているが、他の人はまだ知っていない事柄に話題が向かい、共有が始まる。参加者たちの間には、すでに、共通の基盤ができているから、コモングラウンドの構築はすばやい。そしてそれが終わると、いよいよ見解がわかれる領域や、未知の領域に話が展開していく。

会話参加者たちは、ＶＵＣＡなコモングラウンドを話の流れとともにうまく管理しているように見える。変化（Ｖ）を共有し、不確かさ（Ｕ）から生じるわからなさ（Ａ）をうまく共有し、とても複雑（Ｃ）なコモングラウンドの世界を限られた時間の中で把握し、発展させている。

逆に、会話がうまくいかないときは、会話の相手とほとんど何も共有されたものがなく、どんなに頑張っても話が通じないと絶望的な気分が高まり、だんだんその場の重苦しい雰囲気から逃れたいという気持ちが強くなっていく。

会話と対話は同じではない

人は何のために話をするのか？　一日中話をしないでいると、とてもストレスがたまる。その理由はいくつも考えられる。話をしなくても、何かの活動をして一日を過ごすことがある。何をすることなく一日が過ぎてしまうこともあれば、何かに没頭してあっという間に一日が過ぎ去ってしまうこともある。そのいずれであっても、自分がどのように過ごしてきたか、どのようなことを考えたのか、ささやかなものであっても、うれしいことや辛いことがあったかもしれない。それを誰かに話すと、心が軽くなったり、自分がぼんやり考えていたことが急に整理できて、頭がすっきりするかもしれない。

話をすることは、カタルシス——精神の浄化——の作用がある［Schank 1990］。他方、誰とも話をしないとそのようなことはない。心の中に想像した誰かと話したとしても、ふと我に返ってみて自問自答している自分に気づくと、心の重さがとり切れていないことがわかる。

話をすることとは、基本的には他の誰かとの相互行為——インタラクション——であり、たった一人で行う行為ではない。例えば演説のようなたった一人で話しているばかりに見えるような場合でも、話者は聴衆の反応に応じて微妙にスピードや話題を変えている。これによって、聴衆と協力して、聴衆が興味を持つように話を進めることができ、話がしやすくなる。聴衆からの反応が全くない状態で話をすることはとても難しい。

人と人がインタラクションとして繰り広げる話は、対話と会話に大別することができる。対話の方は、話をする目的が双方に明確に定義されている場合である。例えば、売店で売り子に、「このケーキをください」と言うときは、買い手が売り子に自分が買いたいものを伝えて、そのアイテムをゲットし、対価として代金を支払うことが双方に明確に定義されている。目的に付随する事項があるときは、例えば、売り子が「保冷材は必要ですか？」と尋ねたり、買い手が「ギフト包装をしていただけますか？」とさらに尋ねたりする。このようなやり取りの末に、目的が達成されると完結する。

一方、会話の方は必ずしも目的は明確ではない。参加者の一人が、「この前、高取城跡に行ってきた」と言い出して、他の人が「行きたいと思っていたんだ。どうやって行ったの？」などと尋ね、「壺阪山駅から歩いて行ったんだ」と言ったら、別の人が「ずいぶん遠いのじゃない？」と尋ね、「壺阪寺まで一時間くらいかな、そこから山道を歩いて一時間くらい」となり、どんどん話が発展していくかもしれない。

問題が解決して、効率的に完結してほしい対話と異なり、会話の方はいくらでも発展していくのがいい［西田2020］。コモングラウンドの概念を使ってこの違いを説明しよう。

対話の核心はコモングラウンドの確立と対立点の解消

対話の場合は、参加者は問題を抱えてその場にやってくることが仮定されている。例えば、家電量販店の売り場を考えてみよう。そこに、洗濯機を買いたいと思っているお客がやってきたとする。お店には店員がいる。お客はもう買うものが決まっていて、そこに直行するかもしれない。しかし、ここでは、おおよそのところくらいしか決めておらず、店の中を見て回ってから店員のところに相談に行くとしよう。何人かの店員はすでに他のお客さんの相手をしている。お客は、手の空いている店員のところに行って、話し始める。このような場面で典型的に起きるのが対話である。

対話の目的は、コモングラウンドを確立した上で、不明なところ、あるいは、対立しているところを埋めることだ。対話参加者の間に確実なコモングラウンドが醸成されたあと、その上にさらに和解のためのコモングラウンドができあがれば、対話は成功裏に完結する。対話は問題が手っ取り早く――できれば成功裏に――片付くほうがありがたい。対話が早く終わることがうれしい。たとえ、目標達成が失敗に終わったとしても、それで安らぎのある世界に戻れるのであれば、それなりにうれしい。

普通は、問題が存在しないほうがうれしいに決まっている。解決の労から生じる苦痛から解放されるからだ。他方、世の中に問題がなければ退屈すぎると感じる人もあまたいる。だから、普通には問題のないところにわざわざ問題を見つけ出して、自分の活躍の場を見出す人も後を絶たない。それが世界の進歩につながるものの、自分にとってはどうでもよいことはさっさと解決して、自分が本当に価値を見出したことに注力したいと思う人も多いことだろう。

お店の場合だと、お客の要求がどのようなものか、お客が予算や設置スペースなどでどのような条件を課しているか、そのお店での品ぞろえがどのようなものか、お客の要求に応えるためにどのような品の組み合わせがベストであるかという、コモングラウンドを構築することになる。

コモングラウンドの構築は、いいショッピングを成立させたいという、お客側にとってもお店側にとっても共通する目標を達成するための手段である。多くの場合、目標を達成することが第一義的に重要であり、コモングラウンドを構築することは第二義的に重要である。したがって、目標を達成するための主要なコストである、時間は短いほうがよい。楽しいショッピングをすることやショッピングでいろいろなことを学ぶのは重要だが、目的であるショッピングそのものが成立しないと成功とは言いにくい。

このような構図は私たちの生活シーンのいたるところで見られる。第一は、専門家との対話である。専門家と顧客の関係においては、専門家は顧客が望んだサービスを提供し対価として報酬を得たい。顧客は、自分だけでは解けない問題を抱えていて、専門家からの助言のもとに妥当な対価を支払ってサービスを獲得したい。コモングラウンドは両者を結びつける橋渡しをする。

会話の核心はコモングラウンドの形成と発展

会話の場合は、対話とは対照的に、有益なコモングラウンドを構築していくこと自体が主たる目標であり、ショッピングをするとか、紛争を解決するといったことは二次的な事柄になる。だから、見知らぬ人との間であっても、話が弾み、発展して、いい経験ができれば大成功ということになる。時間は会話の大切なリソースである。時間を忘れて会話を楽しむ、ということを裏返せば、会話を楽しむための時間がたっぷり必要だということになる。また、どれだけの間、会話を楽しめたかを測ってみると、その会話がどれだけよかったか察しがつく。

対話では理解を深めるために、参加者が頑張って、対話を継続していく義務を負っていたのであるが、会話ではそれとは逆に会話というプロセスが続きその中に参加していること自体が楽しい。楽しい会話が終わればなんだか寂しい。

図2　曖昧な発話

会話には曖昧性がいっぱい

会話の研究で生じる困難は、会話が曖昧性で満ちていることだ。例えば、図2のようなシーンについて考えてみよう。

ミオさんとハルトさんがいつものように始めた会話のなかで、ミオさんが「そう」と言った。「そう」は、とても曖味な発話だ。ミオさんはいったい何を言おうとしているのか？　ハルトさんが直前に尋ねたことへの肯定、ハルトさんが直前にしたことの承認、ハルトさんの直前の発言内容を確認し、興味があるというメッセージ、ハルトさんの直前の発話内容への疑いを含んだあいづち、発話を始める前の保留、等々いろいろな解釈ができる。

曖昧とは、同じ表現がいくつもの意味にとれるということである。曖昧性は悪い側面であると思われていることが多いが、コミュニケーションはそもそも曖昧である。私たちの日常世界は数学のように定義された世界ではなく、不明確さに満ちており、そこから曖昧性をなくすることなどできない。厳密な点検を繰り返せば表向き曖昧性をなくせるように思えるが、それはある種の約束事を無理やり前提の中に押し込んで、他の視点をシャットアウトしてしまうからだ。

曖昧性のおかげで、同じ表現をいろいろな状況の中で使いまわして、長ったらしい表現を避けることができる。曖昧性は長い間、自然言語研究者にとってチャレンジングなテーマであった。

私がＡＩ研究を始めたころの１９７０年代は、日本語や英語のような自然言語をＡＩに理解させせようとする試みが始められてから、もう20年も経とうとする時期であった。そのころの遠大な目標は、ハルトさんの立場に立たせたとき、人間と同じようにミオさんの言っていることを理解できるＡＩを作ることであった［西田１９８８］。これはいまだにＡＩや自然言語理解の研究テーマであり続けている。

曖昧な会話の中で楽しく生きられるのはコモングラウンドあればこそ

図２のままではあまりに手がかりがないので、ミオさんが何を言おうとしているか言い当てるすべはない。現実の生活でも、そのようなことはしばしば生じて小さな混乱が起きている。私が子どもだった時の、父が部屋の中から「今日持っていくものはどこ？」と叫んでいるとき、母が「そこにありますやろ」と言い返して争いになった記憶が今も鮮やかによみがえる。

ところで、図２が単独に出てくるようなシーンがあるだろうか？　先行する話の流れというものがあり、そこだけ切り出してみると曖昧で手がかりがなくても、話の流れの中ではちっとも曖昧と考えられないことも多い。例えば次のようなことだったかもしれない。

ミオさんは、絵が好きで多数の受賞もしてきたことが自慢であったが、これまでそのことをハルトさんに話していなかったことに気づいた。そこで、ミオさんは、「絵が好きだった」と切り出した……

ミオさん「私は幼いころから絵が好きだったんだ」
ハルトさん「絵画コンクールで賞をもらったとか？」
ミオさん「そう」
ハルトさん「そうなんだ」
ミオさん「小学校2年生のときに、トンボの絵を描いて金賞をもらった」

ミオさんの「そう」と発話した直後の状態を考えてみよう。ミオさんの「そう」は、ハルトさんが直前にしたことへの承認ではなく、ハルトさんの直前の発言内容の確認と興味があるというメッセージでもなく、ハルトさんの直前の発話内容への疑いを含んだあいづちでもないことは、状況から明らかである。ハルトさんの直前の発話内容の肯定なのか、ハルトさんの直前の発話内容にもとづいて自分の発話を始める前の保留なのかは、書き取って言語情報だけになってしまうと曖昧であるが、実際の会話では、ミオさんの音声の韻律情報や、顔の表情などの非言語的なシグナルから明らかなことが多い。ミオさんが待っていましたとばかりに、「そう」と発話すれば、直前の発話内容を強く肯定したことになるし、ミオさんが間を作って視線をそらすと、何かを思い出してから発話しようという意思の表れだとわかる。

たとえそのような非言語的なシグナルがなかったとしても、この流れの中では、「そう」の曖昧性は大して問題になっていない。ハルトさんは「そうなんだ」とあいまいにあいづちをうって会話の流れをいったん休止させた。それにより、ミオさんがコンクールで金賞をとったことに話を進め、ミオさんの「そう」が、直前のハルトさんの発した疑問に対する肯定的回答であったことがあとで決まったりする。

会話の底流——コモングラウンド——のレベルまで目を向けると、実際の会話ではもっと複雑な背景があることがわかる。ミオさんの「そう」は気のないあいづちだったのかもしれない。もっと深い話に移りたかったのに、ハルトさんが受賞の話を始めたので、ちょっとがっかりしたのかもしれない。

逆に、ハルトさんの方は、腕前に自信を持っている絵の話をミオさんが始めたので、お手並み拝見とばかりに軽い話から入り、ミオさんの力量に応じて話を展開したかったのかもしれない。

あるいは、それとは全く逆に、ハルトさんは絵の方はさっぱりだがミオさんが言い出したことなので、儀礼的な目的で、軽い話題に踏み込んで、そのあとで機会を見つけて他の話題に進もうとしていたのかもしれない、等々。

会話がうまく流れているとき、会話の参加者たちのあいだには、コモングラウンドが確実に共有され、会話の進行とともに俊敏に更新され、縦横無尽に発展していく。コモングラウンドが発展して確立されていくにつれて、会話は小さなほころびでいきづまることがなくなる。参加者の解釈によって、コモングラウンドは、ある時は思い通り、ある時は、意外な方向に発展していく。何が真相かは、観察者はおろか、当事者にもはっきりしないときもあるが、それが会話の面白さだ。

会話を円滑に進めるために、参加者たちは、言葉以外のさまざまな非言語的な手がかりを駆使している。会話の参加者たちが、円滑な会話を実現するためにどのように非言語的な手がかりを作っているかについては、第5章で目を向ける。

コモングラウンド＝コンテキスト？

コモングラウンドとはコンテキスト（文脈）のこと？　そう訊かれると、「半分○、半分×」と答えたい。「半分○」と答えるのは、本書で述べるコモングラウンド研究では、これまで「コンテキスト」という名のもとで研究されてきた、話の背後に隠されている様々な事柄を考察の対象にしているからである。本書で論じるように、コモングラウンドの中にはいろいろなものが含まれていて——あるものは素早く、別のものはゆったりと、そしてまた、あるものは目の前ではっきりと、別のものは表面から隠れた奥深いところで——移ろいでいく。このような側面はまさしく世間でコンテキストとして認識され、多くの人が言及してきたものだ。

「半分×」のほうは、本書では、コンテキスト研究によくみられるような、分析的手法を用いて会話の奥にあるものを解明しようというアプローチをとらないからである。

「そう」の意味することを確実に言い当てようとしたら、言語に関する知識、場の認識、相手のパーソナリティ、話の流れなど多くの手掛かりを総動員しなければならない。確かに、それができれば、すごいＡＩだと言えるに違いない。これは確かに究極の目標であり、そのような能力をデモ会場だけでなく、日常生活のなかでふつうに発揮するＡＩは今日になってもいまだ登場していない。

これまでのＡＩにおける対話や会話の理解や生成の研究では、まず、発話者の言おうとしたことをその背景となるコンテキストとともにＡＩがきちんと理解したうえで、場にふさわしい発話を――今度は、他の会話参加者たちが何のことかはっきりとわかるように――生成し、会話の流れにふさわしいタイミングで発することを目標にしてきたと言える。そのようなことができれば、素晴らしいＡＩにちがいないが、まだその片鱗さえもできていない。

会話の流れの中で、相手は何を伝えようとしているのか、どうしたら簡単な表現で、思っていることをさっと共有できるようになるか？　そうした問題は難しすぎて、いまのＡＩにはハードルが高すぎる。

本書では、構成的アプローチをとる。ＡＩが自力で頑張って、何から何まで解き明かそうとするのではなく、人の側も歩み寄って、自分たちの会話の基底にどのようなものがあるか、今あるテクノロジーをつかって会話参加者も観察者もコモングラウンドを表出してみて、それでいいかどうか皆で議論できるようにすることをねらう。そしてそれが本書で取り組むコモングラウンド・テクノロジーの基本となる。

図3　話の流れをホワイトボードに書き出す

コモングラウンド・テクノロジーの基本

会話のコモングラウンドのＶＵＣＡが増えて手に負えなくなってきたとき、私たちがこれまで伝統的に行ってきた方法は、共有の対象となる意識の内容を書き出して、明示的な操作の対象とすることだ。

例えば、図2の会話の場合でどうしても参加者の間の行き違いがないようにしたいのであれば、図3のように会話参加者の傍らにホワイトボードを置いて、会話に現れる主要概念とその間の関係を参加者がひとつひとつ確認しながら書き出してみることだ。

会話の機微を楽しむ私たちの日常会話

ではそのようなことをすると会話は身も蓋もなくなってしまうが、科学技術の討論や込み入った内容の話であると、むしろ、ホワイトボードあるいはそれと同様のものを傍らに置かないほうが不合理にみえてしまう。

しかしこの手法にはいくつものボトルネックが存在して、コストパフォーマンスは必ずしも芳しくない。第一にコストが大きい。ホワイトボードに書きながら話を進めるという方式は時間がかかる。書き取り専門の書記がつけるという方式も考えられるが、速い討論にはついていけないし、書記が議論に参加することが難しくなってしまう。第二に、ホワイトボード上に書かれるのは大方が、図3のような文字や線を中心とした図式——ダイアグラム——である。必ずしも誰でも品質の高いメモを残せるわけではなく、それを書いた当人たちでさえ、時間が経過するとわからなくなってしまうこともある。

会議の支援や会議録作成はビジネスでの需要も多いので、種々の機能を備えた電子的なホワイトボードが各種販売されてきた。討論を聞きながら話のポイントをきれいなイラスト化するプロフェッショナル——グラフィックレコーダー——も登場しているが、決定版というほどではない。

このあたり、いま売り出し中のＡＩの領分に思えるが、いまのＡＩはどれほど助けてくれるだろうか？

第三次ブームで急速に発展し社会に定着してきたＡＩ

２０１１年頃から始まった、第３回目のＡＩブームはずいぶん長く続き、いまや、ＡＩは私たちにとってずいぶん身近なものになった［西田２０１７ｂ］（１回目と２回目のブームについては６章でふれる）。

以前は、あと50年経ってもできないであろうと言われてきたチャレンジが短期間であっさりと達成されてしまった。囲碁やポーカーばかりではなく、Ｘ線医療画像の解析、トレーディング、飛行機の操縦、自動車のアクロバット走行など、人が一生をかけて磨き上げてきたスキルがＡＩによってあっさりと凌駕され、人の到達できるはるか先に行ってしまったばかりではなく、方程式を解いたり、翻訳したりするという、これまで普通の人が一生懸命にスキル獲得に取り組んだことがほとんど無料のスマホのアプリで簡単に実現できるようになってしまった。

会話に関しては、ちょっと大きな声で話せば、その内容に従って音楽をかけたり、エアコンの温度を上げてくれたり、さらには、明日の天気予報を読み上げたり、注文した商品がいまどこまで届いているかを教えてくれたりする、スマートスピーカーがいる。そして、スマートスピーカー以外に目を向けると、人が文章を書き始めると、その続きをもっともらしく続けてくれるGPT-3[*3]がいる。

身近になってきた会話AIではあるが……

スマートスピーカーは私たちが誰かとコモングラウンドを構築しようとするとき助けてくれるだろうか？　そもそも、スマートスピーカーとの間にコモングラウンドを構築することは可能なのだろうか？　そう思って、スマートスピーカーをはじめとする「会話AI」と話し始めると、あれっ、「AI」って話に聞くほどすごくはないな、とすぐにがっかりしてしまう。

スマートスピーカーは結局のところ、音声で発せられた日本語や英語らしい「コマンド」（人からの指令）を介して、目的のサービスを提供する「音声言語インタフェース」にすぎないことがすぐにわかってくる。

いまのスマートスピーカーは、私たちと同じに話しているように見せかけるものの、私たちがわかっているように言葉の意味を理解しているわけでもないし、関係性を構築していけるわけでもない。確かにいろいろな言い方に対応できるが、それはいろいろなパターンに対応できるようになっているということだけであり、それらしい言葉のやりとりをしているにすぎないのだ。心が通じるように思えても、映画『キャスト・アウェイ』[*4]で、トム・ハンクスが演じる主人公チャック・ノーランドが、漂流生活をともにするバレーボールに「ウィルソン」と名付けて人格を投影し、絶えず話しかけているのと、大差ない。ときどき寒々とするジョークを言ってくれる、このＡＩクン、話していることの表向きの意味しかわかっていないみたいだし、心が通じるということは全くありそうもない。相手が人間だと、それはそれで問題があり、何かを言い張ったり、誤解したりするけれど、心が確かにそこにあると感じられる。

現在の会話ＡＩは、私たちがコモングラウンドを構築する直接的な助けにはなりそうもない。それどころか、現在の会話ＡＩが、私たちにとってメリットがあり、楽しめる、心が通うようにするために、コモングラウンドの継続的な構築と発展のプロセスが必要なのだ。いったいどうしたらいいのか？

実はこの問いに取り組むことこそ、長いあいだＡＩの研究をしてきた私がこの本を書いた動機だ。

ＡＩが先か？　コモングラウンドが先か？

一見、「鶏が先にいないと卵が産まれない、卵が先にないと鶏にならない」という工学版の「先に進めない」ジレンマに陥りそうだが、そう悲観しなくてもいい。コモングラウンドとＡＩの問題は、片方を解いてから他方の解に応用しようとするとうまくいかない。そのようにせず、２つの問題を手に負える問題のステップに分解し、そのステップを少しずつ解いていくことで着実に前進できるように思える。

ＡＩの従来技術でコモングラウンドのサンプルづくりをある程度加速することができるし、コモングラウンドのサンプルがたくさんあれば、そこからＡＩに一般則を修得させることもできよう。

しかし、コモングラウンドとＡＩの研究を進めていくためにはステップを注意深くデザインすることが必要である。機械学習を使うにしても、その結果として構築されるコモングラウンドが確かに望んだ通りのものであるかを確認しようとすると、そもそも私たち人間にとってコモングラウンドがどのようなものであるか、理解を深めつつ、コモングラウンドを作っていかなければならない。本書では、「思わざれば則ち罔《くら》し」の警告に従い、コモングラウンドがどのようなものかあまり考えないで、とりあえずデータを採取し、機械学習プログラムに放り込んで、その背後にあるメカニズムをブラックボックスとして再現するという方向には進まない。

アナリシス・バイ・シンセシスで進める

本書では、アナリシス・バイ・シンセシス——思索を重ねて、理解のターゲットとなっている現象を作り出してみせることで理解を試みる——を基本的な方法論として採用した。会話の進行に応じてコモングラウンドがどのように形成され、更新されていくか、仮説的な理論を作り、それを実体化——シンセシス——し、さまざまな事例に適用して分析——アナリシス——できるようにするための道を拓き、コモングラウンド・テクノロジーの基礎にすることを目指す。

いきなり人と普通にコミュニケーションできる会話ＡＩとそのベースとなるコモングラウンド形成共有能力を持つＡＩの実現をめざすのではなく、我々自身がコモングラウンドとはどのようなものか、様々な事例の分析を通して理解を深め、その結果を少しずつコモングラウンド・テクノロジーのなかのコモングラウンドの形成と共有管理機能として実現していく。そのとき、現在のＡＩも混合現実を用いたインタラクション技術も活用していくことになる。活用する技術は未完成のものかもしれないが、たとえそうであってもコモングラウンドの理解を深め、コモングラウンド・テクノロジーをより強力なものにするためには十分有用であるし、コモングラウンドに関わるさまざまなサービスを作り出して、人々のコモングラウンドの強化にも結び付けることができる。

この議論の核心は、誰でも自分たちのコモングラウンドがどのようなものであるか、論じることはできるが、それを自分たちも他の人たちも体験できるよう実体化することはまだ容易にはできないということだ。そもそも、コモングラウンドを誰でも体験できるよう実体化するとはいったいどのようなことなのか？　図３のように、共有されている意識をホワイトボードに書き出すことで、その一部をシンボルを用いて実体化したとまでは言えるかもしれない。そこから共有された意識がどのようなものか、過去の経験や知識を総動員してイメージし、そこでの経験を思い浮かべることのできる人もいるかもしれないがそれはほんの一握りの人たちだけだろう。誰でも体験可能とまでは到底言えない。

テーマパークは、コモングラウンドの物理的実体化

多くの人に愛されている種々のテーマパークは、限定されてはいるものの、コモングラウンドの物理的な実体化であると捉えることができる。

テーマパークの場合、ディズニーやハリウッド映画といったテーマそのものについて、多くの人々が経験している読書・視聴経験から構成される共有意識がコモングラウンドの基礎部分となり、そのコモングラウンドを物理的な実体として実現し、実際に来訪して、近似的に体験可能にしたものであるといえる。

テーマパークを来訪し一緒にツアーする家族や友人などから構成される仲間のうちの何名かは、テーマパークにやってくるまでに一定の知識をもち、どうしたら楽しめるかプランも考えていたことだろう。別の何名かはすでにやってきたことがあり、自分の過去の体験に基づいて見どころや楽しみ方を、初めて来た仲間に伝えているのかもしれない。

テーマパークのテーマに関わる知識や先験的な意識は、来訪した人たちが、テーマパークのツアー経験を通して形成されるコモングラウンドの核として作用し、テーマパークの背景となるストーリー、日常の行動を支える常識、仲間たちが出会ってからテーマパークを訪れるまでのいろいろな経験から生じる意識を共有する助けとなる。

個々のメンバーは、それぞれ個々のプライベートな意識をもっていることであろう。ここでの共有意識は、各メンバーに共有されているばかりか、共有されているということもはっきりと意識されている事柄である。そうはいうものの、いったいどこまでのことが共有されているのか境界は定かではない。

仲間たちはこのテーマパークですでに経験して得られた共有意識に基づいて、次の行き先を決める。そして、行動が行われた後はその行動の記録となる。

テーマパークのどこにどういうものがあり、その位置関係がどうなっているかはテーマパークのマップに記載されており、仲間たちもその存在を前提とし、意識のどこかにとどめながら行動する。

もう少し解像度を上げると、テーマパーク内で受けられるさまざまなサービス——ボートライド、パレード、さまざまなショーに至るまで——がどのようなものであり、それを楽しむためにはどういうことをすればよいか——例えば、チケットを購入して、列に並ぶといったこと——については、これまでどれをどのような順序で体験してきたかも含めて、皆が知っていて、ゆえに共有意識のなかに組み込まれているはずである。これらはすべて本書でいうコモングラウンドの典型例である。

テーマパークの側も、お客を楽しませるために伏せている種々のサプライズがある。お客が予測した通りの出来事が起きるのではまったく冒険というものがなく、ツアーは退屈なものになってしまう。ないと思っていたところにキャラクターが突然出現する、思ってもいなかったイベントが起きる、あるいは、お客の依頼でバースデーサプライズが起きたりして、コモングラウンドの中に新たなものが飛び込んできたり、一部がゆさぶられたり、消失したりすることで、様々な感情に紐づいた思い出が作られていく。

このように、テーマパーク的手法はテーマ自体が持つコモングラウンドが仲間のコモングラウンド作りを触発し、来訪者もテーマパーク自体も相互に学び合うという、大変強力なコモングラウンド作りの力を持っていると言える。

他方、明らかな限界もある。第一に、テーマパークを作ることができるのはほんのわずかな人々である。強大な財力がなければまず不可能であり、また、時間もかかる。第二に、来訪者ごとに提供できるサービスを適応させるパーソナライゼーションは非常に限定されている。第三は、テーマ自体の発展速度が限定されていることである。

現代のＡＩも拡張現実もこうした物理的実装を基調にした現代のテーマパークの限界を乗り越えることを可能にする力を秘めている。では、ＡＩと拡張現実をどのように組み合わせて、どのようなコモングラウンド・テクノロジーを作り出せばよいのか、本書でその道を探りたい。

＊1　コモングラウンドについては、本書に先行して、［Nishida 2018］［西田２０１８］［西田２０２０］などで考えを述べてきた。

＊2　Oxford Leadireship「REDEFINING LEADERSHIP for the FOURTH INDUSTRIAL REVOLUTION」［https://www.oxfordleadership.com/wp-content/uploads/2016/08/3living-research-fourth-industrial-revolution.pdf］を参照

＊3　本書第7章372頁を参照

＊4　監督：ロバート・ゼメキス、２０００年公開の映画。飛行機事故にあった主人公（トム・ハンクス）が無人島で過ごした4年間を描いている。

第2章

コモン
グラウンド
概論

この章では、コモングラウンドというコンセプトがどのようなものか、基礎的側面に重点をおいて議論しよう。そして、コモングラウンドの中心概念となる、人々に共有された意識はどのようなものか、簡単な例に基づいて再度議論する。同じ題材を前にしても、人々が思うことは同じではない。コモングラウンドに関連するものの、似て非なる概念である「コモングラウンドの題材」とコモングラウンド自体を区別する必要がある。また、異なる人々が共有するコモングラウンドの集まりには構造が見いだされ、共有する人の規模に応じて、そこで中心的な役割を果たす意識の内容も異なったものとなる。そして、コモングラウンドの内容は時間とともに――あるコモングラウンドはゆっくりと、別のコモングラウンドはすばやく――変化していく。それがどのようなものか議論しよう。

コモングラウンドはふわふわしている

コモングラウンドの一般的な意味は、「(議論の)共通点、共通の場」[*5]だ。「場」を、場所のような、固定されて動かないものとして思い浮かべると、コモングラウンドの大事なところ、面白いところを見失うことになるので注意が必要だ。本書では「コモングラウンド」

を、「地面」と真逆で、ふわふわしていて、時にははっきり見えず、揺れ動いていく、心の中の存在として定式化する。

第1章では、コモングラウンドの核心は何らかの題材について人々が共有している意識であり、会話はコモングラウンドの恒常的な更新として位置づけた。

コモングラウンドは、共有された意識の対象となる題材とは明確な区別が必要である。その意識は、コモングラウンドに参加している人々が作り出す。簡単な例を使って、これらの点を再度確認しよう。

ワイキキビーチでの「あれだよ」

ハルトさんとミオさんがイツキさんとともにワイキキビーチにやってきて、ミオさんが向こうの山の方を指さして、「あれだよ」と言った状況を考えてみよう（図4）。

ミオさんはワイキキには以前来たことがあり、写真によく出てくるワイキキビーチからのダイヤモンドヘッドが印象的だったので、初めてやってきたハルトさんとイツキさんに「ワイキキに行ったら、まずワイキキビーチに行ってダイヤモンドヘッドを見よう」と

図4　ワイキキビーチでの会話

言っていた。そして、ミオさんはワイキキに着くやいなやハルトさんとイツキさんを連れてワイキキビーチにやってきて、「これまで見せてあげたいと言っていたダイヤモンドヘッドが指さしの方向にある」ことを告げた、といったところだろうか。

こうしたことは、ワイキキビーチにやってくる観光客にとってはごくふつうのことだ。傍観者にも何が起きているか、すぐ察しがつく。図4のシーンの直前のミオさん、ハルトさん、イツキさんのコモングラウンドはきっと次のようなものであっただろう。

・ミオさん、ハルトさん、イツキさんはまだそろってワイキキビーチに来たことがない。
・ミオさんは、ワイキキビーチからダイヤモンドヘッドがどの方向に見えるか知っているが、ハルトさんとイツキさんは知らない、もしくはそれほど関心がない。

そして、このあと3人がワイキキビーチに出かけたとき起きたことはおよそ次のようなことだろう。

・ミオさんが指さしをしながら、「あれだよ」という言葉を口から発したことをハルトさんもイツキさんもはっきりと気づいた。
・ミオさんがどこを指さしているかも、ハルトさんとイツキさんにははっきりわかった。
・「あれ」が指さしの先であること、ミオさんが指さしている先に見える山が、その前にミオさんが話していたダイヤモンドヘッドであることがハルトさんとイツキさんにわかった。

もちろん、この企てはうまくいかないかもしれない。ミオさんが指さしている先には複数の候補があって、ミオさんがどれを意図しているのかわからないこともあるかもしれない。あるいは、ミオさんの意図がハルトさんとイツキさんにはうまく伝わらず、ミオさんが指差しで指しているものが、これまでの話の流れとうまく結びつかないこともあるかもしれない。

コモングラウンド≠コモングラウンドの題材

このような状況についての議論の本質は、ミオさん、ハルトさん、イツキさんがダイヤモンドヘッドについてどのような意識を共有しているかという点であり、意識の対象となっているダイヤモンドヘッド自体――コモングラウンドの題材――ではない。誰と誰がどのような意識を共有しているのだろうと考えてみることによって、ミオさんとハルトさんに共有されている意識――ミオさんとハルトさんのコモングラウンド――と、ミオさんとイツキさんに共有されている意識――ミオさんとイツキさんのコモングラウンド――は、内容が微妙に食い違っているかもしれない、といったことへの気づきが生じる。

コモングラウンドの議論をしていると、しばしば、コモングラウンドと「コモングラウンドの題材」が同一視されてしまうという残念な誤解が生じるが、これはきっちりと区別しておいた方がよい。コモングラウンドの中心になるのは、題材についてどのような意識を持っているかということであり、題材そのものではない。次の例について考えてみよう。

ミオさんはハルトさんと初めて出会ったときの会話を思い出した。

ミオさん「はじめまして」
ハルトさん「はじめまして」
ミオさん「奈良から来ました」

ミオさんが「奈良から来ました」と言ったとき、2人の間には、「ミオさんの出身地は奈良」というコモングラウンドが形成される。この時点では、奈良市か奈良県かわからないが、あとでわかってくるかもしれない。

その後、話が進んでハルトさんが「奈良公園には鹿がいますね」と言ったとしよう。この場合、2人のコモングラウンドの題材には、奈良、奈良公園、鹿などが追加され、コモングラウンドには、2人に共通する奈良公園の情景や鹿のイメージが追加されることになる。

あるがままの奈良や奈良公園や鹿の実体はそれぞれ一つしかないと考えられるが、人がそれをどう意識しているかは、皆それぞれ異なっているのがふつうである。2人のコモングラウンドには、教科書に書かれている標準的な奈良、奈良公園、鹿のイメージが入っているとは限らない。コモングラウンドに実際どのようなものを追加したらいいか、会話している2人にさえも、それぞれのバックグラウンドについて詳しく知っていない限り、それほど明らかではない。

このケースでは、ミオさんは奈良県ないしは奈良市に長く住んでいて奈良の様々なことを知っているが、完全ではなく、また、誤解していることもあるかもしれない。ハルトさんのほうは、奈良については、テレビで見たり、新聞でときどき読んだりするくらいのことしか知らないかもしれないし、そもそもあまり興味がないかもしれない。

ミオさんとハルトさんが話を始める前は、2人が共有している認識は希薄であり、それぞれが同級生であるということくらいかもしれない。話が進むにしたがって、共有された話題である、奈良、奈良公園、鹿について、それぞれがどのようなイメージを持っているのか少しずつはっきりしてきて、共通するところが何か、異なるところが何か、わかってくることだろう。

ハルトさんが、「じつは私の父は、東向商店街*6で食堂をやっているんですよ」などと言うと、2人のコモングラウンドは急に奈良市ローカルなイメージで満ち溢れることになる。

コモングラウンドはいくつあるのか?

以上の定式化から導かれる第一のポイントは、コモングラウンドは、共有意識に参加する人が誰であるかによって決まる、ということだ。換言すれば、共有意識に参加する人が異なれば、コモングラウンドはみな異なる。

図5に3人の場合のコモングラウンドを示す。2人ずつのコモングラウンドが3つ、全員参加するコモングラウンドが1つ、合計で4つになる。

メンバーが4人になると、コモングラウンドの数はさらに増える。ミオさんとハルトさんには、男の子ユウト、女の子ツムギがいて、4人家族だったとしよう。この4人家族には、11個のコモングラウンドが存在する。

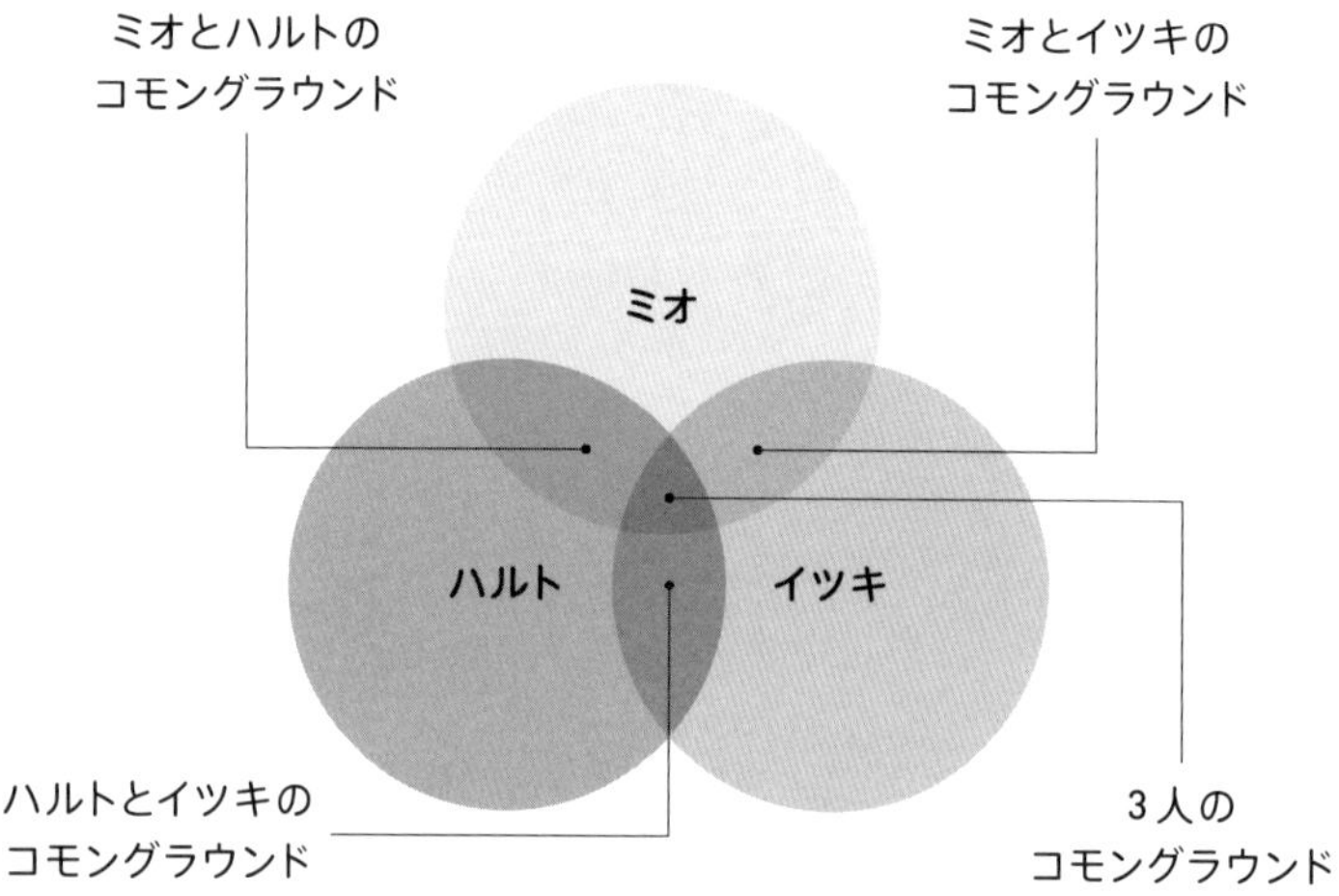

図5　3人のコモングラウンド

それらを代表するものについて考えよう。家族のコモングラウンドとは、家族を構成する4人全員が共同で構成している意識である。共に暮らし、毎日の生活のいろいろな側面について共同で作り上げ、共有してきた意識――どんな家に住んでいるか、どんなものを一緒に食べているか、だれがいつどのようなことをしているか、一緒にどこに行ったか、一緒に何かして楽しんだ思い出にどのようなものがあったか、一緒に立ち向かった危機はどのようなものだったか、これからどのようなことが起きると思っているか、等々――である。これらは、外の人に家族のことを話すときの標準的な語りの中に含まれていると言っていい。
もう少し詳細に観察すると、家族のメンバーごとに少しずつコモングラウンドが食い違っていることが見えてくる。例えば、「ローンで家計が苦しいのだ」といった話は、家族全体で共有して頑張ろうということもあるかもしれないが、わざわざ子どもには伝えず、父と母だけで頑張ろうとするかもしれない。親だけにとどめておくような話があれば、それは両親のコモングラウンドには含まれるが、家族全体のコモングラウンドには含まれない。

子どもの方は子どもの方で親には内緒の話もいろいろあることだろう。つまり、子どもたちのコモングラウンドには含まれているが、親のコモングラウンドには属さない事柄も少なからずあると考えておいた方がよい。現実はもう少し複雑であり、子どもたちには内緒にしておこう（例えば、ローンで家計が苦しい）と思っていたことが、実は子どもたちには筒抜けになっているかもしれない。そのような場合でも、「ローンで家計は苦しい」という意識は家族全員が共有しているとは言い難い。両親のコモングラウンドに含まれている意識は、「ローンで家計は苦しいがそのことは子どもたちには知らせていない」であるが、子どもたちのコモングラウンドでは、「ローンで家計が苦しいが、両親はそのことは子どもに知らせず、頑張っている。知らせてくれて、みんなで頑張った方がいいのに」といったことになるかもしれない。

両親と娘だけで共有している意識もあるかもしれない。典型的な例は、誕生日のサプライズプレゼントの相談だ。あれがいいかな、これがいいかな、でも、本人にはお楽しみとして、誕生日まで伏せておこう、ということになる。母親と子どもたちの間では、父が働き過ぎで疲れているみたいだから、もう少し休んだ方がいいよと言ってあげようと相談しているかもしれない。

以上の通り、{ミオ, ハルト, ユウト, ツムギ}が構成する4人家族の場合だと、{ミオ, ハルト}, {ミオ, ユウト}, {ミオ, ツムギ}, {ハルト, ユウト}, {ハルト, ツムギ}, {ユウト, ツムギ}について、参加者2人のコモングラウンドが6個存在し、{ミオ, ハルト, ユウト}, {ミオ, ハルト, ツムギ}, {ミオ, ユウト, ツムギ}, {ハルト, ユウト, ツムギ}について、参加者3人のコモングラウンドが4個存在し、{ミオ, ハルト, ユウト, ツムギ}全員についてのコモングラウンドが1個存在し、全部で11個のコモングラウンドが存在することになる。そして、それらの内容は微妙に異なっていることであろう。一般に、構成員がn人になると、2^n-n-1のコモングラウンドが存在することになり、構成員の人数

nの増加とともにその数は指数的に増加する。

コモングラウンドとパーソナルグラウンド

これまで個人の世界については議論を避けてきた。その理由は、個人の世界に立ち入るときりがないからだ。また、何が真実であるかもよくわからなくなる。本書では今後もこの問題にあまり深入りしないことにしたいが、全く取り上げないわけにもいかないので、ここで少しだけ個人の世界の扱いについて述べておきたい。本書では、図6のように個人の活動を、観察できる自我とミステリアスな自我に分ける。

個人としての自我（ニシダくん）を動かしているのは、ニシダくんをつかさどるミステリアスなニシダくんである。本書では、ミステリアスなニシダくんが一体何に基づいて、個人としてのニシダくんを動かしているかは問わない。そのかわり、ニシダくんのさまざまな活動は、そのときどきにはっきり意識されたり、発言として表明されたりした考えとともに、「観察されるニシダくん」と題する「巻物」に記録される。この「巻物」という喩えは重要である。コモングラウンドは時間の経過とともに発展していくから、それを縷々《るる》

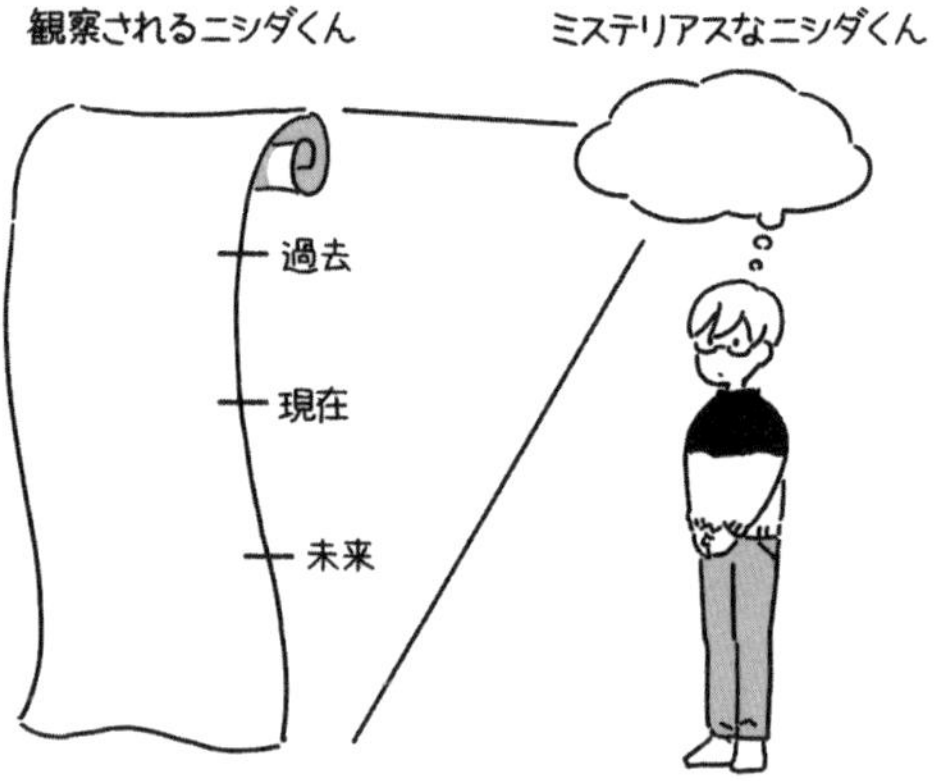

図6　パーソナルグラウンド

記録していけるものでなければならない。

この「観察されるニシダくん」は、本書の想像上の産物である。実際の「個人としてのニシダくん」の行動についてビデオなどに記録されたものよりたくさんの情報を含んでおり、人間にもコンピュータにも解読可能な言語で記述されている。「個人としてのニシダくん」が暮らす世界とどう対応するかも記述されている。

さらに、「観察されるニシダくん」は、「個人としてのニシダくん」が心の中ではっきりと思ったことまで書かれている公式の記録だが、公式だからと言って、誰にでも公開されているとは限らない。

ある部分は、執筆した論文やメールの文書あるいは、公的な場での発言として公開されているが、別の部分は、家族だけにしか明かしていなかったり、さらには、誰にも明かしたりしていない秘密もあるかもしれない。

それでも個人としてのニシダくんの行動はすべて観察されるニシダくんからわかるわけではなく、謎（ミステリアス）の部分が残されている。しかし、その謎ときは本書の視野を超えている。

観察されるニシダくんは、ニシダくんがこれまで脈々と紡いできたストーリーの公式記録である。以下では、これをパーソナルグラウンドと呼ぶ。パーソナルグラウンドもコモングラウンドも参加者が単数であるか、複数であるかの違いだけとなる。パーソナルグラウンドもコモングラウンドも絡み合いながら、時間の経過とともに発展していく。

映画の中のコモングラウンド

パーソナルグラウンドとコモングラウンドが相互作用しながら発展していく面白さを提供してくれるのは映画だ。古典映画の名作『カサブランカ』[*7]でイルザ（ヒロイン）とリッ

図7　映画『カサブランカ』でのイルザとリックの再会

ク（ヒーロー）が、カサブランカで偶然再会するシーンがある（図7）。場所は、リックが経営する「カフェ・アメリカン（この場合は酒場）」。時は、第二次世界大戦でナチス率いるドイツがパリを占領した1940年6月から1年余り経った1941年12月。このシーンは、イルザと夫ラズロがカサブランカに到着して間もなく偶然リックの経営する酒場にやってきたときのものである。2人は、酒場でルノー（リックの友人の地元警察署長）を紹介され、世間話をしたあと、イルザはそこが昔の愛人リックの経営する店であることに気づく。そして、昔、リックと一緒にいたピアノ弾きのサムを見つけ、思い出の曲を弾き、歌わせる。禁じていた曲が演奏されているのを聞いてリックが現れる。

ここには、4人の登場人物｛イルザ（ヒロイン），リック（ヒーロー），ラズロ（ヒロインの夫），ルノー（ヒーローの友人）｝がいる。先に論じたとおり、そこに存在するコモングラウンドは、｛イルザ，リック｝、｛イルザ，ラズロ｝、｛リック，ルノー｝、｛ラズロ，ルノー｝、｛イルザ，ルノー｝、｛リック，ラズロ｝という6通りが基本的であり、さらに、｛イルザ，リック，ラズロ｝、｛イルザ，リック，ルノー｝、｛リック，ラズロ，ルノー｝、｛イルザ，ラズロ，ルノー｝という異なる3人の組み合わせが4通りあり、そしてこの場にいる人全員｛イルザ，リック，ラズロ，ルノー｝の合計11通りのコモングラウンドが存在する。

時の流れとともに展開していくコモングラウンド

主人公のイルザとリックのコモングラウンドはどう発展してきたのか？　図7のシーンが出てくるまで、映画ではほとんど紹介されていない。しかし、進むにつれ、2人はパリで一緒に過ごしてきたこと、ピアノ弾きのサムはパリの時代からリックと一緒にいたこと、パリ陥落の前夜、2人はパリ脱出のためにリヨン駅で待ち合わせていたが、イルザが「も

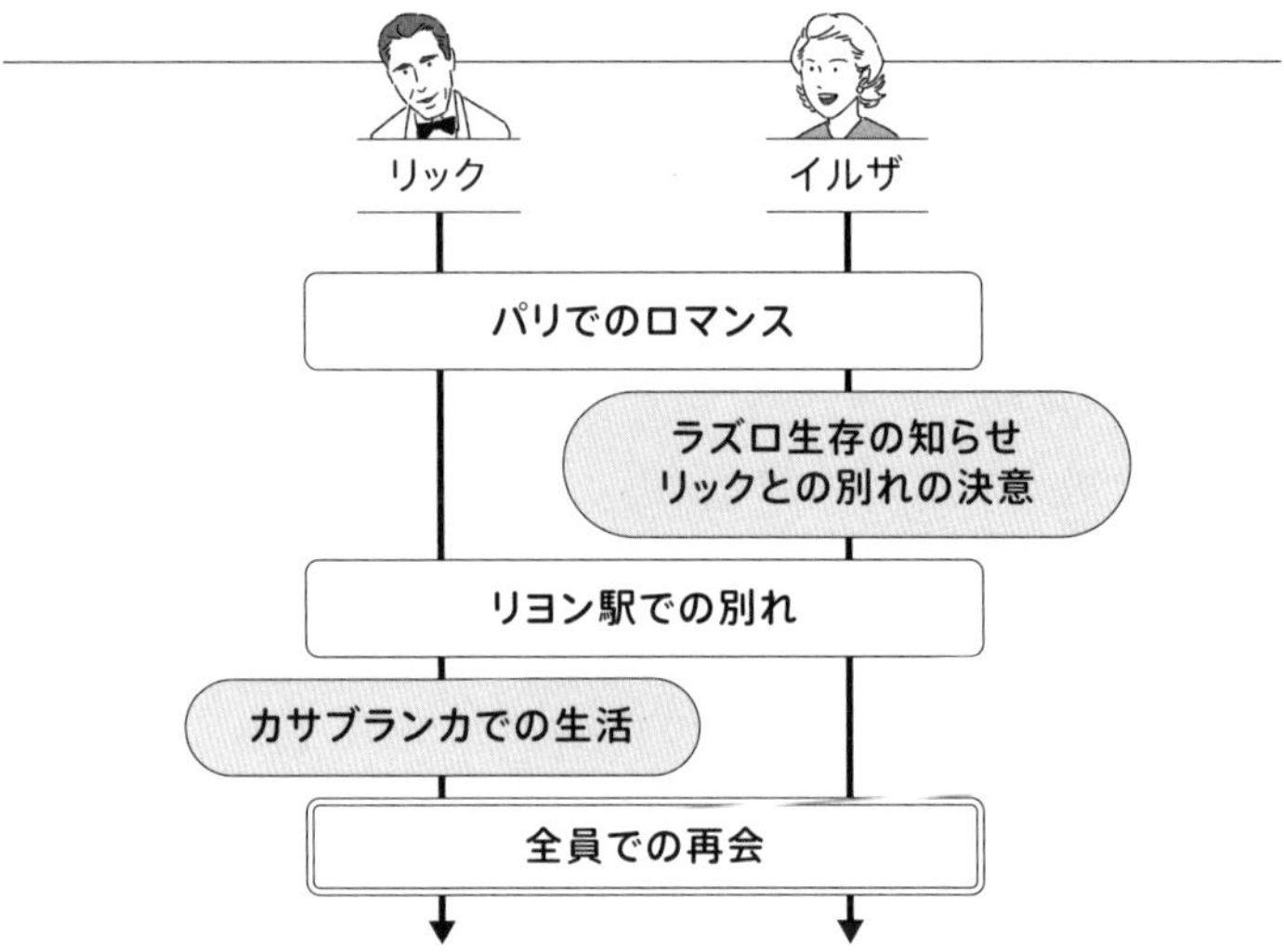

図8　イルザとリックのコモングラウンドの発展

う会えない」というメモを残して、突然消息を絶ったことがわかってくる。2人のコモングラウンドの発展の様子を図8のようなダイアグラムで表す。時間の流れを上から下に表し、コモングラウンドを四角、パーソナルグラウンドを楕円で、つながりを矢印でつないでいる。この図に示されているように、2人のコモングラウンドの発展の背後で、それぞれの個々のパーソナルグラウンドも独自に発展している。

イルザの夫として登場するラズロとイルザのコモングラウンドはどう発展したのか？　映画の中では、イルザとリックのコモングラウンドが紹介された後に少

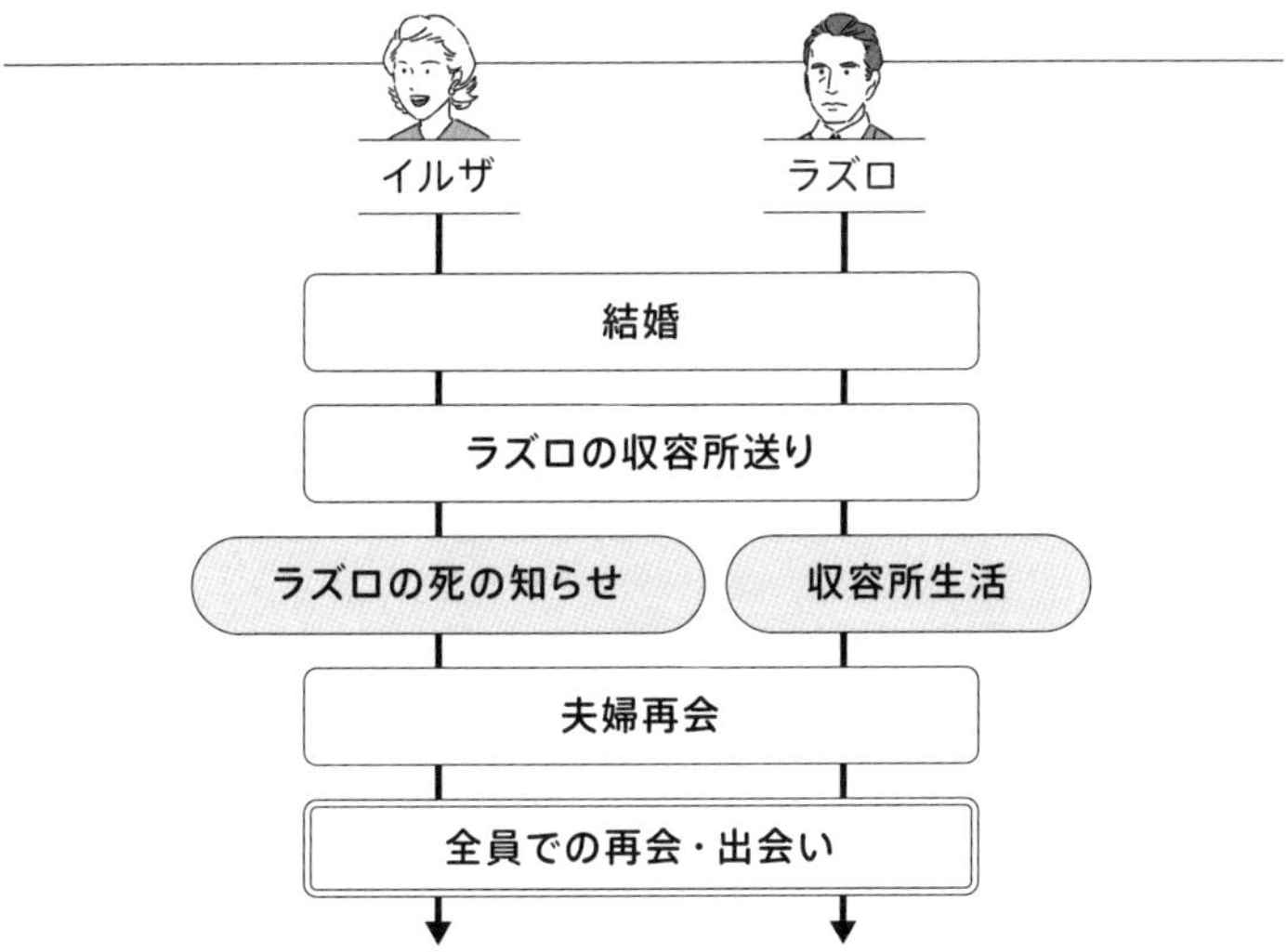

図9　イルザとラズロのコモングラウンドの発展

しずつ暴かれていく。映画の中でそれが映像化されることはついになく、イルザの口から語られる。観客は、イルザはリックとのロマンスを始める前にパリで反ナチの活動家ラズロと結婚していたこと、その後ラズロが強制収容所に入れられ、死んだと聞かされたこと、しかし、リヨン駅でリックと会う前夜にラズロが生きていると知らされたこと、その後、アメリカに脱出するための通行証を得るためにカサブランカにやってきたことを知らされる（図9）。

リックとルノーはリックが1年ほど前にカサブランカにやってきてからの友人だが、リックのそうした過去が2人の間に共有されているわけではない。

分裂と統合を繰り返しながら発展

図8と図9を見比べてみよう。イルザとリックのコモングラウンドとイルザとラズロのコモングラウンドの間には、一方には含まれているが他方に含まれていない事柄があり、ほぼ独立して発展していることは当然であるとしても、同じコンテキストの中で出会うとんでもないことになりそうな内容――イルザとリックのロマンスと、イルザとラズロの結婚――が含まれていることがわかり、観客ははらはらし、どうしてそんなことになったのだろうかといぶかり、どうなるかどきどきする。

映画『カサブランカ』が素晴らしいのは、はじめはばらばらで、ぶつかると大変だとすら気づかなかった対立する内容を含むコモングラウンドたちが――少々陳腐な表現をするならば――愛と友情の力によって、統合されていくところである（図10）。

もう一つ忘れてはならないことは、観客には図10に示した通りの時間の流れが示されるのではないことだ。映画は、イルザとラズロがカサブランカに到着したところから始まり、

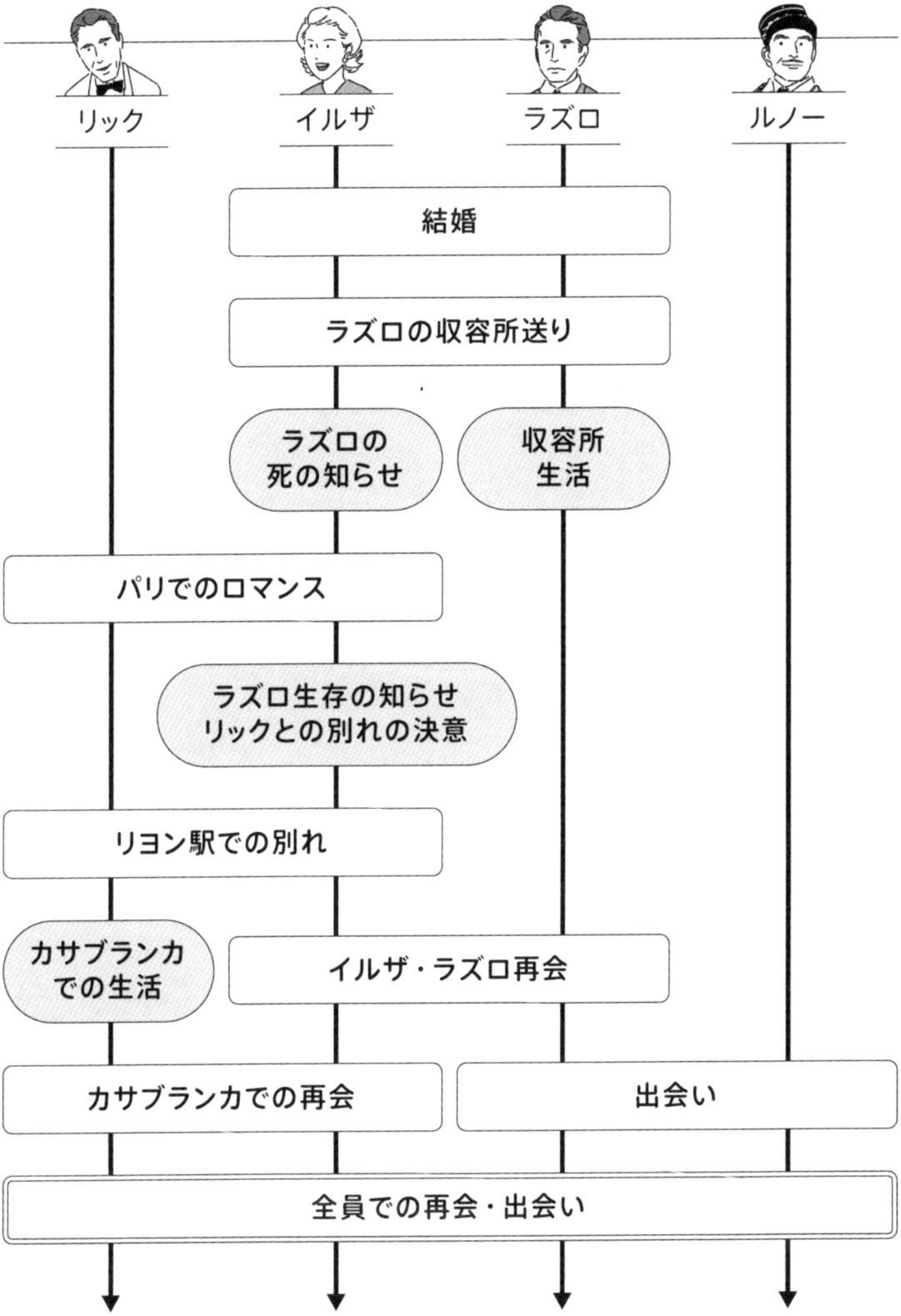

図10　分裂と統合を繰り返しながら発展する全員のコモングラウンドたち

やがてイルザはリックと再会し、その再会に主要な登場人物であるラズロとルノーが参加する。その後、イルザとリックのパリでのロマンスとその後の別れに遡り、再会後の物語が展開する。そして、イルザがどうしてリヨン駅に来なかったのか、イルザとラズロのコモングラウンドも語られていく。映画監督と観客の間のコモングラウンドは映画監督と観客が直接会話することで作られていくのではなく、映画の進行とともに観客が形成していき、映画監督もそれを想定している。

人は他者の想いについて考える

今度は、図11のような状況を考えてみよう。

ここでは、「ハルトさんがＵＦＯを目撃した」という報告が関心事である。ハルトさんは「ミオさんはハルトさんの報告を疑っている」と強く信じているが、ミオさんのほうはそうだとは思っていない。ミオさんは、「ミオさんがハルトさんの報告を疑っている」とハルトさんが強く信じているなどとはつゆ思わず、ハルトさんの報告通りのことが実際にあったと素直に思い、いつどこで目撃したか、ＵＦＯはどんな恰好をしていたかなど、も

図11　多重の引用

っと詳しく聞きたいと思っている。

このように、私たちは日常生活で他者の想いを引用し、その内容について考えることがある。そしてそれは繰り返されていく。コモングラウンドについても同様であり、他の人たちのコモングラウンドに飛び込むこともあれば、その前後に他の人たちのコモングラウンドがどのようになっているか想いを巡らすこともある。

理論装置としての可能世界

コモングラウンドの発展に並行して、人間はそれぞれいろいろなことを考え、それを共有し、批判し合って、さまざまな想いを作り出していく。それが私たち人間の知能の素晴らしいところである。

そこで現れるいろいろな考えが作り出す重層的な世界を捉えるために、ソール・クリプキに代表される20世紀の哲学者たちは可能世界という概念を考案した。可能世界とは、こうかもしれないと想像する一つの整合した状況を指す［Heim 1998］。今日の世界、昨日の世界、明日の世界、想像上の世界など、矛盾を含まない整合した世界だと思えることは、一つの可能世界としてモデル化する。

私たちがこれが真実だと信じている世界も可能世界の一つとして位置づけられ、「現実世界」というラベルが付与される。「何が真実だか、本当のところはわからないのだ」という説の人は単にどれかの可能世界に「現実世界」とラベル付けするという行為を保留して、議論を進めようということになる。

それぞれの可能世界にいろいろな形で現れる概念は内包と呼ばれる。金星という概念を持たなかった昔の人が思い描いていた可能世界では、夕方に西の空に明るく輝く「宵の明星」と、明け方に東の空に明るく輝く「明けの明星」とは、別の概念であり、別の星――外延――になる。他方、「金星」が発見され、周知のものとなってからは、宵の明星と明けの明星は異なる概念であっても、その外延は科学知識を持っている人が承認している可能世界では、同一の金星ということになる。

私たちは、「昔の人は宵の明星と明けの明星は違うものだと思っていたんだ」といった具合に、他者の信念の内容を引用しつつ思考を進める。そうした登場人物どうしの心の探り合いは映画を鑑賞する楽しみの一つでもある。一方でこうした信念の参照が引用になってくるとだんだん誰が何を考えているかわからなくなっていく。

可能世界の条件を緩める

先に述べたようにコモングラウンドは変化していくものであり、また、引用されるときもあるので、コモングラウンドを複数個の可能世界として捉え、引用を許すようにしておくことも考えるが、そのままでは難しい。

なぜならば、私たちの住んでいる世界は至る所で同時並列的に変化が起こるうえ、私たちが知ることができるのは、そのほんの一部だけである。それをいちいち可能世界として区別することは現実的ではない。

以下では、コモングラウンドをどのように捉え、モデル化したらいいかという問題についての考え方を整理しよう。

世界のなかの関わりのあるところだけを捉える

コモングラウンドの題材に目を向けてみよう。コモングラウンドの題材となっているものは森羅万象である。そこから人間が与えた意味によって情報が生まれる。人間の知の世界の発展に従い、人を取り巻く世界からは人間が与えた意味づけに従って膨大な情報が発生する。

繁華街を歩くと、街にはいろいろなサインが満ち溢れ、路には多くの人々が往来する。山の中を歩くと、一面のクマザサと雑木林、巨木。鳥の鳴き声、ときどき出てくる小動物や昆虫が街の中とは全く異なるタイプの情報を生み出している（図12）。世界は情報で溢れている。

その情報すべてを一つ一つ処理して、対応することなどできるはずもないし、すべて対応してから次に進もうなどと考え始めると全く動けなくなってしまう。

図12　フレーム問題。世界は情報であふれている。

一様に見える砂浜にいても、少し解像度を上げると、細かなパターンが見えてくる。さらに近づき、砂の一粒ずつを見るとみな違う。それらについてこれは何だろうか、何が起こるだろうかなどといちいち考えていたら切りがないし、何かにとらわれていると危険が迫っていても気づかないかもしれない。

人間は世界から押し寄せてくる情報のなかから自分に関係のあるものだけを選別してうまく暮らしているように見えるが、ＡＩではなかなかそれがうまく実現できない。どうしたらいいかというのが、古くからＡＩ研究者の頭を悩ませてきたフレーム問題［McCarthy 1969］である。

本書では、「ムービークリップ」のメタファーを使うことでフレーム問題の所在を意識しつつ、コモングラウンドをモデル化する。人々が経験のなかで選別し、フレーミングした情報を知覚的に経験できる「ムービークリップ」のような実体として保存し、ネットワーク上につないだものを一つのレイヤとして、コモングラウンドのなかに組み込む。「ムービークリップ」を参照することで他者の考えを引用してその内容について語ったり、もとの「ムービークリップ」の視点を変えたり、加工したり、「ムービークリップ」の追加削除を行うことで、引用された状況から派生する状況について語ったりすることができる。

会話の中でのコモングラウンドの更新はすばやい

会話の進行とともにコモングラウンドは時々刻々と変化していく。その様子を克明に捉え、こんなことがあったからこんな風に変わっていくはずだ、という理論を作って、再現することが本書の主軸となる。

一番基本的なコモングラウンドの更新は、話題として取り上げた事柄(Theme)について、新しい情報（Rheme）を追加することだ［Brown 1983］。

「明日のハイキングは、近鉄奈良駅前の行基さん*8の前で午前9時に集合することにしよう」と合意がなされたら、明日のハイキングの集合場所と集合時刻が話題（Theme）であり、「集合場所＝近鉄奈良駅前の行基さんの前。集合時刻＝明日の午前9時」が新しい情報（Rheme）である。

せっかく予定したのに天候不順でハイキングが中止となったら、コモングラウンドの中の当該ハイキング関係の情報には、「中止」というタグがつけられることになるだろう。また、別のハイキングの計画が立てられたら、それに対応する記述がコモングラウンドの中に発生する。仮に「雨の中をハイキングに行ったとしたら」という話になったら、それに対応する「ムービークリップ」が新たに生成され、「ずぶぬれになって山の中でさまよっている」といった話の中で共有されている情景がムービークリップに追加されていくことだろう。

時には、このコモングラウンドの共同更新のプロセスにはほころびが生じ、皆がそれぞれ違ったふうにコモングラウンドを修正してしまい、あとで、ちょっとした混乱が生じることもざらにある。

このようなことを、私たちが日常の会話の中でしているとしたら、具体的に会話中のどのような手がかりに基づいて、どのようにコモングラウンドを修正しているのか、克明に描き出したい。そして、ＡＩにも参加してもらい、これまでは、暗黙的であったコモングラウンドの共同更新のプロセスがもうちょっと確実に、かつ、迅速に行われるようにしたい。

コモングラウンドの引用と派生

本書でコモングラウンドの構成要素のメタファーとして位置づけたムービークリップは、たとえその内容が未来や過去についての想像であっても、その内容は制作時点の少し前の考えをまとめ、凍結したものである。時が経てば、それは過去のものになり、また新しい考えが浮かんでくる。

人々は会話をしながら、関心のあるものに関わる過去のムービークリップを探し出してきて、閲覧し、そこに新たな考えを付け加えている、というのが本書での会話の捉え方である。そこで基本的な作業は、探し出してきたムービークリップのうち、関心をもった所にマークをつけて引用すること、そしてそこに新しい考えを追加し、もとのムービークリップから派生させて新しいムービークリップを作ることである。私たちの時間は有限であるから、この作業は実行可能な範囲にとどまらざるを得ない。私たちの記憶能力や表現能力にも限りがある。これまでは他の手段は限られていたので、これを私たちの持てる能力と努力に依存して手作業で行ってきたが、これからはテクノロジーの力を借りてこれまでよりはるかに強力なものにしたい。これが、本書で言うコモングラウンド・テクノロジーの目的である。可能世界論はベースになるものの、可能世界の隅から隅まですべてを丹念に作り上げるという全域性はもはや重要ではなく、有用な部分性を見つけ出すことが本質になる。

多レベルのインタラクションの協調

認知言語学者のハーバート・クラーク［Clark 1996］は、私たちが日常使う自然言語では、言葉を使った言語的コミュニケーションと、身ぶりやしぐさ、あるいは、顔表情や、声色などの非言語的なコミュニケーションが調和的に使われていることを指摘した。そして、言語的コミュニケーションと非言語的コミュニケーションは構造的に組み立てられている

図13　バートがアダムのところにやってきたときの会話

と示唆した。

クラーク理論は会話中に会話参加者が共同で行う共同行為の定式化を中心に組み立てられている。図13のような状況を考えてみよう。

このシーンは、アダムとバートがいて、アダムが、ソファのある場所を指さしながら、「Sit down here」と言ったところである。こんな簡単なシーンでも、アダムが、単なる提案をしているのか、それとも命令をしているのか、ほとんど無意味の挨拶に近い決まり文句を言っているのか、等々はっきりしないが、ここでは、「まあそこに座ったらどうかね」といった提案をしているとしよう。

クラーク説によると、このような状況でアダムとバートのやりとりはいろいろなレベル——抽象化の度合い——での2人のやりとりが連携してこそ成功する。

いちばん物理世界に近いレベル1では、アダムが手を挙げて前に突き出したり、声を出したりするという動作をして、バートがそれに注意を向けたというとらえ方になる。ある動作が行われたら、同時に、あるいは、その次に別の動作が行われている。外から見ると、何かやりとりをしているな、くらいの感じになる。

次のレベル2では、もう少し抽象的な言葉を使ってアダムとバートの社会的シグナル——社会的に意味づけされた信号——のやりとりを記述する。アダムはバートが気づくように動作を提示することで社会的シグナルを発して、バートがそれに注意を向けることで社会的シグナルを受け取っている。

レベル3では、各社会的シグナルに対してコミュニケーションとしての意味づけがされる。アダムはバートに対して、指さした場所に座るよう依頼し、バートはアダムの一連の動作を理解して、「アダムは私に座ってほしいと伝えている」と解釈する。

レベル4では抽象度はさらに上昇し、アダムはこれからバートと何かを話すという一連のまとまった行動——プロジェクト——を実施しようとして、まずプロジェクトをバート

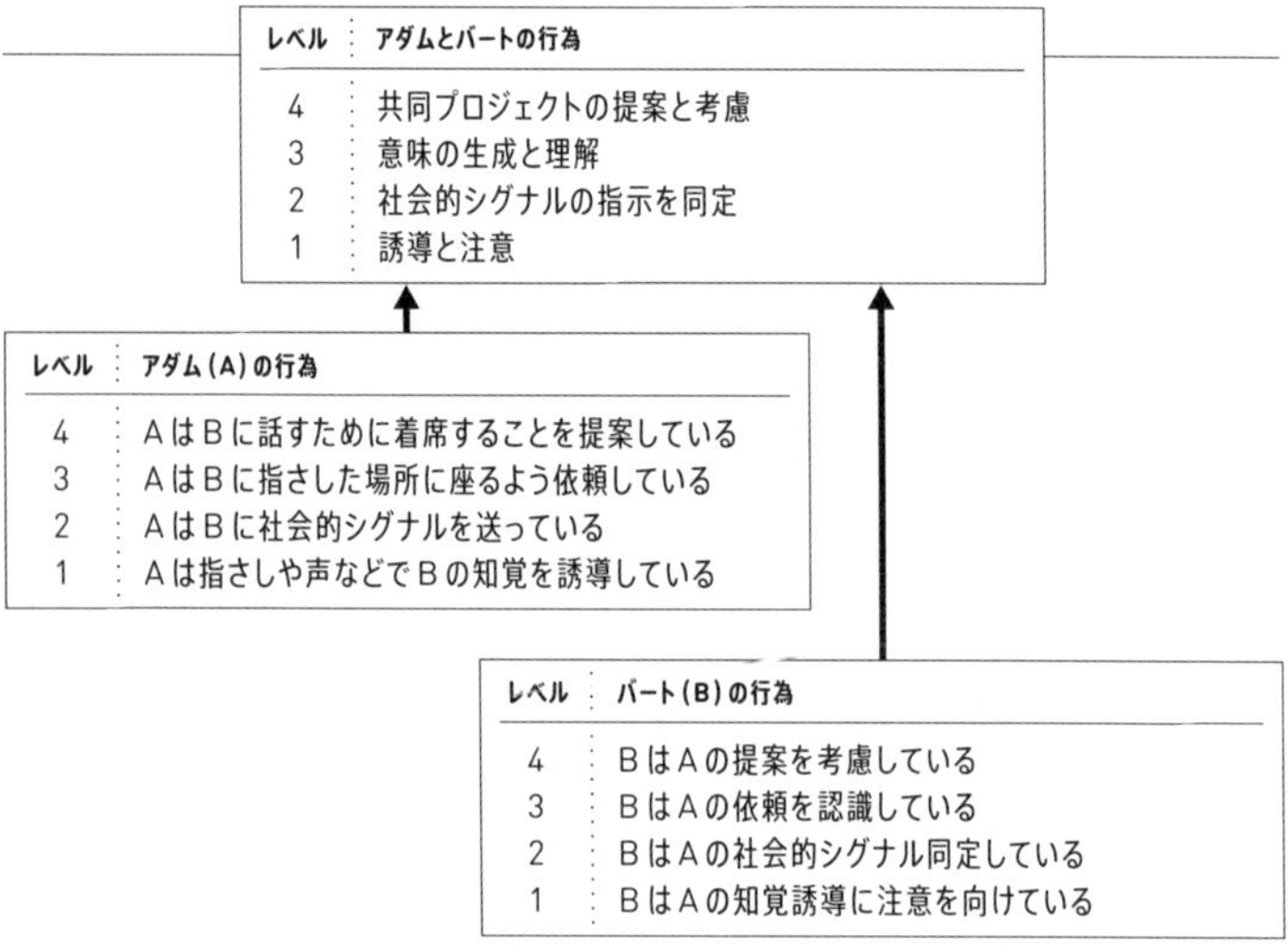

レベル	アダムとバートの行為
4	共同プロジェクトの提案と考慮
3	意味の生成と理解
2	社会的シグナルの指示を同定
1	誘導と注意

レベル	アダム（A）の行為
4	AはBに話すために着席することを提案している
3	AはBに指した場所に座るよう依頼している
2	AはBに社会的シグナルを送っている
1	Aは指さしや声などでBの知覚を誘導している

レベル	バート（B）の行為
4	BはAの提案を考慮している
3	BはAの依頼を認識している
2	BはAの社会的シグナル同定している
1	BはAの知覚誘導に注意を向けている

図14　共同行為概念を用いた定式化

に提案し、バートはその提案を受けてどうするか、考え始めている。

各レベルのメッセージは図14のように構造化されている。このようにアダムとバートの間のコミュニケーションは、2人が協力して、各レベルでセットになった2人の行為を協力しながら並列的に行うことにより、シグナルレベルから共同プロジェクトレベルまでの豊かなメッセージを効率的に共有できる、というのがクラーク説だ。

AIにもできるか？

会話のなかで参加者たちはそれまで構

築されてきたと信じているコモングラウンドに基づいて、言語的・非言語的なさまざまな手がかりを使って会話を進め、コモングラウンドを更新している。そう想定し、具体的にどうやってコモングラウンド更新プロセスが進んでいるかを解明し、人々に混じって更新プロセスに参加できるＡＩを作ることが本書の究極の目的だ。

業務の流れが作り出すコモングラウンド

少し視野を広げて、一緒に何かの共同作業をするために、一つの業務の流れに携わっている人の集まりを考えてみよう。

事業所で働く人たちのコモングラウンドであれば、業務の流れを記述した文書、あるいは、ビジネスプロセスモデリング[*9]によるダイアグラムからより詳細に読み取ることができる。現代では、大方の業務を管理するために文書が用意され、業務の流れに従っていろいろな文書がやりとりされていく。業務に携わる人たちも、責任者として業務を統括している人も、アウトプットをサービスとして受け取る人も、業務の流れを理解したうえで関わっていると言える。業務への理解は業務のどの側面に関係しているかによって詳細であったり粗かったりするが、関係者全体に共有された業務の意識が、コモングラウンドとなる。業務のコモングラウンドは、業務の進行とともにどんどん変化していく。書類が起草され、担当者から責任者に向かって流れていき、何人かの点検を受けて決定されていく。どこかで滞っていたら、統括責任者はその滞りを検出し、滞りの原因を取り除く作業を行い、業務をもとの円滑な流れに戻さなければならない。業務自体は、個々の担当者のレベルでは、様々な作業がてきぱきと行われるという意味で目まぐるしく変化していると言えるが、業務のコモングラウンド管理という観点からは、書類がどう変化していったかが追跡できればほぼ十分である。

わが町のなかにあるコモングラウンドたち

さらに視野を広げてもっと大規模な人の集まりに目を向けてみよう。

私たちの町には、いったいいくつのコモングラウンドが存在するのか？　先の原理に沿って考えていくと、天文学的数をすぐに超えてしまう。これを持ち出して、こんなにたくさんあると言ってみても無益なので、考え方を変える必要がある。大同小異、つまり、違いがあることは意識しつつ、大方の同じものは同じと考える近似的な考え方を導入するしかない。近似度をどれくらいに設定するか、つまりどれだけの違いを無視するか、というところこそが、学術の出番であるが、ここは深入りせず、常識的に「同じ」と認められるコモングラウンドをひとまとめにする。

町の中のいろいろなコミュニティ

周りを見渡してみると、いろいろな集まりがある。スポーツ系、芸術系、学習系、ボランティア系、同業者の集まり、伝統を守る取り組み、町内会、等々。よく観察すると、そこに参加している人たちには、熱心に参加している人から、片手間の人まで、温度差がある。

例えば、テニス愛好家の場合は、図15のように、テニスをプレイする人もいれば、テニスを見るのが好きな人もいるし、頻繁にプレイする人からときどきしかプレイしない人、年季の入った人もいれば、始めたばかりの人もいる。違いに目を向ければきりがないが、逆に、テニス好きの人同士、共有している意識も多い。テニスコート、ラケット、プレイ

図15　テニス愛好家たち

の仕方、ルール、基本的なマナーに始まり、フェデラー、ナダル、ジョコビッチ、マレー、ウィリアムズ姉妹、大坂なおみ、錦織圭など有名プレイヤーの名前、プレイスタイル、経歴や、全仏、ウィンブルドン、全米、オーストラリアンオープンでの最近の優勝者などがスラスラ出てくる。そして全仏オープンの会場がローラン・ギャロスであること、ローラン・ギャロスという名前は、同名のフランスの飛行家をたたえたものであること、そこに2021年にラファエル・ナダルのステンレス像がつくられたことなどを思い出す人もいるかもしれない。

コミュニティ=同じ何かを共有する人たち

同じ何か——興味、なりわい、生活、等々——を共有する人たちの集まりは、**コミュニティ**と言われている。観点を変えると、コミュニティで共有されている何かに関する意識——コモングラウンド——こそが、コミュニティに属する人々を結び付ける力となっている、と言える。

昔のコミュニティ概念にはさらに共同体意識が加わるが、現代になるとコミュニティのメンバーが従うことを求められてきたしきたりは薄らいでいき、また、インターネットの広がりで同じ場所にいて生活時間の大きな割合を共有しなければならないという制約も弱まり、それに従って、共同体意識も弱まってきたと考えられる。

コミュニティのコモングラウンドの場合は、近似的にしか捉えることはできないが、コミュニティのメンバーたちがどのようなマインドセットをもっているか、その輪郭を捉えることはできる。

例えば、テニスの愛好家たちが題材となっているテニスにどのような意識を共有しているか、明らかにしようとするのであれば、愛好家たちの言動を観察して分析したり、直接にインタビューしたり、愛好家たちのブログやツイートや執筆記事を分析したり、学者の分析を調べたり、スタンダードな調査をすることでかなりのところまで行けるだろう。

人の集団が大きくなると、組み合わせの数は急速に膨大になるが、特定の人間関係があったり状況を共有したりしているということがなく面識のない人たち、同じグループにいる人たち、状況を共有している人たち、といった分類に応じて似通った構造のコモングラウンドを有すると考えられる。個別的な関係を分析するのは難しいが、類型的な関係の分析は容易になるという側面もある。

大型クルーズ船の比喩

これまで会話レベル—業務レベル—コミュニティレベルのコモングラウンドでは、だいぶ様相が異なることを指摘してきた。何千人も乗り合わせる大型クルーズ船では、これらが全部そろっていて、その違いを比べ、違ったレベルのコモングラウンドの現象がどのように相互作用するか観察することができる。

会話レベルのコモングラウンドは人々の日常のやりとりのなかに現れる。クルーズ船では、家族や知人の間あるいはスタッフとの会話が日々起きていて、その内容もさまざまなものがある。そのとき、人々は言語・非言語的な手段で、会話の外にあるものを指し示したり、会話の先行する部分を参照したりする。こうした指し示しや参照などによる注意や情報の共有はしばらくたつと忘れ去られていくが、それこそが会話レベルのコモングラウンドである。

人々は食事やオプショナルツアーなどのイベントがあると、それがどんな段取りで行われるか周知され、見知らぬ人々でも列に並んだり、声を掛け合ったりして、段取りに従う。この段取りや、段取りで共有される情報こそが業務レベルのコモングラウンドを構成する。

さらに視野を広げると、人々は同じクルーズ船に乗り、生活をともにし、同じ遠景を見、波の音を聞いている。こうした環境は概ね乗船している人々に共有され、時には話のタネになり、自分たちは共に暮らしているという共感が生じる。そして、この環境はクルーズ船の航行に伴う位置や景色、天気などの変化に伴い、多くの場合少しずつ、ときには急激に変化していく。また、日がたつにつれて、人々は交流を重ね、つながりができていく。その総体がコミュニティレベルのコモングラウンドとなる。

エンビジョニング

これまで議論してきたように、私たちは日常の会話の中でさまざまなレベルのコモングラウンドを取り上げ、会話の進行とともにその更新をしている。これは人間にとってもたやすいことではなく、効率の悪いプロセスだ。そこがまた会話の楽しいところでもあるが、私たちには会話以外にもやってみたいことはたくさんあるから、のんきなことを言っていても何もいいことは起きない。

そこで、このところ発達とコモディティ化の著しいＡＩ技術を使えば、コモングラウンドに関わるプロセスをこれまでとは格段に違ったものにできるだろう。

その基本となる考え方は、「外化」である。会話参加者の頭の中にあり、会話の進行とともに変化していくコモングラウンドを知覚し、体験することが可能になるよう、「外に取り出そう」というわけである（図16）。ＩＣＴやＡＩの力を使って、会話参加者の頭の中にあるイメージを映像化することをここではエンビジョニングとよぶ。外化にはいろいろな仕方があるが、そのうちのひとつの方式がエンビジョニングである。

エンビジョニングでは、知覚的な同型性を重視する。すなわち、知覚する世界との間での変換を、幾何学的に同型なものだけとし、切り取り、平行移動と若干の回転、多少の拡

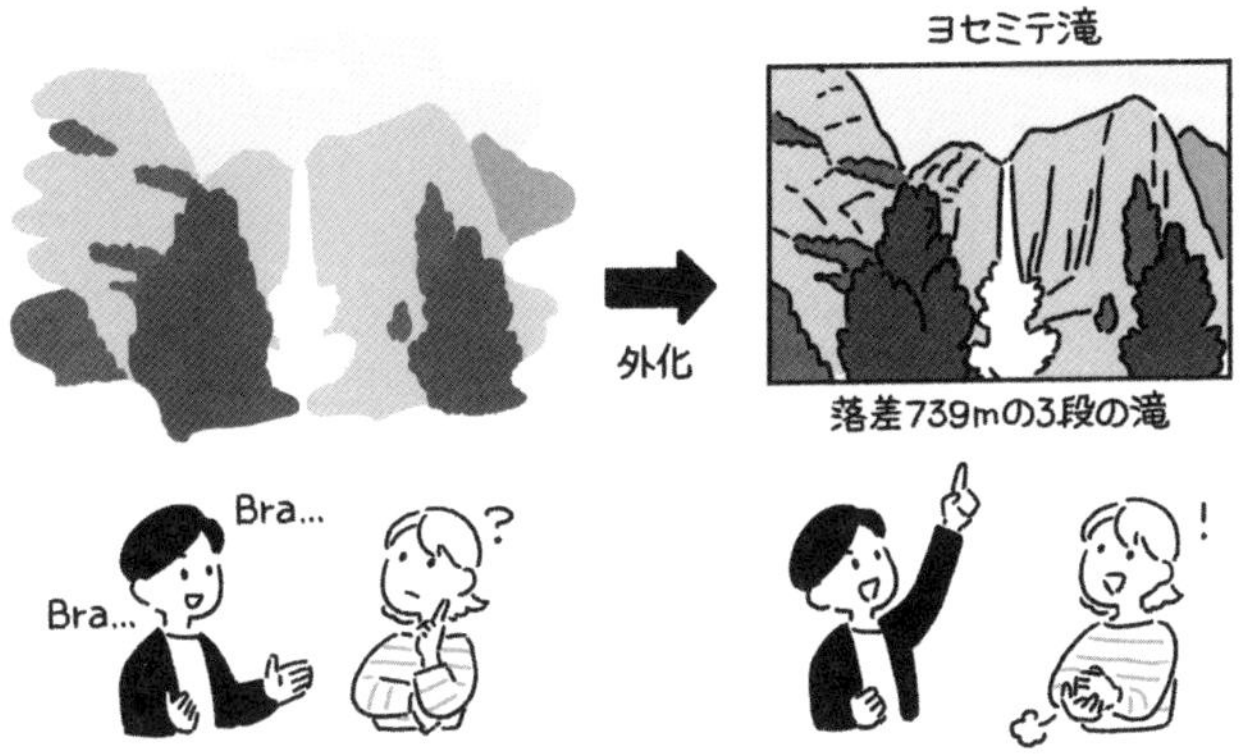

図16　コモングラウンドの外化

大縮小、若干のデフォルメとコメントにとどめ、ダイアグラムやシンボルなど非線形で知覚的な同型性を崩す変換を用いないものに限定する。映像的な表現を中心にして、知覚的な異形性によって理解の普遍性を妨げないようにする。

抽象的な概念のように、本来的な形象をもっていない思考は、エンビジョニングの主体がこの段階で知覚的な表象化を試みる。メタファーを用いて、抽象概念と私たちの知覚世界の対応付けを行い、それを披露する。

メタファーを用いても映像化が難しいところは、エンビジョニングをあきらめて、知覚的な表現を使わず、メタ視点からの語りでつなぐことにする。知覚的な特徴づけが難しい高次に抽象的な概念を、誰でも知覚的に捉えられるようにすることは、そのような概念を作り出し、語る人たち――とくにサイエンスコミュニケーターたち――の重要な仕事となる。それは、人々が新しい概念を作る限り続く果てのない仕事だ。

エンビジョニングを実現するためには、いろいろな道がある。いくら脳科学が発達しているからと言って、脳に電極を付けて、信号を取り出すということになれば、ひそかに考えていたことまで赤裸々になって大変な倫理的問題になってしまうと思われるので、本書ではむしろ、当事者たちが意識的にコモングラウンドとその変化の様子を描き出すことの方に重点を置く。

ハイレベルのテクノロジーを要しないエンビジョニングは、情報ツールを使って会話の参加者、あるいは、記録者が話の内容を映像化することである。これは、可能ではあるものの、大変なコストがかかるとともに、リアルタイムでもできない、つまり、会話の進行の横で、コモングラウンドがこんなに変わっていきましたよと、映像化できるわけではない。

その他に、インタラクティブドラマを作るためのツールキットを作って提供した

Façadeという先駆的な研究も行われている［Mateas 2010］。あるいは、VTuberのような形で、会話している横で映像を作っていくという図式も考えられる。

次の段階のエンビジョニングは、参加者たちによりそい、会話の進行とともにその内容を映像化するAIを導入することである。そのようなAIは現代のテクノロジーでは容易でないが、射程に入っているといってよい。AIに精通している人なら、音声認識と言語理解と、言語・映像変換をパイプラインでつなぐと少しは近づくのではないかと思うかもしれない。

他方で、AI俳優ならいまの技術である程度実現できるのではないかと思う人もいることだろう。エンビジョニングでできてくる映像を考えてみると、それはドラマのようなものであろう。ドラマであれば舞台セットと俳優とカメラマンとナレーターがいればできるかもしれない。そのあたりは、先に述べたFaçadeもさることながら、Unity[*10]のようなゲームエンジンをベースにしてある程度作りこめばできるかもしれない。キャラクターについても、AIを搭載すると、ある程度はいけるかもしれない。こうして期待はふくらんでいく。

エンビジョニングは科学的研究、サービス提供のいずれものベースとなる。エンビジョニングが手軽にできるようになると、様々な考えを可視化して、特に、歴史学や心理学やコミュニケーション科学の研究がしやすくなる。

サービス分野でも、過去の思い出や構想を映像化できるといろいろな展開が期待できる。

コモングラウンドの種類とエンビジョニング

私たちの知の営みの拠点となる会話は重層的である。曖昧性で満ちていながら、楽しく創造的な経験であり、そのなかから私たちは多くのことを学んでいる。会話の奥には、人々のコミュニケーションを支え、会話の進行とともに更新され、発展していくコモングラウンドがある。協調作業やコミュニティなどでより規模の大きなコモングラウンドがゆっくりと変化していく様子も視野におきながら、コミュニティが一体どのようなものか、どのように発展していくか、そして、その機能を強化するテクノロジーを作り出すことに思いをはせてみよう。核心となるテクノロジーは、コモングラウンドの更新の様子を映像化して、共有できるようにすることであり、そこから多くの可能性が生まれる。

これまでの議論を図17にまとめておこう。コモングラウンドはコモングラウンドの題材、コモングラウンドに参加する人々と密接に関わるが、両者から明確に区別しておく必要がある。そしてコモングラウンドは、コモングラウンドに参加する人々が抱き、発展させていく共有された意識であるととらえなければならない。

コモングラウンドは誰の間に作られるものかによってみな異なり、時間とともに移ろいでいく。その内容について、当事者たちが合意を交わすことはできるが、本当に共有されている事柄が何かを厳密に言い当てることはできない。コモングラウンドに参加する人数が増えれば、内容はそれだけ希薄になるが、共有されていると言えることが少数のことに絞り込まれていく。

コモングラウンドの内容は、少人数の会話から、コミュニティの人々の共通意識まで幅広く、異なる速さで展開していく。本書では、コモングラウンドを、会話レベル、協調作業レベル——これまでの議論での業務レベルに相当する——、コミュニティレベルに分けて議論する。

会話レベルでは、コモングラウンドは素早く変化していく。会話の進行に従いコミュニケーションが円滑に進むように、参加者たちは、言語・非言語的な手段を繰り出して、一時的な「足場」を組み立てて、「建造物」——ナラティブ［Edwards 1997］——を手際よく作り上げ、完了すると「建造物」だけを残して「足場」は解体して、次に進んでいく。私たちの高度に発達した言語は、レベルを用いた言語から非言語までの異なる抽象度のコミュニケーション手段の連携や、レイヤを用いたコモングラウンドの引用と派生など多種多様な表現手段を提供してくれる。

協調作業レベルでは、より堅固につくられたしかけを使って、人々が一定のルールのもとに共同で効率的に業務をこなし、サービスの授受をするためのコモングラウンドが登場する。コモングラウンドがよくデザインされている場合は、そこに参加する人は、おたがいについて過度に気を遣うことなく、目標達成に必要十分な情報をタイムリーに共有し、情報の不透明性に起因する不安にとらわれることなく、目標を達成する。

コミュニティレベルでは、コモングラウンドは人々が共有している背景に関わるストーリーや、人々のつながりから構成されている。コモングラウンドの一部として共有されているしきたりにより、コミュニティに属する人々は一定の安心感をもって相互に学び、未知のことに向かうことができる。

テクノロジーを使ってコモングラウンドを体験可能なコンテンツ――ムービーからインタラクティブドラマまで――に変換するのが、現在研究途上のエンビジョニングである。

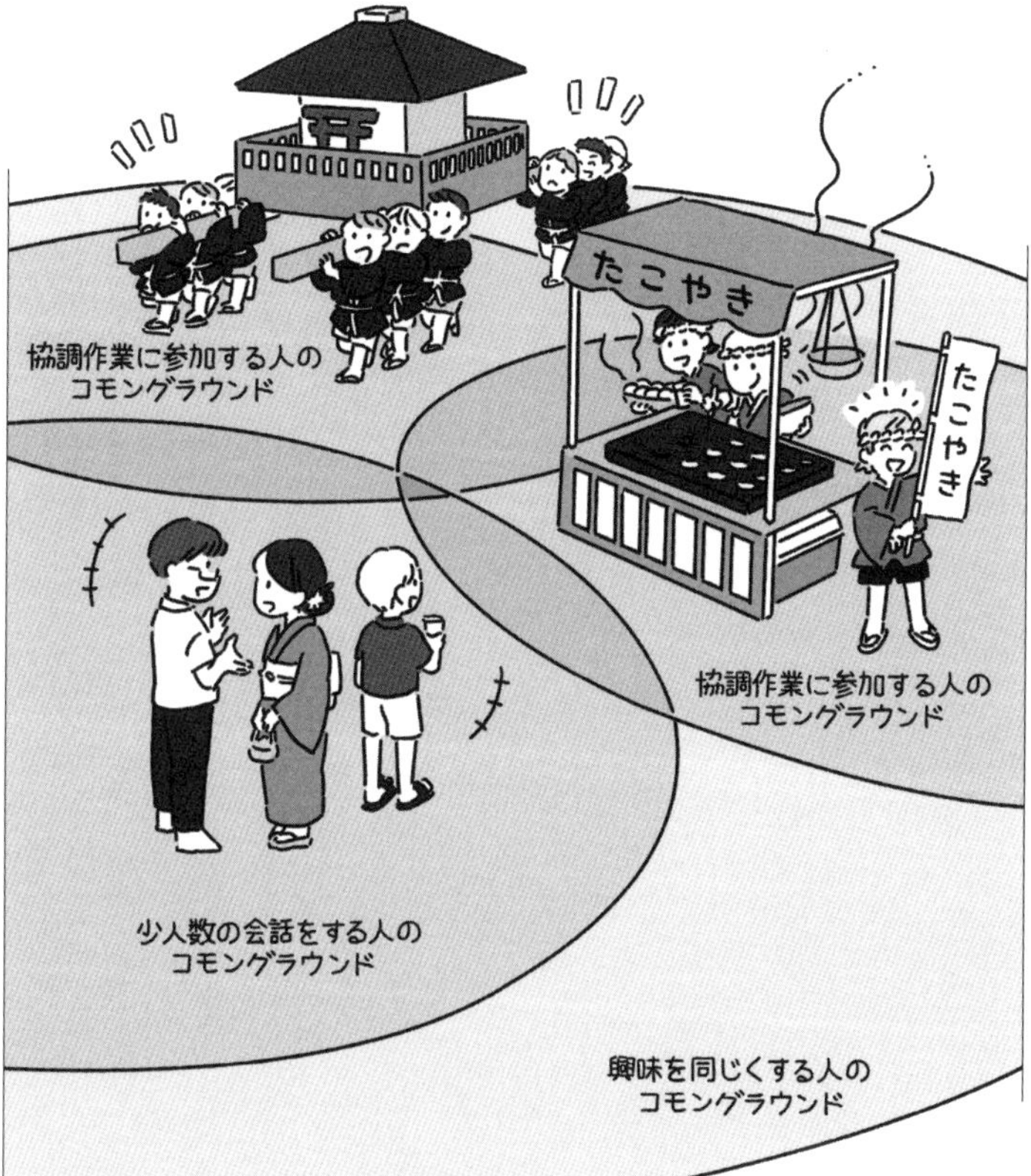

図17　いろいろなコモングラウンド（村祭りでの1場面）

＊5　研究社『新英和中辞典』より

＊6　奈良県奈良市、旧市街に位置するアーケード商店街

＊7　監督：マイケル・カーティス、1942年公開の映画。第2次世界大戦中、フランス領だったモロッコを舞台に、男女の再会を描いている。

＊8　東大寺大仏像の造立に携わった高僧行基の銅像で近鉄奈良駅前に設置されている。待ち合わせスポットとして有名。

＊9　現在のプロセスを分析し改善するための、事業体によるモデリング活動

＊10　ゲーム開発エンジンのひとつ

第3章

コミュニティのコモングラウンド

コミュニティで共有されているコモングラウンドについて考えてみよう。全般的には、コミュニティのコモングラウンドは、多くの人の間に共有され、変化するにしてもゆっくりであり、そこに含まれるより細かで素早く変化するコモングラウンドよりも、捉えやすいかもしれない。

コミュニティのコモングラウンドは、コミュニティで共有され、さまざまな活動の背景となる。近づいて観察の解像度を上げてみると、いろいろな、そして時には相互に対立するコモングラウンドが見えてくるかもしれない。その一つ一つのコモングラウンドにさらに近づくと、さらにいろいろなコモングラウンドのダイナミズムが見えてくるだろう。

コミュニティの原型

伝統的にコミュニティとして認識されてきたものは、地域コミュニティである。地域コミュニティは同じ地域で生活を共にする人々によって構成される地域共同体である。地域共同体のなかは一様ではなく、町内会、子ども会、青年会、講などいろいろなグループから構成されている。

地域コミュニティに特別な精神的つながりを見出したのは、19世紀に始まるコミュニティ論であり、フェルナンド・テンニース、チャールズ・クーリー、ロバート・マッキーバーらが提唱しはじめた。

テンニースのゲマインシャフトとゲゼルシャフト［Tönnies 1887］は、「コミュニティ」という語こそ使われていないが、血縁や地縁といった「本質的意思」で結びついた人たちゲマインシャフトと、社会的な契約による「選択的意思」で結びついた人たちゲゼルシャフトを対照している。

クーリーはインフォーマルグループとフォーマルグループを対照している［Cooley 1909］。インフォーマルグループとは、家族や近所のように、個人的で身近な関係によって構成される集団である。日常的な共同性から、親密な関係性が構築される。第一次集団とも呼ばれる。これに対して、フォーマルグループは、特定の利害を追求するための組織内で生じる上司―部下のような関係で構成される。第二次集団とも呼ばれる。

マッキーバーは、地域性と共同性で構成される集団であるコミュニティと、利益性と個別性で構成される集団であるアソシエーションを対照した古典的なコミュニティ論［MacIver 1917］を展開した（図18）。

テンニース [Tönnies 1887]	**ゲマインシャフト** 本質的意思を持つ 成員が構成する共同社会	**ゲゼルシャフト** 選択的意思を 持つ組織社会
クーリー [Cooley 1909]	**インフォーマルグループ** 個人的で身近な関係より なる集団。自我関与が高い。 古代的	**フォーマルグループ** 上司・部下関係のような、 個人的関係から遠い集団。 自我関与が低い。近代的
マッキーヴァー [MacIver 1917]	**コミュニティ** 地域性、共同性	**アソシエーション** 利益性、個別性

図18　古典的なコミュニティ論

新たなよりどころ

現代社会で典型的なコミュニティだと考えられる人の集まり――職場の仲間、趣味の仲間――を心に浮かべてみると、テンニースのゲマインシャフトとも、クーリーの言うインフォーマルグループとも、マッキーバーの言う「コミュニティ」ともちょっと違うなと感じる人も少なくないかもしれない。

昔の地域共同体では、どの地域のどの家の何番目の家族になったかという、生まれたときの運命が人生に大きな影響を与えた。冠婚葬祭ばかりか日常生活も近所同士で助け合わなければ、生きていくこともままならなかった。たいていの人にとって、その地域から出ていくための代償はとても大きいものであったので、ムラの秩序に従い、互いに協力しながら生きていくことが必須であり、他に選択の余地がなかった。この意味で、コミュニティは地域共同体では運命であった。

近代化が進むと、こうした地域共同体への束縛はゆるくなり、人々は自分の意思でコミュニティに参加・離脱して、個々の利益を追求できるようになった。住む地を自分の意思で決め、自分たちで契約に基づく利益追求集団を作り出し、そこに選択的に帰属できるようになった。こうして、「本質的意思」のもたらす制約は薄らいできた。現代はネットワーク社会であり、地域性を超えて人はつながることができる。ここに、「ムラ社会」という言葉に代表される地域共同体の解体をみることができる。

では、コミュニティ的なもの、ゲマインシャフト的なもの、インフォーマルグループは消え去ろうとしているのか？　コミュニティの対極にあるとされてきたアソシエーション的な集団、ゲゼルシャフト的な集団、フォーマルグループが安住の地であるかと問われるとそうとも言えない。

人間関係が機能性だけで定義されると、たとえプライベートライフがあるとしても、成功とお金を求めて、長時間にわたって無味乾燥な生活をしなければならなくなり、毎日の日常のかなりの部分が殺伐としたものになってしまう。

不安をなくし、楽しいビジネスライフを送り、さらにそこに意義ある人生を見出そうとすると、人と人との間の連帯が不可欠であることがわかる。お金儲けをしなくても、誰かに感謝されて生きることや、自分の夢を追求して何かを成し遂げることで、自分の人生に意義を見出すことができる。

趣味や職場でのつながりをよりどころとし、さらに、そのよりどころをよりよいものに発展させることに意義を見出し、自発的な参加と責任を持った関わり――コミットメント――に基づく協調を基盤とする活動をする新しいコミュニティの出現をみることができる。

共有が結びつきを生み出す現代コミュニティ

現代コミュニティとは、日常の暮らしの中で意識にのぼる何かを共有している人々を意味する。昔であればそれは地域の生活共同体であることが多かったが、現代社会では、職場の同僚、何かの活動を一緒にしている人たち、趣味の仲間などがそれにあたる。たいていの人は複数のコミュニティに属していることだろう。会費を支払うメンバーシップを有しているという意味で所属しているコミュニティがはっきりしているときもあれば、近所に住んでいるという意味で、何となく連帯感を感じるにすぎないこともある。ときには、あなたの郷里にはおいしいものがたくさんありますね、などと他の人に言われて、コミュニティ意識を感じるかもしれない。コミュニティの中には好きな人もいれば、気に食わない人もいて、強い連帯感を感じるわけではない。現代のコミュニティには次のようなものがある［西田 2009］。

❖**趣味のコミュニティ**　英語のCommunity of Interestの頭文字をとって、CoIなどと表記される。囲碁、将棋、茶道、華道、音楽、旅行など、同好の人たちのサークル。人数が多くなると組織化されて、イベントの開催、レベルの認定、勉強会の開催、職業化などが進む。

❖**実践のコミュニティ**　英語のCommunity of Practiceの頭文字をとって、CoPなどと表記される。（大きな）組織の中で部門や指揮系統を離れて、組織の壁を越えて、何かを学び自分たちのスキルをさらに高めるために自発的に集まった人たち。彼らも会社組織のように給与によって働いているのではなく、自分たちは社会のために何かをしたいというミッション意識で助け合いながら働いていると言っていい。ここでは、学習が重要な役割を果たす。個人の学習とコミュニティとしての学習である。一緒に暮らすことが目的ではなく、自分自身も自分たちも高めていくことが目的である。組合もこうした側面がある。

❖協働のコミュニティ　与えられた趣旨に従って協働することを目的に集まった人たち。ユーザコミュニティ。ボランティアはよりワーク志向だ。WikipediaやStackOverflowを支えるのはこうしたプロフェッショナル集団である。報酬をもらうことはないが、就職や給与などの評価の際に名声が得られるというメリットはある。

❖消費者コミュニティ　生産者がプロダクトやサービスの品質評価やマーケットリサーチのためにホストしていることも多い。ロイヤリティ・マーケティング――サービスをたくさんして、そのプロダクトを持っていることのメリットに気づかせ、忠誠心をかきたてて、消費者の囲い込みをする目的のものもあれば、さらにコミュニティ・マーケティングのように、プロダクトの良さを認識したコミュニティにプロダクトのマーケティングを助けてもらう、というスタイルのものもある。

弱い絆の強さ

同じ趣味や生業の人たちが、集まって和気あいあいと交流したり、さらに切磋琢磨して自分を高めたりするためのグループはコミュニティと言っていい。学校にはいろいろなサークルがあり、これもコミュニティだと言っていい。同窓会もコミュニティである。PTAだって同じクラスに通う子どもを持つ親同士、コミュニティを形成することもある。連帯感も紐帯もある。これらのコミュニティに属する人たちにはかなりの温度差があるという意味で、弱い絆で結びついていると言ってもいい。

良質のアドバイスを得るためには、近接している人より少し離れた人の方がいい。マーク・グラノベッターは、そうしたメリットを弱い絆の強さと呼んだ［Granovetter 1973］。違う視点をもった人からの意見で新しい気づきが生まれることは多い。かといって、あまりに離れすぎていると前提とするものが違いすぎて役に立たない。コミュニティに属する人々の間のスタンスは、その中間のちょうどいいところにある。

協動のコミュニティのメンバーを見ると、ある人は思い入れがあるが、別の人は興味があるだけ、といった幅がある。生業を同じくするといってもある人はそのテーマについて関心があるだけであるが、別の人は研究職あるいは教育職としてそのテーマで飯を食っている。ただし、会社組織とは真逆で、コミュニティには会費を払っているのであり、仕事をして給与をもらっているわけではない。[*11]

人はなぜコミュニティに参加したいと思うのか？

会費を払ってコミュニティに参加することが選択的意思によるのであれば、人はいったいなぜコミュニティに属するのか？　昔は、この学校を卒業したら同窓会に入るものだ、といった具合に有無を言わさずコミュニティに参加させられてしまうこともあったが、いまや、個々人の意思は十分尊重されて、自分のはっきりした意思なく、コミュニティに組み込まれることはない。

それでも人はなぜコミュニティに参加したいのかと問われれば、そこにある価値に関わる人のつながりがあるからだと答えるだろう。

一般的には、コミュニティは知識を共同構築する場であると言われている。現代社会は複雑になりすぎて、一人だけでは生きていくための知恵を作りだすことはできない。助け合いながら、知識を共有し、育てていく。囲碁を考えてみよう。ボードゲームであるが、深遠だから一生かかっても奥まで見通すことはできない。そこで、コミュニティに属して、教え合いながら、世界を深めていく。スポーツもそうだ。試合を通して腕を競い合うことで、楽しみながら、上達していける。古川一郎はこうしたコミュニティ内での不完全かもしれないが有用な知を提供し合う助け合いを集団のヒューリスティックと呼んでいる［古川1999］。

自分のしていることを社会の他の人たちに伝えることも大事だ。スポーツなら競技人口が大きいほうが楽しめるだろう。また、社会から認められ、社会のリソースを割り当ててもらえる。例えばテニス好きだと、テニス人口が大きくなれば、コートも作ってもらえる。ファンが増えれば、テレビでも中継してもらえる。他の趣味のコミュニティも同様だ。職業やビジネスと結びついている。

プライベートでもビジネスでも、一人ではできないが何人か集まって協力し合えばできることが多い。信用の先には信頼がある。本当に欲しいのは信頼できるパートナーだ。街を漫然と歩きまわっていても信頼できるパートナーが見つかる可能性はとても低いうえに、たとえ偶然出会えたとしても、より良いパートナーを見逃している可能性も高い。それどころか、ペテン師に騙されてしまうリスクもある。

緊密な共同作業をするためには、信頼できる仲間が必要である。スキルレベルだけでなく、普段どのようなことに関心を持ち、どのような場合にどのようなふるまいをするかわかっていないと、チームなど組めたものではない。選択の余地がなかったころは、そのようなことに気を使わなくてもよく、とにかく、与えられた状況で何とか生き抜くことが求められたが、いまやその制約はなくなった。選択の可能性が得られた途端、誰とパートナーシップを組むかが一大事となった。

誰が本当に信頼できる人かを見分けることは至難の業だ。長い間信頼できると思っていた人から裏切られることもあるから、一生かかってもできないかもしれない。そこで、信頼できるパートナー探しをあきらめて、一定のセーフティネットによって保護された信用だけでも得られればいいと思えば少し気が楽になる。そして、信用情報であれば、得るすべはたくさんある。堅めにするのであれば、契約を結んでおけば、最後には法律が保護してくれる。インフォーマルなものでいいというのであれば、パートナー候補の日常のふるまいのなかに包み隠さず現れる些細なふるまいが手掛かりになる。担保はないが、この人なら、大丈夫とある程度確信できる。もちろん、完全ではなく、そのあたりのスキを突いてくる詐欺師も世間にはいるが、ひっかかる可能性を小さくすることができる。

コミュニティは、誰と組めばよいかという問いに対して信用情報を提供する。コミュニティのメンバーであることが一定の信用情報を生み出すのだ。同じことに興味を持っていたり、同じ仕事を生業としたりしているということは、信用を形成するための重要な手がかりであり、未来への信頼にもつながる。同じコミュニティにいて、普段からいろいろな行動を垣間見ていると、この人は本当のパートナーになれるか、信頼の手掛かりを得ることができる。そうしたメリットは偶然に生じたことではなく、そもそもコミュニティが商用のものでも、長い年月の間に培われてきた土着のものであっても、意識的・無意識的に目標として設定され、デザインされてきたものである。

暗黙知と形式知のスパイラル

企業における知識創造のモデルについては、野中郁次郎と竹内弘高のＳＥＣＩモデルがよく知られている。野中と竹内は、私たちの創造の源泉となる知を言語的な努力によってたどり着ける形式知と、そうではない暗黙知に分けたとき、創造的な企業における知識創造のプロセスは暗黙知と形式知の相互変換によってスパイラル的に発展してきたものであると捉えた［Nonaka 1995］。ＳＥＣＩモデルのエッセンスは、

・異なる人の経験の背後にある知恵をぶつけ合って、新たな発見の方法を作り出す共同化（Socialization）
・暗黙知を明確なコンセプトと理論として表すことで暗黙知を形式知に変換する形式化（Externalization）
・コンセプトと理論からの演繹と帰納で新たなコンセプトと理論を作り出す連結化（Combination）
・行動により自分の経験に基づいて発見の新たな方法を見出す内面化（Internalization）

の4つの変換である（図19）。

暗黙知と形式知に分けて知を捉えるという考え方は、コモングラウンドにもあてはまる。コモングラウンドの場合だと、はっきりと意識されているコモングラウンドとそうでないコモングラウンドだ。

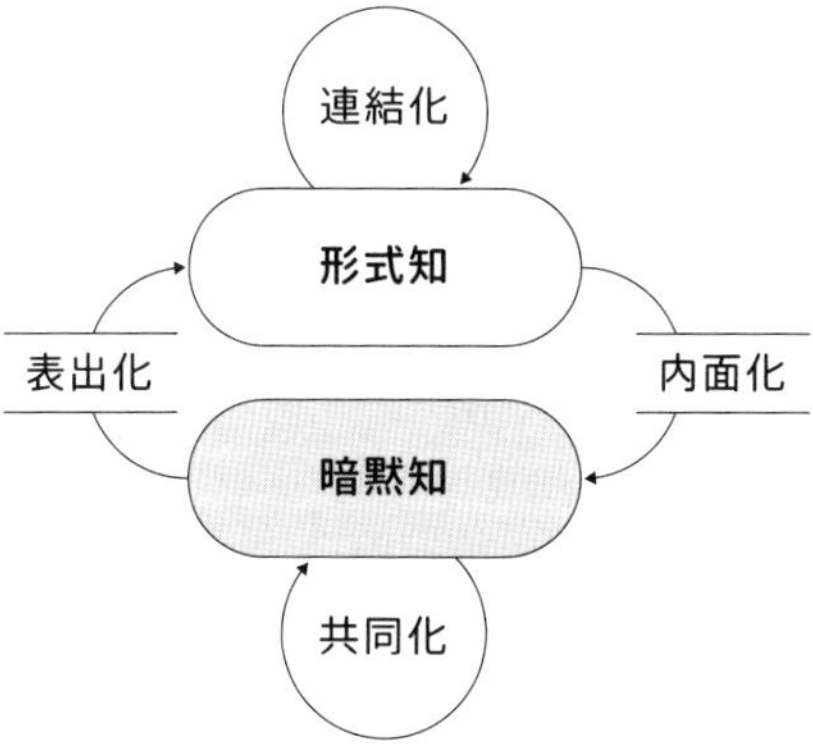

図19　SECIモデル

コミュニティの陥穽

一方、コミュニティとして集まって活動することでかえって残念な結果を招いてしまい、集団ゆえの愚かさを露呈してしまうこともある。これまで社会学などで指摘されてきた落とし穴——陥穽——には次のようなものがある。

❖**共有地の悲劇**〔Hardin 1968〕 コミュニティのメンバーが競争的状況に置かれると、全体のことを考えているゆとりがなくなり、共有資源を奪い取ってしまうことが報告されている。他のコミュニティメンバーが共有資源を奪っているところを目にすると、このままでは共有資源は枯渇してしまうに違いないから、サバイブするためには、いま自分の分は確保しておかなければならないという気持ちに駆られて自分も共有資源を奪う。こうして、共有資源の収奪は激しさを増していき、ついには、コミュニティの力を生み出す源泉となっていた共有資限が枯渇に追い込まれてしまう。

❖**沈黙のスパイラル**〔Noelle-Neumann 1966〕 「一致団結すること自体が集団の力を生み出す。集団の中で異を唱えることは和を乱し、集団の力を弱める」という考えに基づく同調圧力が働いて、独自の意見を持つ人たちが沈黙してしまうという現象。

❖**グループシンク**〔Janis 1972〕 グループとしての意見や決定に疑問を感じず、「自分たちのグループには専門家がいて、自分が信頼しているあの人もこの人も賞賛するうえ、たくさんの人たちが賛成するので、正しいに違いない」と集団で思考停止時状態に陥ってしまう現象である。集団浅慮とも呼ばれる。問題の内容について、自分自身で一からきちんと考え直すことがない意見や決定は危うい。

❖分極化［Kleindorfer 1993］　個々人が考えているよりも極端な意見やリスクをとる意見に傾きやすいという現象。グループシンクとも共通する側面が強い。多くの仲間たちが同じ意見を合唱しているということにあおられて、その主張はだんだんエスカレートしていき、冷静に考えるよりも極端なものになってしまう。集団が大きいと、その災いは甚大なものになる。

❖根拠のない流言の広まり［Allport 1952］　流言には、単純化（話の細部を取り去って簡単にする）、強調化（人々が自分に関わりのあるところを勝手に強調する）、同化ないしは合理化（人々が先験的にもつ偏見やステレオタイプに従って内容の改変を行う）などの法則性があることが報告されている。個々人は単に聞いたまま伝えたつもりでいるが、それを何段も重ねると、内容がひどくゆがめられる点がこわい。

現代のコミュニティは何百年も昔からそこにあったわけではない。多くのコミュニティは、できてから数十年もたたないものではあるが、一朝一夕にできたわけではなく、かといって、永遠に存在するとは限らない。

コミュニティのライフサイクルについては、いろいろな説があるが、概ね次のようなものだ［Gongla 2001］（図20）。

❖**潜在期**　コミュニティの形成期。人と人の結びつきが意識されはじめ、やりとりがはじまり、連帯感が生じる。

❖**構築期**　人々の学びあいがはじまり、経験や知識が共有されはじめ、グループ特有の語彙を形成し、役割やルールが作られていく。そのようなつながりを持つ人の集まりはコミュニティとして認知されていく。参加する人たちも、自分たちは他と区別されて一つのまとまりを形成しているというアイデンティティの意識が強まり、コミュニティで共有される「物語」も蓄積されていく。

❖**提携期**　コミュニティの中に役割が生じ、役割に従った貢献が生じる。コミュニティへの忠誠心が生まれる。教育、リーダーシップ、マーケティング、広報、経営、文化的活動などのコミュニティ活動と、新しいコミュニティメンバー獲得の活動がはじまる。活動は、コアメンバーだけではなく多くの人を巻き込むようになる。新入会員がコミュニティについて学べるように情報の整備も行われる。

図20　コミュニティのライフサイクル

❖**活動期**　コミュニティの中には作業グループが生まれ、共同作業が本格的に始まる。他のコミュニティとの連携も始まる。コミュニティ内の活動の積極的な支援や評価も行われる。コミュニティの知識はビジネス的な価値をもち、企業はそれに依存しはじめる。

❖適応期 コミュニティから新製品、新しいマーケット、新しいビジネスが生まれる。コミュニティのメンバーは知識を定義し、進化させ、新しいコミュニティの育成まで手がける。

コミュニティは発展するばかりでなく、衰退の道もある。古川一郎［古川1999］は、青年期、中年期、老年期に分けたライフサイクルを示している。コミュニティの意識が生まれ、アイデンティティが確立された青年期のあと、中年期に入ると青年期では強い意識にささえられ、手さぐりによる失敗や成功を繰り返して確立されてきたことが、システム化され、スタンダードになっていく。それと並行して、個人レベルでは、新しいスタンダードでの能力開発とともに自己顕示も芽生えていく。

老年期に入りいろいろなことが安定していくと自己防衛的になり、安定志向も進みはじめる。築かれた価値の体系の乱れがあったり、勢力争いや内紛が起きたりすると、集団としてのコミュニティの力は衰退し、ついには、コミュニティは雲散霧消するかもしれない。

これまで見てきたように、現代のコミュニティは何かを共有し、それによって結びついている人たちであるととらえることができる。そして、コミュニティの人々に共有され、コミュニティの人々を結び付けているものこそが、コミュニティのコモングラウンドである。コミュニティは、人々が作るものであり、人々が完全でない限り、さまざまな欠陥――陥穽――を内包しているものでもある。さらに、コミュニティの人々は、そうした限界に気づきつつ、限界を克服し、先に進んでいこうとする。その成否によりコミュニティは成長したり、衰退したりする。

ネットワークコミュニティ

インターネットが出現してからは、空間を超えて価値を共有することが可能になり、世界規模の広がりをもつさまざまなコミュニティが出現し始めた。周りを見渡すと、自分が関心をもつ何かにこだわっている人が全く見当たらず、一人ぼっちであるようなことでも、世界中を見渡せば同じことに興味をもつ人が千人も万人もいると気づくこともしばしばある。

インターネットはそのような人が結びつき、日常的にコミュニケーションをして、関心を膨らませていくことを可能にした。誰でも実質無料で使え、考えや体験の内容を共有して、発展できるようにしたコミュニケーションツールの出現の持つ意味は大きい。

インターネットは、時空の制約を超えて人と人がコミュニケーションすることを可能にする。自分と同じ趣味や生業を共有している人がどこにいてどんな活動をしているか、どんなコミュニティが存在するか。趣味や生業を強めていきたいのであれば、学び合いを超えて教え合いまでネットワークを介してできるようになった。皮肉なことに２０２０年からのコロナ禍がもたらしたＷｅｂ会議普及の効果も大きい。

共有している趣味や生業において、利害関係が一致し、連帯感を持つ人たちが集団を形成し、共有していることの意義を関係者に認めてもらい、一定のリソースを得て力を発揮することができるようになった。

そして、共同作業をするための気心もスキルレベルもわかった信頼できるパートナーやさらにはビジネスのための資金までインターネットを通して調達できるようになった。足を使ってあちこち訪問すること自体に一定のメリットがある一方で、Ｗｅｂ会議は移動のための時間を節約できるという計り知れないメリットがある。

インターネットを使うと、人と人の間にコンピュータによる情報処理を介在させることができるので、単に遠隔地とのコミュニケーションや電子メールのように時間的な差を埋める非同期コミュニケーションができるだけでなく、メッセージを翻訳したり、メッセージの配信先を計算して、関心のありそうな人に届けたりすることができるようになった。これをコンピュータに媒介されたコミュニケーション（CMC）と呼ぶ。

インターネットを使って結びついたコミュニティはネットワークコミュニティ、あるいは、オンラインコミュニティと呼ばれ、今日を象徴する存在だ［西田2009］。CMCを使うことで、世界レベルのコミュニティがいくつも出現した。国境を越えて、会員を募り、学術活動を行う。国際学会はその典型例である。

ネットワークコミュニティにもライフサイクルはある。一般には、従来型のコミュニティに比べて変化が早い。炎上騒ぎはあっという間に起きるし、風評も瞬く間に広がってしまう。急な変化それ自体が情報量を高めるから仕方ない側面がある。

ネットワークコミュニティで信用をどう形成し、争いをどう回避するか？　趣味や生業を共有していることで互いに一定の信用を感じているが、それは直ちに信頼にはつながらない。意見も違うし、善人ばかりではない。相手に勝ちたいということも生じる。集団ゆえの愚かさも持っているが、内紛が起きないようルールや作法を定めている。

コミュニティ運営には一定の型がある

コミュニティはただ漠然とそこに集まっているのではなく、コミュニティであることをはっきり意識し、運営することで力を増す。例えば学会には事務局があり、学会費を徴収して運営している。趣味のサークルも同様の構造をしている。

伝統的な地域コミュニティでも自治会を組織し、自治会費を徴収して運営している。これにより、会費を払う人、払わない人ではっきりと境界が生じ、運営規則が発生する。

ネットワーク・コミュニティも同じだ。コミュニティが所期の機能を果たすよう、いろいろな工夫をするのがコミュニティ・マネージャの仕事だ。エイミー・ジョー・キムは、オンラインゲーム・コミュニティの運用経験からコミュニティ運用の9の方略と3つの原則を提案している［Kim 2000］。

❖9つの方略

1. コミュニティの目的を定義する
2. 区別された集会場を作る
3. メンバー・プロフィールをこまめに更新する

4. メンバーの役割を明確にする
5. 強力なリーダーシップの構造を作る
6. エチケットを確立する
7. 定期的にイベントを開催する
8. 儀式の体系を作る
9. メンバーが作り出したサブグループをサポートする

❖3つの原則

1. 成長と変化のためのデザイン
2. フィードバックループを作り出して維持する
3. 長期にわたってメンバーを力づける

これはまさしく現実の学会でも行われていることである。伝統的には、会費の徴収、機関誌の発行、全体ミーティング・分科会ミーティングの開催、分科会のオーガナイズ、運営責任者の明示、事務局・オーガナイザの設置、組織内の管理、対外的な広報やロビー活動、事業計画と報告、総会と監査などを連携させた運営手法が用いられている。

学会はコミュニティ

学会は、学術的興味を同じくする人たち――大学教員、研究者、技術者、学生など――が、所属機関の壁を越えて、集まった組織である。数千円から2万円程度の年会費を会員から徴収し、役員をおいて非営利団体として制度化し、学会誌を発行し、定期的に集会を開催するなど、事業を行っている（図21）。共同して何かを学ぶという点で実践のコミュニティとも近いが、運営の仕方は、制度化された趣味のコミュニティに近い。営利を目的とせず、純粋に学術を礎としているという点で、学会としての社会への発言には一定の価値が認められている。

学会員たちが共有しているコモングラウンドは必ずしも純粋に学術的な事柄に限らず、その周辺の多くの営みを巻き込んでいる。私が長らく所属している人工知能学会[*12]の場合について詳細に分析してみよう。

人工知能学会が設立されたのは、1986年。そのころ大学の助手だった私も設立と同

人工知能学会に関わる領域

人工知能分野

人工知能関係の教育研究機関

人工知能関係の会社

行政機関

学会事業に関わる機関

学会の活動

アウトリーチ
全国大会主催
研究会主催
セミナー主催
チュートリアル主催
学会誌の刊行
学会論文の査読・表彰
総会開催
委員会開催
日常管理業務遂行

学会関係者

会員

賛助会員

委員

学会役員

事務職員

学会への加入　活動への参加　学会の手伝い　学会費の納入

図21　コミュニティとしての人工知能学会

時に参加した。学術的テーマである人工知能は、国内では、情報処理学会や電子情報通信学会がすでにカバーしていたが、数多ある情報処理分野の中の一つであったので、人工知能に深くコミットしている研究者たちが学会誌の紙面や学会の研究会などを使って人工知能について討論しようとしても、十分な資源が割り当てられることはなく、自分たちの価値観で思う存分立ち回れなかった。

　もう少し年長の人たちにとっては、鶏口牛後で、大きな学会ではなかなか役員や学会長になったり、論文賞を授与されたりしないが、小さい学会であればチャンスが大きいということも魅力だったのかもしれない。一見、不純な動機のように見えるが、教育・研究職を得て、十分な待遇を受けるためには、学会役員、論文賞受賞といった「勲章」をたくさん有することは必要条件なので社会的には当然であったと言える。これがまさしく、純粋な学術的興味の周辺となる。

それほど「不純」でなくても、十分専門性が高く、朝までともに語り明かせる友を見つけたり、共同研究者を見つけたり、大学の教員や会社の専門職員をスカウトしたり、特定のテーマについて研究動向を調査したり、諸説の中でどれが有望か見極めたり、自分の論文を審査のうえ学会の刊行する論文誌に採録してもらって、内容が妥当であるというお墨付きを学会からもらう、あるいは博士学位を授与されるための業績とするなど、ひとたび学会に所属するといろいろなメリットを享受することができる。学会役員は、旅費など活動に必要な経費を支給されることはあっても、活動そのものに対しては大方無給であるが、日ごろお世話になっている学会のためのボランティア、あるいは、ボランティアを通して組織運営の経験を積むという側面が強い。名声を得るために役員になる人もいるが、大方は、その学術分野も、学術的興味を同じくする人たちも好きであり、自発的に貢献すること自体に喜びを見出すことも多いのではないかと思っている。

以上の通り、学会がもたらすコモングラウンドは、その学会の中心となっている学術テーマに関する知識体系のまわりに、もろもろの学会活動がどのようなものであるかという知識と経験、それに関わる人たちとのつながりと連帯感がある。

このように、学術は純粋な学問的探究を超えて、個人のスキルの格付けや業績の認証の機能を持ち、就職や給与査定や学位認定にも影響を持つ。理系では博士号を持っていないと大学教授にはなれない。博士号を得るためには、博士課程に進学するが、博士課程では博士試験に合格するよりも、学位にふさわしい業績を挙げたと認定されることの方が重要だ。博士にふさわしい業績を挙げたと認定されるためには、学会の刊行する学術論文誌に例えば、3編の論文を採択されることが必要だ。学術論文誌に論文を採択されるためには、何らかの研究を行ってそれまで知られていなかった新しい成果を得たうえで、その内容を論文として書き上げなければならない。それにはそもそも何を研究すべきか、どのように研究すべきか、困難をどのように突破するか、科学的な観点からみて確かな手法によって導かれたものであることをどのように示すか、査読者からの注文にどう回答するか、等々、多くのことを学ぶ必要がある。

限られた年限で、新しい研究をするためには、研究室にこもって論文を読むだけでは到底及ばない。指導者が手取り足取り教えてくれるわけでもない。助け合いの場が必要だ。学会はそのためにある。学会は単に、学術論文誌を刊行したり、講演会を催したりする場ではない。

学会のコモングラウンドは、いろいろな人に出会い、討論をして、研究のヒントを得るだけではなく、研究のしかたや、有望な研究の動向を把握したり、さらには職業を得たり、ビジネスをしたりするための仕方を学ぶとともに、研究やビジネスのパートナーを見つける場から生じている。

コミュニティ支援システム

インターネットを用いたコミュニティ支援ツールのなかで最も基本的なものは、コミュニケーション、SNS、情報の収集・共有・配信、課金などのサービスをパッケージ化して、コミュニティ管理のためのベーシックなサービスを提供できるようにすることである。その上に、情報流通、協調作業の支援、紛争解決の支援、意思決定の支援などのより高度

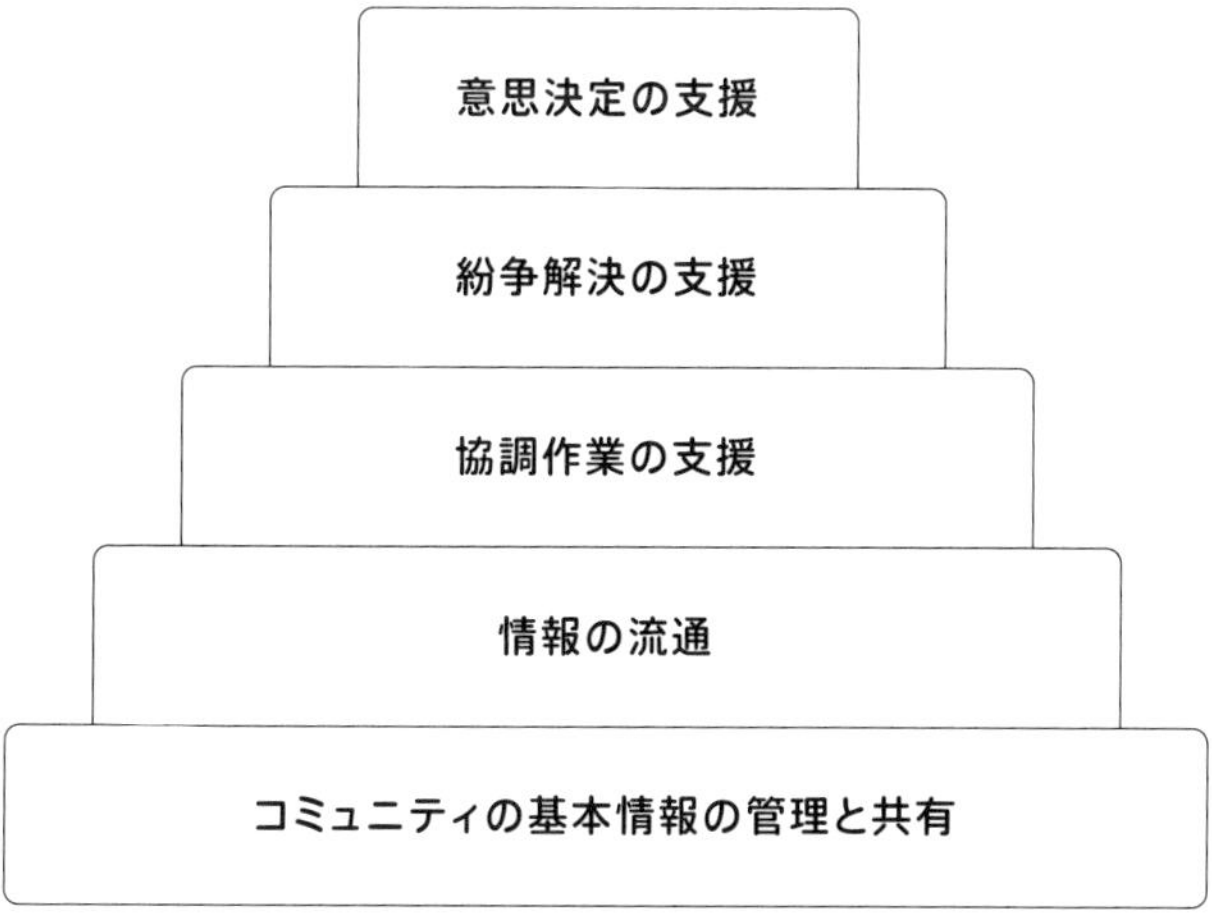

図22　インターネットを用いたコミュニティ支援システムのアーキテクチャ

な機能を積み上げていって、コミュニティの機能をより高度にしていくことができる［西田2009］（図22）。

コミュニティが力を発揮するためには、メンバーたちの間の情報の流通を高めて、ある話題について高いレベルにあるメンバーが作り出した情報を、求めているメンバーに送り届けなければならない。コミュニティは規模が大きいほど、メリットも大きくなる可能性があるが、メンバー全員の情報が各自に送られてしまうと、すぐに情報洪水に陥り、弊害の方が大きくなってしまう。従来のコミュニティでは、種々のＳＩＧ（Special Interest Group）——特定の話題に特化した専門グループ

――を作り、情報を選別して配信するなどしてきたが、ＳＩＧによって人手で作業する方式は、時間遅れが発生するなど様々なコストも生じ品質にも限界がある。このような困難を克服するため、コミュニティの情報流通技術について多くの研究が積み重ねられてきた。

伝統的な手法は、ユーザが示したデータから好みを推定し、それにもっともよく適合するアイテムを紹介する、**推薦システム**［Resnick 1997］と呼ばれるものである。推薦システムの基本的な実現方式は、ユーザが陰に陽に示したデータの特徴量と同様の特徴量をもつアイテムを選別して推薦する**内容ベース・フィルタリング**と、ユーザに似た好みのパターンを持つ類似ユーザを探し出し、類似ユーザが既に獲得したアイテムのうち、推薦を求めたユーザがまだ獲得していないアイテムを推薦する**社会的フィルタリング**――協調フィルタリングとも呼ばれている――に大別される。

技術的には、推薦の候補となるアイテムとそのプロフィール、どのユーザがどのような好みのパターンをもち、具体的にどのような選択を行ってきたかというデータから機械学習の手法を用いて推薦を行う。１９９０年代後半から研究が本格化し、いまでは、アマゾンをはじめとする多くの商用サイトに搭載され、用いられている技術もハイブリッド化、高速化、系列推薦、サクラの防止などを取り入れて高度化している。

コミュニティのなかではいろいろなグループが生まれて、それぞれの話題に特化した活動をすることが多いが、そうしたグループの活動を支援するために必要な機能は、コミュニティの一般的なユーザ向きのものよりも集中的な情報共有や協調作業のためのものである。会員管理、一般的な情報流通、紛争解決などの機能は求められない。協調作業については次の章でより詳細に述べる。

メンバー同士の紛争があるとコミュニティの力が弱まるので、紛争解決を支援する機能はメリットが大きい。ＡＩを使って紛争を予測し、予防したり、調停そのものを助けようとしたりする試みもあるが、実際に使われてメリットを発揮するまではもうしばらく時間がかかりそうだ。

数理的な方法を用いた意思決定の支援の研究の歴史は長いが、まだ周辺的なところでしか活用されていない。投票などへの活用といった周辺的な側面であれば、ＩＣＴを使うことで、信頼性の面でも効率の面でも有効であり、一定の効果を発揮するが、意思決定の内部まで入り込もうとすると、意見集約方法自体が未完成であり、多数決という一見当たり前の方法にも欠点があること、インターネットの普及で、有権者全員が話し合う可能性ができても、速くて熟慮しない応答へのバイアスがある、議事堂での討論のやり方をそのまままねて電子化しても人数が多くなるとうまくいかない、普通の討論のときに参考にしている対面情報や雰囲気がうまく活用できない、など困難が多い。

これまで述べてきたように、インターネットの登場と、そのうえでのさまざまなコミュニティ支援ツールの開発は、コミュニティのコモングラウンドをそれ以前よりはるかに強力なものに変えるとともに、新しいタイプのコミュニティを出現させた。コミュニティ支援システムの開発を通して、コミュニティのコモングラウンドをどのように強化できるか、また、どのようなコミュニティを出現させ得るかについての経験が蓄積された。

コミュニティの性質を探る

コミュニティを数理的に理解するために、図23のように、メンバーをノードとし、メンバー間に一定の関係が認められるとき、対応するノード間にエッジを作ってできるグラフ構造を定義して、その性質を数理的に分析する手法が考案され、社会ネットワーク分析と呼ばれている。社会ネットワークの中心性や媒介性を調べることで、コミュニティの中心となっている人を見つけようというアプローチである。

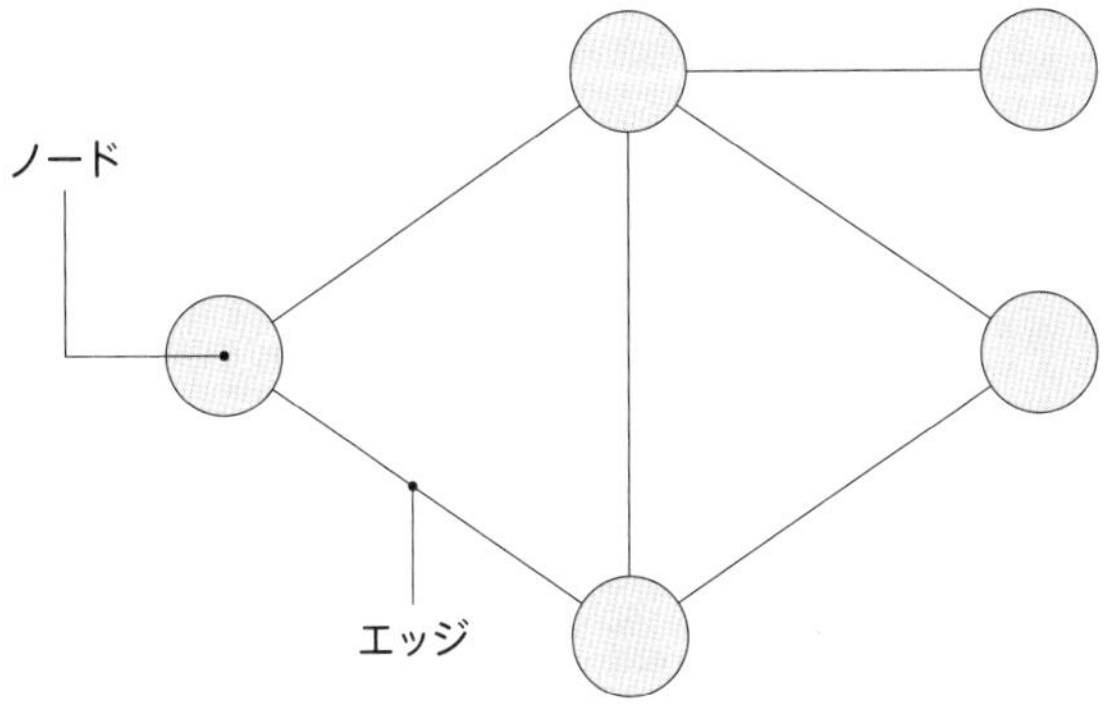

図23　ノードとエッジ
各ノードは「山田さん」、「田中さん」のようなメンバーを表し、エッジは付き合いがあることを示す。
ノードやエッジの意味付けは分析目的に応じて自由に設定していい。

研究者コミュニティの場合は論文の著者がインターネット上に公開されているので、共著関係によって定義される社会ネットワークの構造分析をすると、多くの人と共著関係にある研究者や、逆に一匹狼型の研究者、さらには、研究者の系譜が推定される。

安田雪は、わが国の人工知能研究者コミュニティを分析し、先端的な研究を担う研究者の集団が存在し、彼らが「見えざる大学」——大学や研究所などの制度的な組織に限定されることなく、高い知的生産性を維持している空間的に分散した集団——を形成していることを指摘した［安田 1997］。

小世界仮説

そうした高い創造性を支えている社会ネットワークの性質の一つに、小世界仮説——世界には人がいっぱいいるのに、人々の社会的距離は意外に小さいという仮説——がある。アメリカの社会心理学者スタンリー・ミルグラムは疑問に答えるために、自分の親しい人に手紙を転送するという操作を繰り返して、同じアメリカ内の遠く離れたところに住んでいる任意の見知らぬ人に手紙を届けようとすると、平均何回の転送で到達できるか調査をした。その結果、ほぼ6回目で目的地に到達したので、これを幅6の離隔（6 degrees of separation）と呼び、小世界仮説を提唱した［Milgram 1967］。

小世界仮説はいろいろなところで観察され、例えば2000年には、Web上の任意の2ページ間の最短距離の平均は16クリックであるという報告も提出された［Broder 2000］。ダンカン・ワッツとスティーブン・ストロガッツは、社会ネットワークを抽象化したグラフにおいて、ノード間のエッジが規則的に存在する場合と、逆に全くランダムに存在する場合の両極端以外の中間で、グラフ内にクラスタが生じることを見つけた。そして、そのような場合、各ノード間が短い経路で結ばれているとき幅6の離隔仮説のような現象が生じることを示し、そのような構造のネットワークが自然や社会に遍在することを示唆した[Watts 1998; Watts 1999]。ワッツとストロガッツが注目したのは、次のように定められる特徴的経路長と、全ノードに対するクラスタリング係数の平均値である。

特徴的経路長（CPL：Characteristic Path Length）は、全ノードの組み合わせにおける最短経路長の平均であり、グラフ構造がどれくらい統合されているかを示す指標である。与えられたグラフ構造のCPL値が小さい値であるほど、よく統合されていることになる。

クラスタリング係数（CC：Clustering Coefficient）は、特定の一つのノードに対して定義される隣接ノード間にエッジが存在する割合である。グラフの全ノードのクラスタリング係数の平均が高いほどそのネットワークは密である。

一般的な性質として、規則的なグラフ構造は特徴的経路長が大きく、ランダム性を加えるにしたがって、特徴的経路長は減少する。他方、規則的グラフ構造の全ノードのクラスタリング係数の平均値はグラフ構造が規則的であるとき、比較的大きい。

両者を実際計算して、横軸を合わせてみると、図24のように、クラスタリング係数が大きいが、特徴的経路長の小さな区間が存在し、それがまさしく小世界仮説、つまり、ノード間の平均的な距離が小さく、かつ、全ノードのクラスタリング係数の平均が大きな状態——小世界仮説が成立する状態——が生じることを、ワッツとストロガッツが示した。

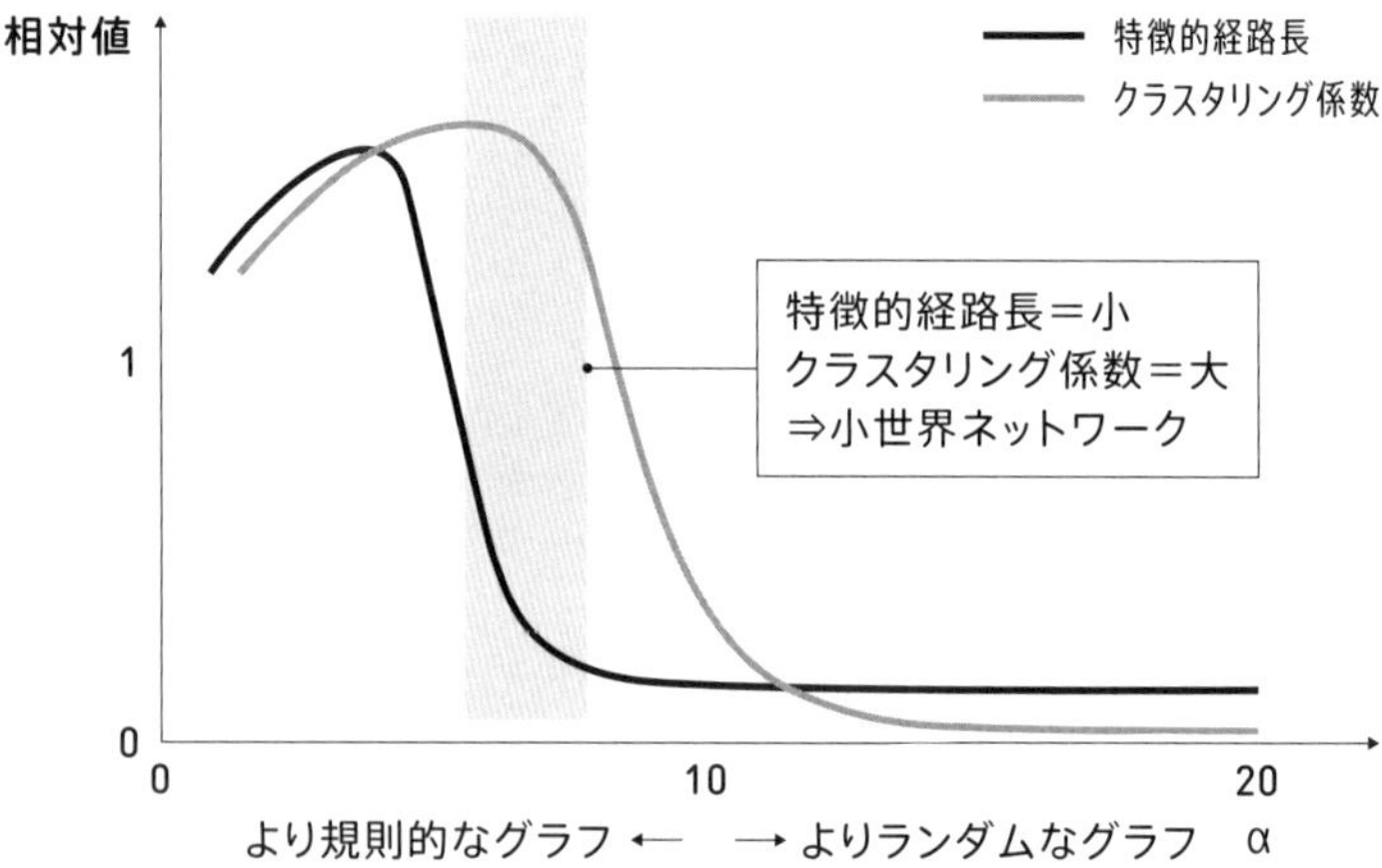

図24　小世界仮説が生じる区間
特徴的経路長と平均クラスタリング係数の両方が大

Ｗｅｂページのネットワーク分析

インターネット上のＷｅｂページは、ハイパーリンクによってさまざまに結合されている。ハイパーリンクでつながれているＷｅｂページの構造を分析して知見を得る試みは、Ｗｅｂ構造マイニングと呼ばれており、重要なＷｅｂページのランキングやハイパーリンクで相互に密に接続されているＷｅｂコミュニティと呼ばれるＷｅｂページ群を見つけ出すことがその目的となっている。そのいくつかを紹介しよう。

第一に、インターネットに現れたＷｅｂページ群は図25のような蝶タイ状の構造になっていることが発見された

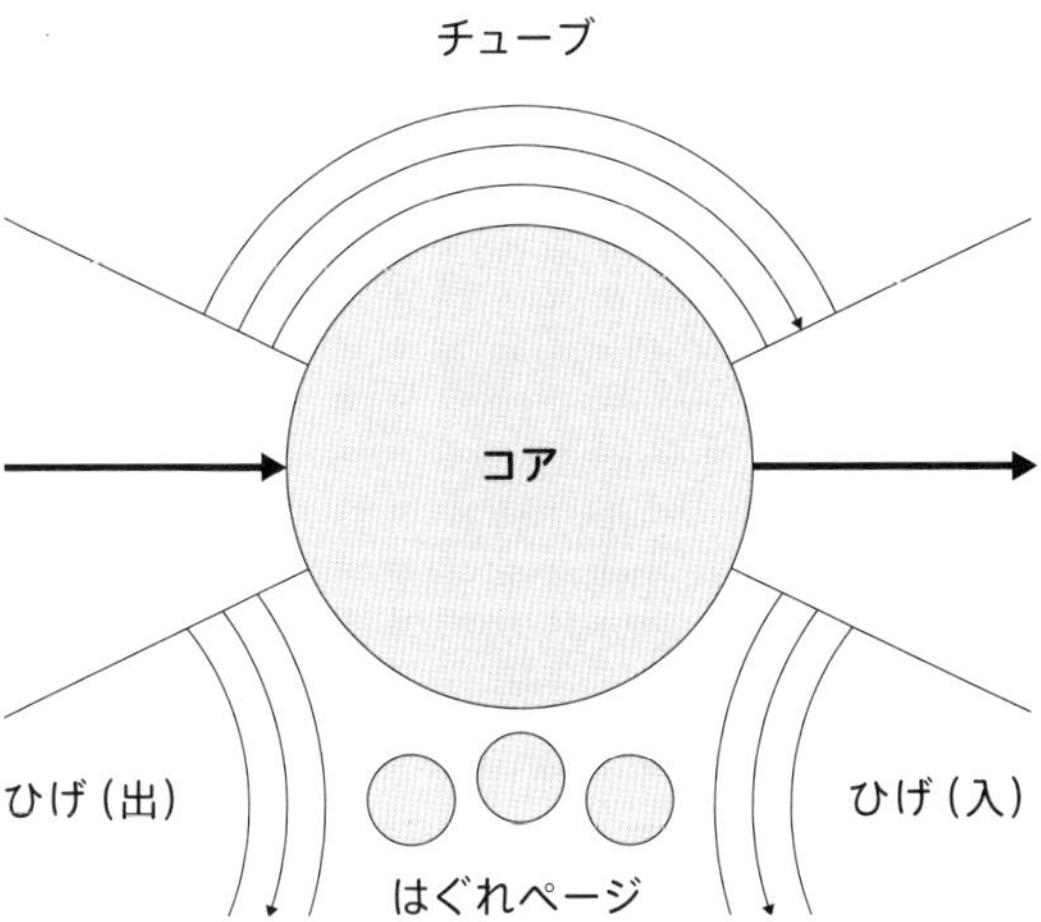

図25　Webページの蝶タイ構造

［Broder 2000］。すなわち、その中心にはコアと呼ばれる、ハイパーリンクで密に相互結合されたWebページ群がある。その周辺に、コアに向かってハイパーリンクを張っているWebページ群（図の左手）、コアからハイパーリンクの張られているWebページ群（図の右手）があり、そのほかは、少数勢力ではあるが、コアを経ることなく図中左手から右手に張られているチューブと呼ばれるハイパーリンク群、左手のWebページ群からコア以外のWebページ群に向かって張られていたり、右手のWebページ群にハイパーリンクを張っているひげ（出）、（入）と呼ばれるWebページ群、さらにはこ

れらと無関係のはぐれのＷｅｂページ群がある。

では、重要なＷｅｂページをどのように探し出したらいいだろうか？　ＨＩＴＳ（Hyperlink Induced Topic Search）アルゴリズム［Kleinberg 1999］では、特定のトピックに関する情報が豊富なオーソリティとしての価値が高いＷｅｂページと、オーソリティへのハイパーリンクの豊富なハブとしての価値が高いＷｅｂページを次の直観に基づいて、探索する。

・オーソリティとして価値の高いＷｅｂページへハイパーリンクを張っているＷｅｂページはハブとして価値が高い。
・ハブとして価値の高いＷｅｂページからハイパーリンクを張られているＷｅｂページはオーソリティとしての価値が高い。

PageRank というアルゴリズムは、「多くの良質なページからリンクされているＷｅｂページはやはり良質なＷｅｂページである」という直観に基づいてＷｅｂページの重要度を算出する［Brin 1998］。これはＧｏｏｇｌｅにおいてランキングを計算するための基本的な考

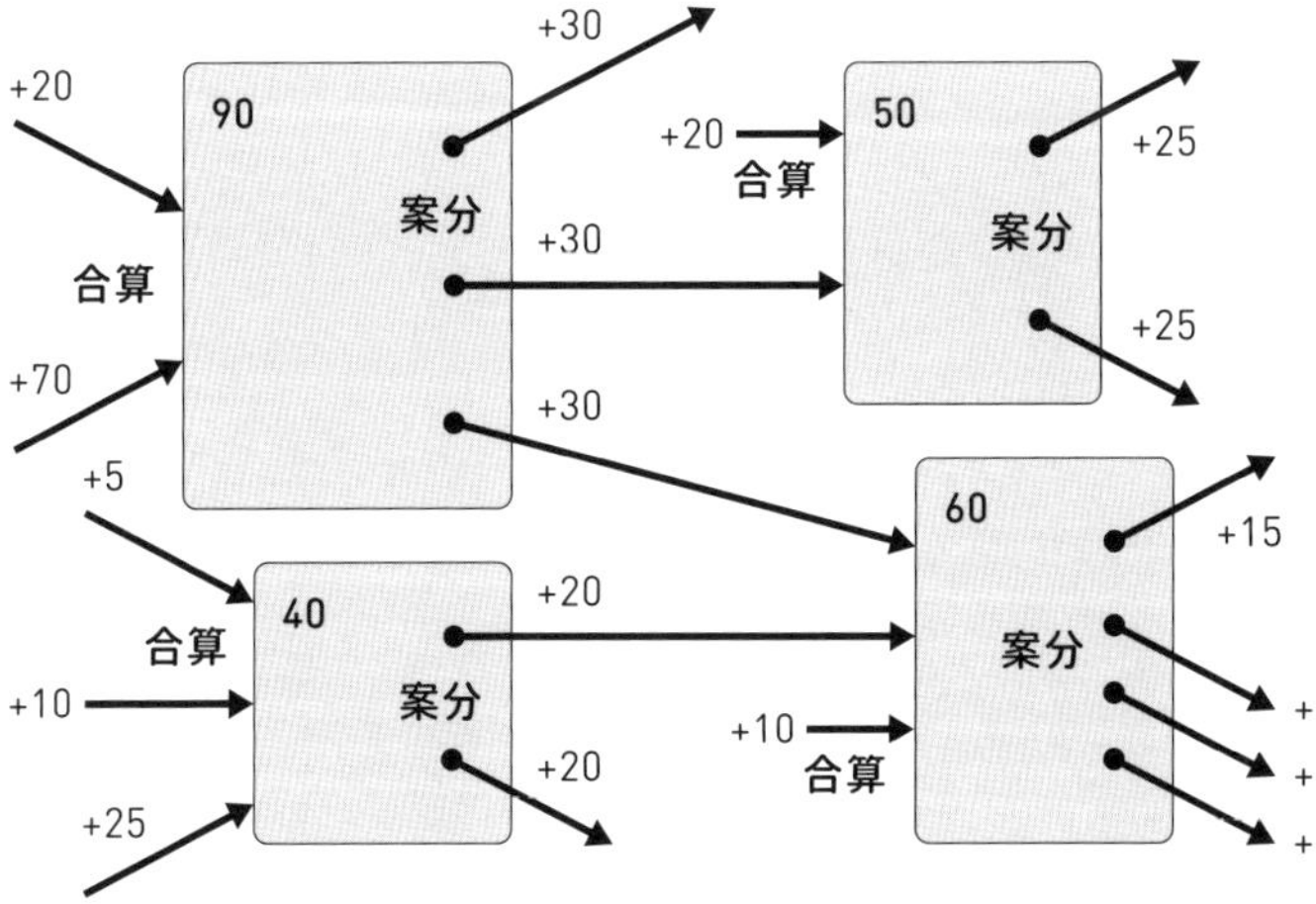

図26　PageRankアルゴリズムの算法

え方となっている。

各Webページの重要度は図26に示したように、繰り返し計算で算出していく。各Webページの重要度はそのWebページにハイパーリンクを張っているWebページの重要度の「分け前」を合算したものである。各Webページの「分け前」は、Webページの重要度をそのWebページから張られているハイパーリンクの数によって案分したものである。重要度をリンク数で割った値がハイパーリンク先のWebページに伝播する。重要度が高くてハイパーリンクが厳選されているWebページからハイパーリンクを張られるほど重要度が高くなる。

コミュニティの理論分析は、その基盤となるコモングラウンドの本質をなす部分を取り出して、数理的に分析することを可能にした。また、コミュニティに類する性質を持つWebページの新しい理解の手法も作り出された。これらはまた、新たなコミュニティの出現を予測し、コミュニティをよりよいものにするための手がかりも与える。

伝統的なコミュニティから現代的なコミュニティへ

コミュニティのコモングラウンドについてこれまで考察してきたことを図27に基づいて、まとめてみよう。

コミュニティは関心やなりわいのなかで生活を共にし、連帯感でつながっている人々の集まりで構成されている。

コミュニティのコモングラウンドの題材は、まさしく共有された生活空間、その中に存在する景観、活動、そして人々である。コミュニティのコモングラウンドに参加し、コモングラウンドを形成し、発展させていく人々は、コミュニティの参加者たちである。

コミュニティの人々が関心として共有し、発展させている意識こそが、コミュニティの

図27　コミュニティのコモングラウンド

コモングラウンドである。コミュニティのコモングラウンドは、人々のあいだで共有されてきた景観、生活空間、活動、そしてその歴史についての関心と物語である。

こうした事柄は、どの人にとってもまったく同じわけではなく、一定の齟齬が存在するが、最大公約数的なものがあると想定され、それがコミュニティのコモングラウンドであると考えられる。人々の違いについて議論したければ、特定のサブグループに焦点をあてて、そのサブグループに共有されている意識の解明を試みることになる。

伝統的にはゲマインシャフト、インフォーマルグループ、マッキーバーの言う「コミュニティ」など本質的な関係性で連帯する地域共同体であったが、現代コミュニティとはずれている。現代コミュニティは選択的意思によって形成され、共通の興味や生業で連帯する。共有するものへの忠誠心や尊敬、あこがれ、もっと自分を高めたいという心から生じる連帯感で結びついている。多様性を意識し、ＳＩＧを認めつつ、衝突を防ぐようデザインされている。コミュニティでの集合知の形成は重要な機能である。それを可能にするものとして、メンバー間のインタラクションは重要である。合意と意見の対立を通して、どこまでが合意されていて、どこに対立点があるかを観察することで、自分たちが求める知識の相場感が形成される。

インターネットの登場と、そのうえでのさまざまなコミュニティ支援ツールの開発により、コミュニティのコモングラウンドがそれ以前よりはるかに強力なものになるとともに、新しいタイプのコミュニティが出現してきた。コミュニティ支援ツールの開発経験と、コミュニティの理論分析の手法は、コミュニティレベルのコモングラウンドの強化と理解に直結する。

＊11 学会から給与をもらって学会のために働いている事務職員は学会員と区別しておく。理事や委員でも手当てをもらうが、これは生活を支えるものではないので、給与とは区別しておく。

＊12 人工知能学会Ｗｅｂサイト［https://www.ai-gakkai.or.jp/］を参照

第4章

協調作業のコモングラウンド

コミュニティのコモングラウンドから解像度を上げると、人々が協調作業する姿が浮かび上がってくる。活動に参加する人たちのコモングラウンドは時間の流れとともに刻々と変化していっている。この章では、協調作業という観点から、活動が進むにつれて変化していくコモングラウンドに焦点を当てる。協調作業にも定型的なものから非定型的で創造性の高いものまで広がりがある。その背後にあるコモングラウンドをどうとらえ、ＩＣＴやＡＩで拡張するかも大事な話題だ。

チームとグループのなかの協調作業

協調作業では、参加者が協力しながら目標達成に向けて作業をする。そのなかでは意見が対立することもある。調停や交渉のような場合すらも、一定のルールを守りながら、みなが納得するソリューションに向けて「協力」していると考えれば、それすらも協調作業の一種であると考えられる。

街を挙げての清掃作業や避難訓練もあるかもしれないが、ここでは、もっと少人数――数人から多くても数十人――の協調作業を視野に入れる。人々の集まりとしてチームとグループを考える。

チームとは何かをやり遂げるために構成された少人数のグループだ。メンバーはすでに集まっていてお互いを信じる何かが構成されている。意気投合して集まった、あるいは、チームを形成して何らかの目標を達成するという同意のもとに集まったメンバーたちが力を結集して何かを成し遂げる。

対してグループは協調作業の関係者の集まりである。必ずしも皆で結束して何かを成し遂げようとしているわけではない。例えば、大学の授業を考えてみよう。授業は、学生と教員と事務職員で構成されるグループでの協調作業であると考えられる。授業をしたりその準備をするのは教員であり、聴講して質問したり、授業レポートを出したりするのは学生であり、必要な予算措置を行ったり、教室を割り当てたり成績の管理をしたり、授業に関わるさまざまなサポート業務をするのは事務職員である。これらの人々が、授業という協調作業に関わり、異なる立場からその運用に貢献している。

チームもグループも、個々のメンバーの力を結集することが大事であり、余計なことに時間をとられたくない。プロセスの無駄を防ぎ、参加者の活動がかみ合って協調作業が効果的に進むようにするデザインが重要だ。コンピュータを活用した協調作業支援やグループウェア［西田 2009］［Ellis 1991］は、情報学の観点からの協調作業研究分野である。

協調作業を空間的側面と時間的側面から分類する

協調作業にはいろいろなタイプがある。外面的にみると、同じ場所かどうか、同じ時間かどうかで、４通りに分類される。

❖**同じ場所、同じ時間帯で作業をする**　伝統的な協調作業。グループメンバー全体がどこかに集まり、協調して作業を行う。何かを誰かと作り上げる。例えば、手分けして掃除をするなど。

❖**同じ場所、異なる時間帯で作業をする**　例えば、同じ場所の掃除をするが、メンバーは、異なる時間に作業を行う。

❖**異なる場所、同じ時間帯で作業をする**　例えば、遠隔地にいる人たちが、テレビ会議などを使って、討論しながら問題を解く。現代では、仮想現実や拡張現実の技術が発達したので、単に会議をするだけではなく、物理的な作業もできるようになった。また、いくつかの作業を並行して進めることもできる。

❖異なる場所、異なる時間帯で作業をする　ネット上で別々に作業をしながら、大きな仕事を進めていく。ときどき、作業のタイミングを合わせる。

チームのサポート機能はタイプによって少しずつ異なるが、共通点は時間的状況と空間的状況の共有だ。時間的状況の共有とは、アクションのタイミングを合わせること。同じ場所にいれば、一、二の、三といった風に掛け声をかけることが基本になるだろうが、互いに聞き取れるような声を出せない状況もある。遠隔地にいれば、時間遅れが生じる。音楽の演奏のような場合は、現在の技術をもってしてもまだまだ難しい。

もう少し時間に関する条件を緩くして、共同で執筆作業をするような場合が考えられる。そのような場合は、各メンバーはマルチスレッドのうちの一つとして協調作業をすることも多い。すなわち、各メンバーがいくつもの作業を並列して同時に進め、その中に協調作業も含まれているというケースだ。

各メンバーは協調作業ばかりしているわけではないから、いつも特定のことに注意を向けているわけではない。さらに、各人の作業は相互に依存している。他の人のしている仕事が終わったら初めて自分が引き受けている仕事を始められる。そしてその終了を待っている人がいる。

自分の担当の仕事が済んだらさっさと別の仕事に移り、待っていた仕事が終了したら自分の仕事を再開する。失敗からの修復も重要だ。このような場合には通知が重要な役割を果たす。どこかでうまくいかないことがあって、仕事に遅れが出たり、失敗が発生したりすると、全体の仕事を組み替えなければならない。逆に、仕事が予定以上に早く進むと、それを活かすよう仕事を組み替えた方がいいかもしれない。進捗管理が重要な役割を果たす。進捗管理では価値判断が重要だ。うまくいかないことが出てきたとき、その達成を放棄するのか、もう少し頑張るのか？

これに対して空間的状況の共有の方は、チームの他のメンバーがどこにいるかに応じて、自分のいる場所を決める必要がある。サッカーやフットボールでは、ボールの位置、敵味方の位置、疲労の度合い、知覚、精神状態、得点差、作戦、状況によって、時々刻々と配置を変えなければならない。

定型的な協調作業から創造的な協調作業まで

内容面からみると、単純な業務が繰り返されている定型的な協調作業から、それと真逆に状況に応じて作業のプロセスをかなり変更していくことが必要な創造的な協調作業までの広がりがある。定型的な業務では、シートの空白部分を順に埋めていくイメージが強い。定型的な業務は早くからICTによる支援が行われてきた領域である。コンピュータを使って業務をサポートすることで、業務に関わる諸連絡も迅速で確実なものになり、効果がある。また、従来ではできなかった広域のリアルタイムサービスが可能になる。

創造的な協調作業では、白紙のキャンバスにいろいろなことを描き込んだりし、試行錯誤をしながら部品を組み合わせて作品を作り上げていく。こちらは、創造的な思考を触発するディスカッションのスタイルを工夫したり、他者にうまく伝えられたりするように一定のフォーマットに落とし込むところなどがポイントになる。

以下では、まず、定型的な業務と、そこでのコモングラウンドから検討をはじめ、次に発想を支援するディスカッションのスタイルを通してコモングラウンドの表現法について検討する。最後に共同で着想を誘発し、膨らませていくワークショップの手法を概観する。いずれの場合も、ＩＣＴで協調作業をサポートする方法についてもレビューする。

定型業務はワークフローとして捉えられる

定型的な業務の典型的なケースとして、大学内の事務業務を考えてみよう。大学には事務部門として、総務、経理、施設、国際、研究支援、広報、入試、教務、学生支援、キャリアサポート、などがあり、事務職員が相互にあるいは、教員、学生、外部の人と連絡を取りながら、大学で生じる様々な業務を行っている（図28）。

例えば毎年の入学試験では、入試係が会場や人員の手配を行い、問題作成の手配、募集要項の公表、願書の受付、試験実施、採点、合格発表などを行っている。教務係は、授業のアナウンス、教室の手配、成績の管理、学生からの問い合わせへの対応などを行う。大学の教員が研究機材を調達しようとするときは、財務係に連絡を取って、支払いや精算に関わる作業を行う。

図28　大学の事務部門

こうした作業に係る規定は関係者のあいだで共有され、例えば、研究機材の調達にあたっては、調達できる機材の調達の仕方を取り決めている。必ずしも、望んだ通りの機材が調達できるわけではなく、金額や種類に応じて、責任者の承認を得たり、入札などの手続きに従ったりすることが求められる。

毎回の作業にあたっては、種々の申請書が用意され、そこに必要事項を記入して担当から担当に回覧され、さらに情報が記入されたり、点検が行われたりして、少しずつ作業が進んでいく。

他のところでも、概ね状況は同じである。旅行代理店での仕事を考えてみよう。

客が来店して、サービスカウンターでつくられた旅行プランは、旅行代理店の各部門に回され、予約、請求、バスやガイドの手配などが行われて、旅行の催行にむけてプランが具体化されていく。旅行の当日までに添乗員や運転手向けの書類が作られて、事前打ち合わせや当日の催行のために配布される。

これまでは、書類は紙＋印鑑ベースで回覧されていたが、電子化が進むにつれて、次第にデータベース間の情報のやり取りに置き換えられてきたのは周知のとおりである。

こうしたプロセスを情報のやり取りの流れとして示したのが**ワークフロー**だ。ワークフローでは図29のようなワークフロー・ダイヤグラムを用いて協調作業の詳細——客がプラン作成見積依頼をすると、見積依頼書が営業に送られる。営業はプラン作成と（マネージャーへの）申請を行う。その結果、旅行計画書がマネージャーに送付され、受付が行われる、等々を記述する。

協調作業の中での関係者の貢献はワークフローモデルの中に捉えられる。客も、自分の希望を具体化して、プラン作成に協力しているという意味で、協調作業に参加している協力者の一人として位置づけられる。旅行代理店の外の機関である銀行もこのワークフローに関わりを持つ。

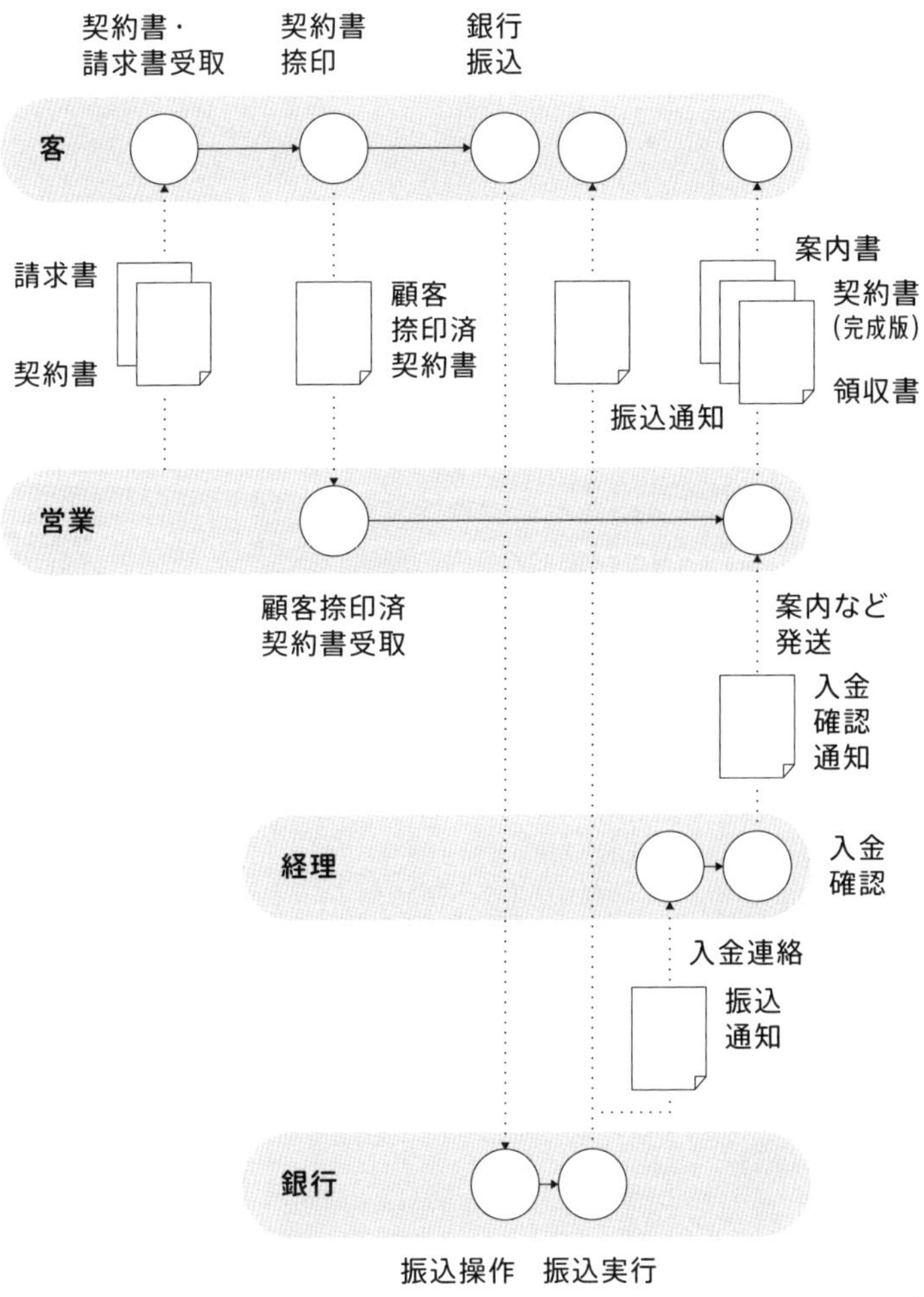

図29　ワークフロー・ダイヤグラム

ビジネスをしている企業レベルでの業務全体について文書の流れだけでなく、指揮系統や物品の流れまで考慮に入れて包括的に記述するためのモデルは**ビジネスフローモデル**と呼ばれる。

こうした協調作業を統括する人は、ワークフロー・ダイヤグラムを使って、協調作業に関わる人の作業の流れを明確に理解することで、業務全体のビジネスフローやワークフローを管理したり、シミュレーションし、論理的な不都合を検出したり、輻輳――作業の集中――による行き詰まりや作業の遅れが生じる箇所を見つけて、作業の流れを改善することができる。

協調作業に従事する人は、ワークフロー・ダイヤグラムを使って、自分に関係ある作業の進行状況を把握して自分の行動を調整できる。こうした作業に従事する人は、必ずしも一つの作業ばかりに集中して取り組むわけではない。むしろ、いくつかの作業を並行して進めるマルチスレッドで仕事をしていることが多い。

ワークフローやビジネスフローは、定型業務に従事している人たちのコモングラウンドのベースとなる作業手順をはっきりと捉えている。

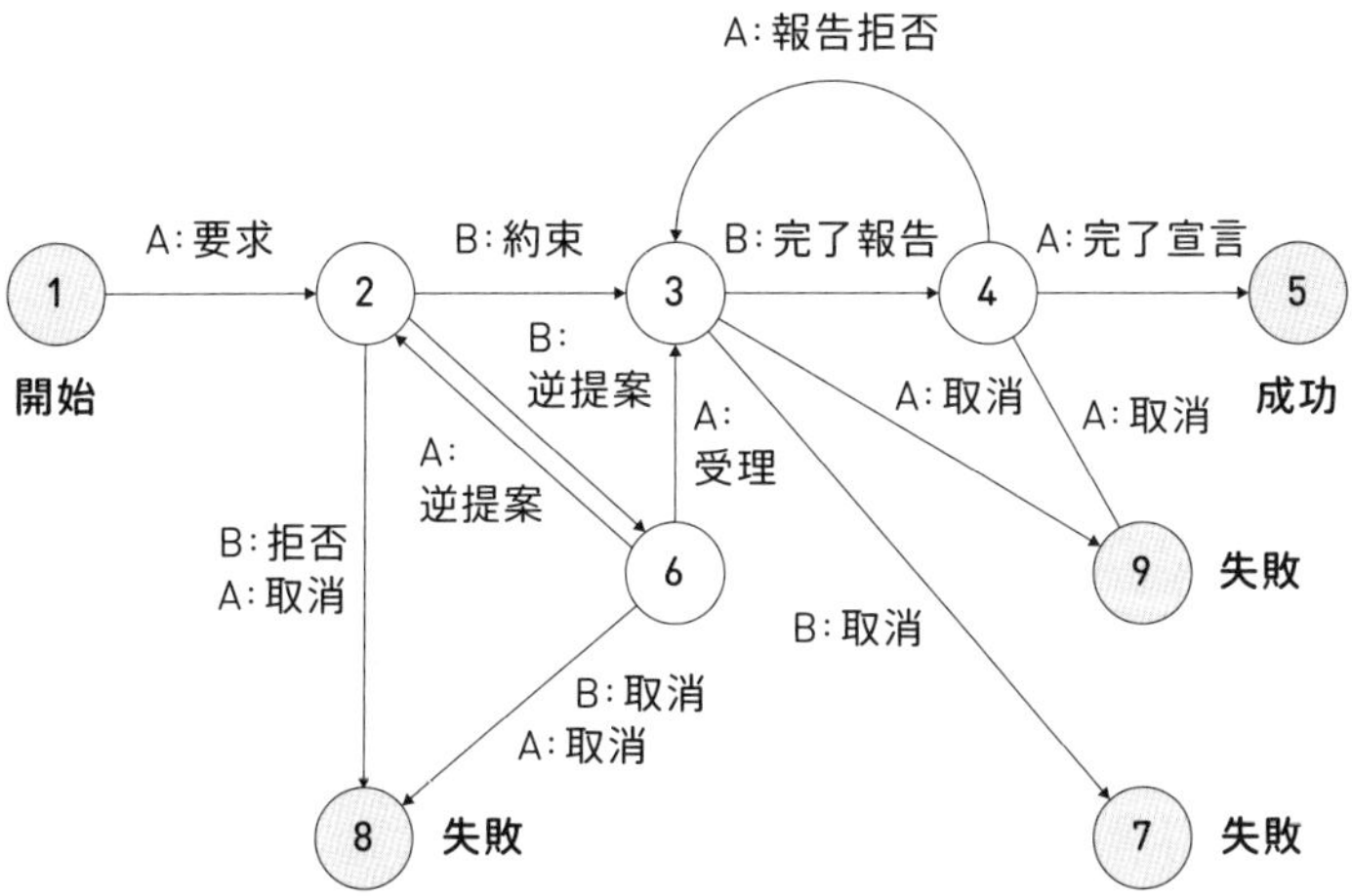

図30　ウィノグラードの協調作業モデル

協調作業はメンバーたちの社会的行為で構成される

テリー・ウィノグラードの協調作業モデル［Winograd 1987］では、図30のような状態遷移図を用いて、参加者の行為が協調作業の状態をどう変えていくかを記述する。左端の開始状態で、一人の参加者Aが要求したことをもう一人の参加者Bが約束し、Bが仕事を終えて完了報告し、それをAが受け入れて完了宣言すれば、協調作業は成功し、終了となる。この最短の成功例以外のいろいろな協調作業の展開も規定されている。例えば、Aが要求したことにBが逆提案して、それに対してAがまた逆提案するといったことを

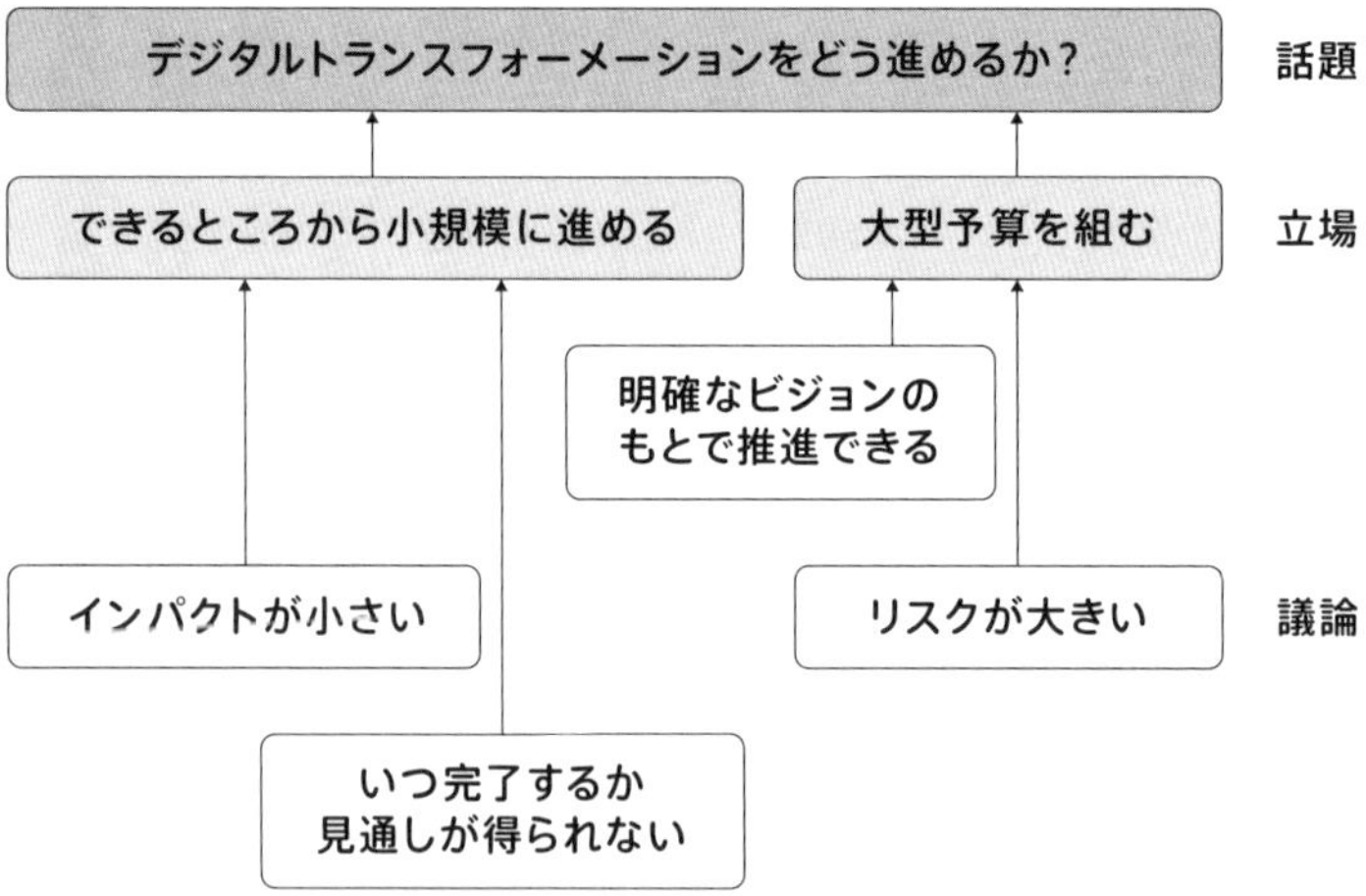

図31　gIBISモデル

何度か繰り返して、要求の内容を調整してから、仕事を完了させるという展開がある。あるいは、途中で片方が協調作業を取り消すという失敗のシナリオなどがあることが規定されている。

人間同士の討論でやり取りするメッセージをタイプ分けして、整理しようとする試みも行われた。gIBISは、構造的な討論を支援するための、図31のような視覚的なハイパーテキストを用いたシステムである［Conklin 1988］。

発言は話題、立場、議論のレベルに分けられる。話題は、「デジタルトランスフォーメーションをどう進めるか？」といった問題提起である。立場は、問題提起に対する、「できるところから小規模に進める」、「大型予算を組む」といった提案である。議論は、「明確なビジョンの下で推進できる」、「リスクが大きい」といった様々な意見を表す。発言をこの3つのタイプに分けて管理することで、議論の構造をわかりやすくして言い合い、アイデアを取り込みやすくするとともに、議論を並列に進めて効率的に前進させるようにすることを図っている。

こうした取り組みの元祖となったのは、メールのメッセージにラベル付けして、それぞれのメッセージが提案、問い合わせ、承認などの社会行為のどれにあたるかを明示することで、確実に協調作業が行われることを図ったインフォメーションレンズプロジェクト［Malone 1986］であり、現在のＧｍａｉｌなどで普通に利用することができる。

社会的インタラクションの標準化とシステム化

これまで述べてきた社会的インタラクションはもっぱら人間同士のものであったが、その基本部分を第二世代ＡＩ技術を用いて切り出し、別々の目的のために開発されてきたソフトウェアを連携して、相互運用するために利用しようという試みが行われた。その主な動機となったものは、ソフトウェアの開発は大変なので、すでに開発が終わり、従来から使いつがれてきたソフト——レガシーソフトウェア——を連携させようというものであった。そうしたソフトウェアはもともと何らかの目的を達成するために、統一された設計方針で開発されてきたものではないので、連携のために一工夫必要である。

スタンフォード大学で1990年前後に行われたPACTプロジェクト［Neches 1991］はその先駆けとなるものであった。PACTプロジェクトでは、レガシーソフトウェアは、ラッパーというソフトによって、「共有言語でやり取りできる世界」に接続できるソフトウェアコンポーネント化され、より大きなシステムに組み込まれる。ファシリテータと呼ばれるソフトが、サービスを必要とするソフトと、サービスを提供できるソフトの連携を促進する。

「共通言語でやり取りできる世界」でやり取りされるメッセージは、図32に示した構造を持つ。KIFによる情報表現と、レガシーソフトウェアの入出力との間の相互変換はラッパーが行う。

KQMLは、ソフトウェアコンポーネント間のインタラクションで使われるメッセージをASK（情報要求）、INFORM（通知）、SUBSCRIBE（与えられた話題についての情報の継続的な受信要求）な

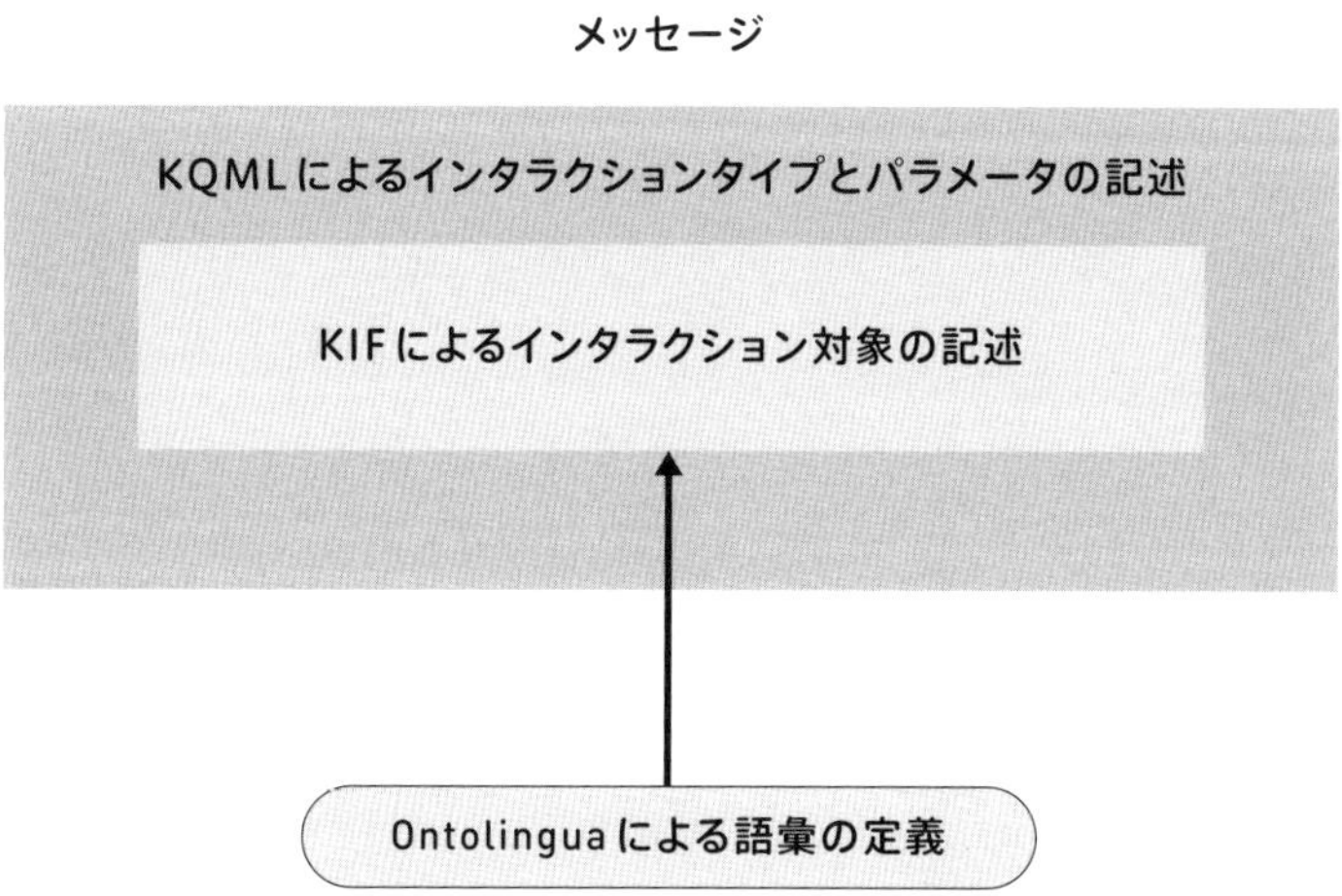

図32　コンポーネント間でやり取りされるメッセージの構造と語彙の定義

どの「型」を使って記述するための言語である。この方式の背景になったのは、次章で述べる言語行為論である。

メッセージの内容はＫＩＦと呼ばれる情報表現言語で記述する。述語論理に基づく統一された意味をもつ記法を用いて、コンポーネント間でやり取りする情報を表現する。ＫＩＦによる情報表現と、レガシーソフトウェアの入出力との間の相互変換はラッパーが行う。

大規模なソフトウェアシステムでは、ソフトウェアコンポーネント間で情報共有が確実に行われることが重要だ。ＰＡＣＴプロジェクトでは、ＫＩＦで使われる概念を定義するための言語

Ontolinguaを開発して、概念を明示的に定義したオントロジーを共有することで、情報表現での統一的な概念使用を図った。

PACTプロジェクトに端を発する、共通言語を使って異なる背景で作られたレガシーソフトウェアを連携させる手法は、異なる背景を持つ人たちがコモングラウンドを作り上げて協力し合えるようにするためにどのようなことが必要か、ベーシックな示唆を与えてくれる。

他の人の活動をそっと教えるアウェアネス

認知機能を配分しながら、いくつもの作業を同時並行的に行う「ながら仕事」が当たり前になった。そのような状況で協調作業を行う際は、パートナーたちへの通知の意識の仕方が大事だ。ある場合は、現在の仕事を妨げない程度に気づきを生じさせ、別の場合は、確実に遮って注意をひかなければならない。アウェアネス（気づき）［Prinz 1999］のコントロールがデザインの大きな割合を占める。

アウェアネスのデザインは様々な時間帯で求められる。図29のワークフローモデルのレベルでは、作業が円滑に流れているかどうか、どこかで輻輳しているのかどうか、等を知りたい。一緒に制作をしているような協調作業では、それぞれの参加者が何に躊躇しているか、何を求めているかを、リアルタイムに知りたい。

他方、アウェアネス情報は副次的な内容のものであるので、あまり頻繁に伝えられると、自分の作業の妨げになってしまう。アウェアネスのデザインでは、どのような情報をどれくらい伝えるかを注意深くデザインしなければならない。

どのような情報という点では、作業が今ここまで進んでいる、自分はいまオフィスにいる、いま特に忙しくないからいつでも割り込んでいいよ、逆に、少々急いでいるから、緊急で重要な場合でなければ、あとにしてほしい、今こんなに仕事がやってきた、自分の発言が引用された、発言がこれくらい好印象を受けた、迷っているのか、もう決まったのか、いまここに集中している、いろいろやってみたけれどもうまくいかない、等たくさんある。協調作業でどのような情報をどれくらいの正確さ、リアルタイムで共有するか、などデザインが求められる。

アウェアネス情報を主たる作業の妨げにならないよう、周辺知覚をつかってそっと伝えられるようにするためにはどうしたらいいだろう？　作業者が同じ場所にいる場合は、デジタルのコミュニケーションチャンネルの外でそっと声がけをするなど、場所を共有していることで可能になるさまざまな物理的な手段を効果的に使うことが工夫につながる。

作業者が異なる場所にいるときは、そのような物理的なチャンネルが使えないから、相対的にアウェアネスのデザインはよりハードルの高いものとなる。

作業時間帯が異なる場合は、情報共有を効果的に行うこと、それぞれの作業者の作業の進行状況や今後の計画を負担にならないように共有することで、照会やスケジュール調整のオーバーヘッドを減らすことが基本となる。通知システムを活用して、期限に関するアウェアネスを高めることは今日では一般的になってきている。しかし、作業時間が異なる場合、情報共有や通知が進んでも、問題の意義、重要性、緊急性など、メタレベルのアウェアネスを高めて、協調作業にメリハリをつけることは一般には難しい。

異なる場所にいる作業者が、同じ時間帯に協調作業をする場合アウェアネスをめぐる状況は、作業時間帯が異なる場合とはだいぶ事情が異なる。今日ではメディア技術の普及で、Ｗｅｂ会議をベースにした臨場感の高い協調作業が可能になった。また、仮想現実や拡張現実で、視聴覚を共有できるようになった。映像情報を用いることでアウェアネスに関わる豊かな情報を手軽に共有できる。

Ｗｅｂ会議のように議長が仕切るときは、議長は映像情報を用いて参加者たちがどのような状況にあるか把握しやすくなった。参加者たちがビデオをオフにしているときでも、質問をして反応をみたりすることで、かなり効果を上げることができる。また、画面共有により、物理的な場を共有しているときより有効に状況を共有することもできるようになった。

より複雑で高度な協調作業で参加者たちが同じ対象に対して同時並行的に作業を進める時は、参加者たちが独立して作業を進める場合、同期して作業を行う場合、および両者を切り替えるためのアウェアネスデザインが必要となり、ハードルは高くなる。

2名の参加者が協調して同一のオブジェクトを対象として設計を行っている図33のような状況を考えてみよう。2人は、時には独立に仕事を進め、時には、ディスカッションしながら効果的に作業を進めたい。ディスカッションを円滑に進めるためには、共有されている対象のさまざまな側面と作業状況が共有できることが基本的となるのは他の場合と同様である。

同期したディスカッションを行うためには相手の状態や注目しているものを共有できるようにしておきたいが、独立に作業をしているときは、むしろ、相手の状況が共有されな

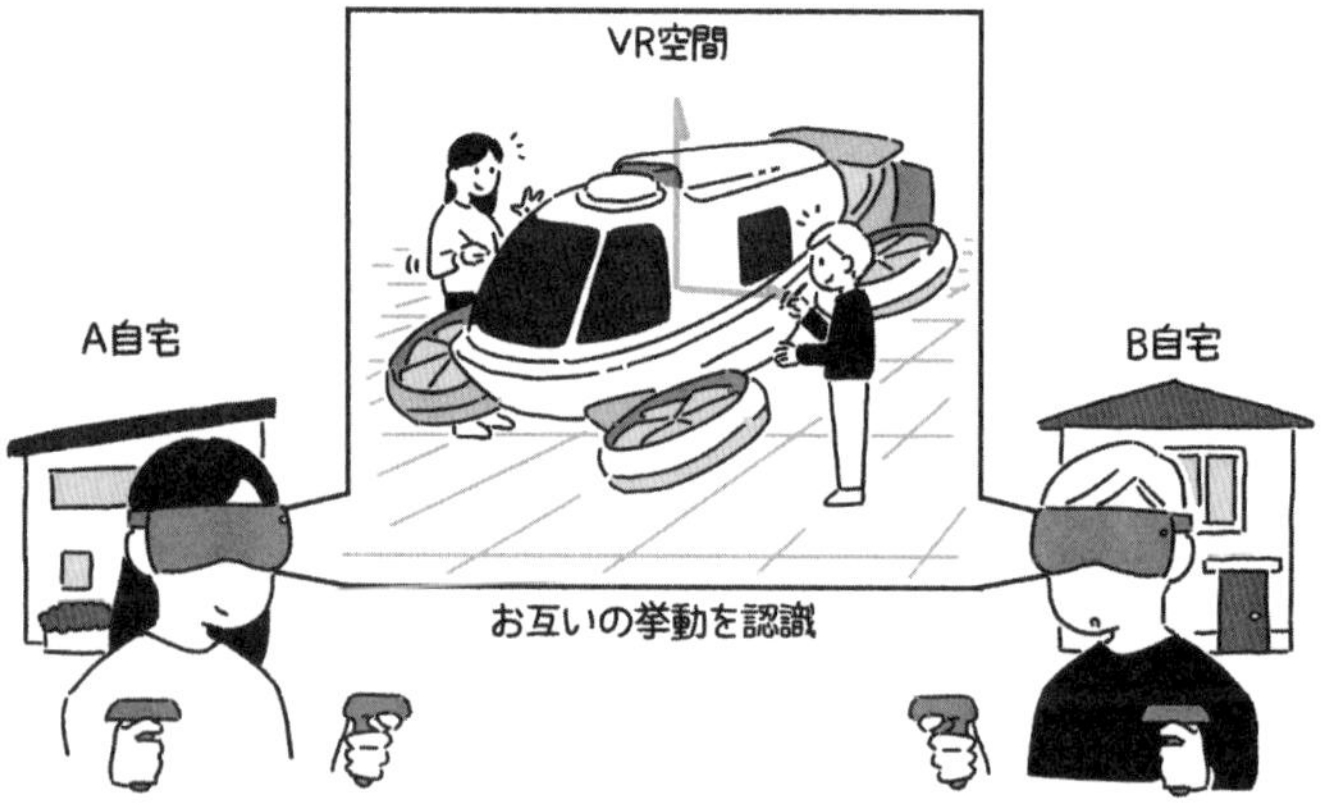

図33　仮想現実（VR）を使った、異なる場所、同じ時間帯の協調システム
手や視線の動きをアウェアネスとして伝えることができる。

い方が集中できる。相手がいま割り込まれたくない状態にあるかどうかは、同期の開始を呼びかけるかどうかの判断に重要な役割を果たす。また、相手が自分との同期を必要としていそうかどうかについても、自分の作業計画をたてるために重要である。視線情報の活用［Tang 1991］［Ishii 1992］など、こうした話題については、CSCW（コンピュータに支援された協調作業）の研究領域で多くの研究が蓄積されてきた。

協調作業レベルのコモングラウンドは、以上に述べてきた種々の協調作業支援手法のなかにはっきりと捉えることができる。ワークフローは私たちが協調作業の流れをどう捉えるかを示したものであり、ＰＡＣＴプロジェクトでは計算プロセスとして形式的な枠組みで捉えられた協調作業の姿を示し、アウェアネスモデルでは、協調作業をする人たちが、気づきと認識しているレベルの繊細な情報がどのようなものであるかを浮かび上がらせている。

発想を引き出す工夫

個人の発想には限界があるので、何人かで集まってグループディスカッションをして、議論をしながら新しい発想を探そうとするのは必然だ。グループディスカッションを支援するための最も基本的な手法は、討論の記録を残しておいて討論が継続して積み重ねられていくようにすることだ。

討論の記録はまさしくそのグループのコモングラウンドになる。

会議の議事録は伝統的な手法だ。議事録で重要な点は、議論されたことの内容をゆがめないように、適宜まとめを入れたり、内容を割愛したりしながら、その場にいなかった人でも後で読んだとき、何が課題であったか？　どのような論点で議論が行われたか？　会議の結論は何であったか？　どうしてそのような結論を下したのか？　等々がはっきりと短い時間でわかるようにすることである。ただただ、誰が何を言ったかを書き取るものではない。

座談会の記録も誰が何と発言したかを書き取るだけではないという点は議事録と同じだ。しかし、座談会は新しい気づきや発見を得ることが本来の目的である。議事録のような忠実性よりも、読んだ人がインスパイアされるかどうかが重要だ。たとえ虚構が入るとしても、座談会の記録がさらなる創造のコモングラウンドとして機能することに変わりない。そのとき、参加者たちが何を考えていたか、その共有点と相違点は何であったか、座談会で新たに得られた発見は何か、貴重な情報が詰まっている。

他方、議事録にしても座談会記録にしても、コストと有用性のいずれにおいても伝統的な方式には、大きな限界がある。

議事録作成や座談会記録制作のためのコストは非常に大きい。会議の議事録作成当番になると、会議の前に十分予習をして、会議で議論された内容を的確に捉えなければならない。議事録作成のために、会議のあいだ、録音をしたり、ビデオ撮りをしたりすることも珍しくない。そして、後で録音を聞きなおしたり、ビデオを見直したりして、その場でわからなかったことを復元しなければならないこともある。万が一にでも、会議のなかで何が合意されたのか、あるいは合意に至らなかったことなどを間違うと、もはや議事録作成係失格である。

座談会の場合は、ハードルはもっと上がる。座談会の鍵となる場面をつかまえて、そのとき参加者がどんな表情をしていたか、重要な場面を写真撮影しなければならないし、座談会で資料が使われていたら、そのどこが重要であったかを的確に捉えなければならない。

有料で議事録作成や座談会記録の制作を請け負うプロフェッショナルもいる。基本は書き取りである。そもそも誰の発言かを識別しなければならないが、マイクを区別したり、発言の前に名乗ってもらったりしなければならない。書き起こしのプロの場合は、ここまでだが、座談会記録制作の方は、座談会前の企画と座談会後の編集作業が重要なステージだ。

議事録や座談会記録も、会議が終わった後で会議の成果を振り返るためには有用だが、会議の席で討論を助けるためのコモングラウンドとしては使えない。

議論を助けるプロフェッショナルとして、**グラフィックレコーダー**がいる［Schiller 2017］。グラフィックレコーダーは、「聞く、理解する、描き出す」の3ステップで、議論の流れと並行して重要な観点や議論の構造をイラストとして描き出す。

グラフィックレコーディングが優れているのは、オンライン上であり、その場でコモングラウンドの証が描かれていく点だ。異論があれば、その場で申し出て、修正すればよい。このように思考の内容を批判とさらなる発展の基盤として書き出された外化の意義は大きい。何らかの考えにとらわれていても、外化によって書き出し、批判の対象として見ることによって、その正当性や論理的整合性を検証の対象とすることができる。外化された思考過程はつなぎ合わせ、集積してスケールアップすることができる。他方、内容が複雑になるにつれ、頭の中に入れておかなければならないことの管理に心を奪われて、思考範囲が狭められる。

専門分野では、数式のような専門の表現様式を用いて合意内容を書き留めておくのが揺らぎがなくていいだろう。数式に表せなくても、適切な専門用語を並べるだけで、どのようなことかほぼ言い表すことができる。

発想を刺激する

いつの時代も組織のリーダーたちは、新しいアイデアを生み出す発想に、最も重要な地位を与え、効果的に発想を生み出すシステマティックな方法はないかと、工夫を重ねてきた。

ブレインストーミング［Osborn 1953］は古典的な発想支援方法の代表格であり、「ブレインストーミング」という言葉と次のような運用のスタイルが定着している。

❖**判断・結論を出さない**（**結論厳禁の原則**）　自由なアイデアの提出を制限するような、批判を含む判断や結論は、ブレインストーミングの次の段階にゆずり、慎むこと。可能性を広く抽出するための質問や意見ならば、その場で自由にぶつけ合う。例えば「人手が足りないのではないか？」、「予算が足りないのではないか？」といった否定的な質問はブレインストーミングでは控え、「予算や人手が足りないので、それを前提としたプランを練ってみよう」と可能性を広げる発言は歓迎する。

❖**粗削りな考えを歓迎する**（**自由奔放の原則**）　誰もが思いつきそうなアイデアよりも、奇抜な考え方やユニークで斬新なアイデアは、最初は笑いものにされることが多いが、新しい発想の源として重視する。

❖**量を重視する**（**質より量の原則**）　質の高いアイデアがまとまるまで発言しないのではなく、思いつきでもいいからアイデアをなるべくたくさん提出することを重視する。

❖**アイデアを結合し発展させる**（**結合改善の原則**）　いろいろなアイデアをくっつけたり一部を変化させたりすることで、アイデアを発展させていく。他人の意見をさらに膨らませていくことも望ましいとされている。

その他、思考の内容をグラフィカルに表して、整理したり、さらに新しい考えを生み出したりするための基盤にする手法は洋の東西でいろいろなものが知られていた。国内でよく知られているものはＫＪ法［川喜田 1967］だ。

ＫＪ法は文化人類学者の川喜田二郎がフィールドワークで得られた知見を整理するために編み出した。ＫＪ法では、まずそれぞれの知見を１枚のカードにまとめ、次にカードを広い場所に広げて、より大きなストーリーの流れの中にまとめあげていく。

マインドマップの場合は、中央に発想の原点となるキーワードを書き、そこから発想されるキーワードを放射状に広げていく［Buzan 1996］。マインドマップは、アイデアの分解、統合、連想、イメージ化ができて、簡単に実行できるうえ、ツールも出回っているので、発想、記録、プレゼンで効果を発揮する。

こうした手法を複数の人たちが、共有し、表出されたものをコモングラウンドの証としてキープしておけば、コモングラウンドはより堅固で内容を確認しやすいものとなる。ただし、オフラインである。

ファシリテータの介入するワークショップ

ワークショップは、参加者が主体的にソリューションを見つけ出すために創造を支援する集会として規定される［山内 2013］。商品開発、街づくりから教育に至るまで、さまざまなテーマに関して、課題解決、合意形成、プラン形成、創作、学習などを行う。

ワークショップは、「創ることで学ぶ活動」である［山内 2013］とも位置づけられ、広い意味での参加者にとって学びを目的とした場である。ただし、固定的な学習プログラムで規定された公式の学習機会ではなく、むしろ、学問分野によって構造化されていない、質保証のメカニズムのない自由でアクティブな学びの場であると特徴づけされる。

ワークショップそのものは、主催者が呼びかけて、参加者を募り、典型的には、5〜6人前後のメンバーから構成されるチームが、2〜10個程度構成される。活発な討論を促進するためのファシリテーターがつく。

ワークショップは半日から1日のセッションを1回または複数回繰り返す。各セッションは、導入、知る活動、創る活動、まとめから構成される。

ワークショップを成功させるためには、準備が不可欠であり、ファシリテーターがチームとともに数か月かけるのが通例である。しかし、準備した通りに進めるのではなく、参加者の個性や、進行に応じて、シナリオを即興に作り替えていく必要があり、経験の豊かさで成否が左右される。

ファシリテーターには、多様な実践知が求められる。基本的には、問いの生成と共有、思考と感情の刺激、創造的対話の促進、参加者が持っていた意識を揺さぶり、新たな意味づけの生成を促進する意識と関係性の変化、解の発見と洞察を繰り返す問いのデザインを行い、実践することが重要である。安斎勇樹らは、説明力、場の観察力、即興力、情報編集力、リフレーミング力、場のホールド力をファシリテーターのコアスキルとしている［安斎 2020］。

以上で見てきたように、発想支援領域に入ると、協調作業でも再び、そのコモングラウンドを確実に捉えることは困難になる。しかしそのことは本書の冒頭でも述べたとおり、私たちのコモングラウンドはどこもクリアで堅固なものばかりでできているわけではないことを示しているにすぎない。発想支援領域でのコモングラウンドがどのようなものか理解したり、それを強化したりするためのテクノロジーを開発しつづけていくことは、私たちにとっての永遠の課題なのだろう。

協調作業のコモングラウンド

協調作業のコモングラウンドについてこれまで考察してきたことについて図34に基づいて、まとめてみよう。協調作業のコモングラウンドの題材は、定型ないしは非定型な作業であり、コモングラウンドへの参加者は、作業を行う人々および、作業を依頼したり、結

図34　協調作業のコモングラウンド

果を受け取ったりする人々と作業監督者など、作業に関わっている人々である。定型作業の流れは関係者によく理解されており、作業の手順はもちろんのこと、作業のインプットやアウトプットに課される条件、作業への課金や作業終了までのおおよその時間など相場がどれくらいかも関係者はよく理解している。非定型的作業はその逆であり、作業完了までの見通しはあまりよくない。作業者の創意工夫だけでなく、依頼者や監督者の協力も不可欠である。協調作業に関わる知識、作業状況に関わる意識、それを形成するためのアウェアネスなどが協調作業に関わるコモングラウンドを形成する。

協調作業の背景にあるコモングラウンドは、協調作業の進行とともに更新されていく。定型的な協調作業はワークフローなどの枠組みでとらえることができる。参加者の考えを外化し、記録として共有できるようにすることが協調作業の基本となる。共有されている情報と、ほかのメンバーの状態を周辺的な知覚でとらえるアウェアネスのデザインが定型的な協調作業を円滑に進めさせるための鍵となる。発想支援の場合は、さらに、人々の内面まで踏み込んで、アクティブな貢献を促進することが求められる。

会話と
ともに
変化
していく
コモン
グラウンド

第5章

認知言語学者のハーバート・クラークが「会話は協調のための協調的なプロセスだ」と述べたように、会話は協調作業をするための主要なインタラクションであり、そのなかを詳細にみると、さらに細かな協調作業が行われていることがわかる。会話の進行とともにどのようにコモングラウンドが更新されていくか、つぶさに観察しよう。

会話を通してうかがい知る言語ゲーム

社会学的な視点からの会話分析の祖となったのは言語哲学者のルートヴィヒ・ヴィトゲンシュタインである。ヴィトゲンシュタインは、いろいろな状況で言語が作用する様子——言語ゲーム——をよく観察することで意味を浮かび上がらせるという方法論を示した［Wittgenstein 1953］。

例えば、大工とその徒弟が一緒に仕事をしているとき使われる「金づち」、「かんな」という発話の原始的な言語としての意味は、これらの言葉が発せられるとき何が起きるかをよく観察すればわかってくるというのである。

従来のアプローチでは、言語の構成要素が文として構成される仕組みを問う統語論、文を構成する単語の意味から文の意味がどのように構築されるかを問う意味論を中心に、音韻論、形態論、語用論といった手法を組み合わせて、言語表現を「解剖」して内部の構造を暴き出し、言語表現のいろいろな成分の意味を構造に従ってつないでいくことで、与えられた言語表現が全体として持つ意味を捉えようとした。ヴィトゲンシュタインもはじめは、言語表現の意味を捉えるために、言語表現をよく定義された領域（論理形式）の表現に体系的に対応づける方式を探求していたが、言語ゲームの概念に基づく観察中心の方法論に転じた。

ヴィトゲンシュタインの哲学は、アーヴィング・ゴフマンを経て、社会学の潮流を引き起こし、さらにハロルド・ガーフィンケルによるエスメソドロジー［Garfinkel 1967］につながるとともに、本書に関係する範囲では、アダム・ケンドン［Kendon 2004］とデヴィッド・マクニール、ハーバート・クラークによる認知言語学［Clark 1996］を経て、ジャスティン・キャッセルによる会話エージェント研究［Cassell 2000］につながっていった。

会話の周囲にも目を向けよう

言語を取り巻く周辺的状況の観察を実践したのは、ゴフマンである。ゴフマンは社会学の観点から、人の集まりの構造の理解に取り組み、会話を理解する多くの重要な視点を提出した。

『集まりの構造』[Goffman 1963]では、人々の行動空間をコミュニティの構成員が自由にアクセスできる公的な場所と、参加できる人が限られた私的な場所に分けたうえで、公的な場所での人々の行動分析を行っている。ある人たちのふるまいが別の人たちを侵犯し始めるようになると、公的な場所の秩序に関心が向けられることになる。ここで分析のターゲットとされるのは、状況、つまり、社会的な場での行動者の周囲のありようや同じ場にいることによって生じてくる別の行動者との関係性の総体である。

会話の外側では、焦点の定まらないインタラクション

公的な場において行動者が互いに影響を与え始めると、それは一つの社会的な出来事に参加する始まりとなる。例えば、パーティや、オフィスでの協調作業、ピクニック、オペ

ラハウスの夜等々。こうしたところでは、**状況適合性の規則**が人々の関心事となる。この規則を分析することで、集まりの構造を少しずつ明らかにするのがゴフマンの手法である。ゴフマンは、集まった人たちが相互に了解した決まりに従って他の人にもわかるようにはっきりと注意を傾けている対象——焦点——に注目し、場でのインタラクションを、焦点の有無で大別している。**焦点の定まらないインタラクション**は、すれちがいざまの視線の交差といった、偶然同じところにいるという事態を管理するために行われる。一方、**焦点の定まったインタラクション**は、一緒に集まって公然と協調作業が行われる場合を指す。そういうときは、会話も秩序だって行われる。

個々の状況に遭遇すると、人はそこに関与するかどうか決定をしなければならない。状況に関与する場合は、その状況にある程度認知的に没頭することが求められる。関与は、主要関与と副次的関与に分けられる。主要関与は、個人の注意や関心の大部分を関与にささげる場合を指す。副次的関与では、関与は維持するが、他のことに関わることも許される。

ただし、すぐ近くに座っているという理由で無視せず関与することがふつう求められるような状況でも、衝立のような**関与遮蔽**が設けられた場合は、状況への関与は免除される。

また、儀礼的無関心の作法に従えば、関わりをもつ必要がないときは、お互いを無視して、人間として意識していないかのようにふるまうことが許される。これによって、余計な社会的なオーバーヘッドがなくなる。

コモングラウンドという観点に立てば、焦点の定まらないインタラクションという考え方は、会話のコモングラウンドをより広いコモングラウンドの中に埋め込むための接続を作るために特に重要である。より広いコモングラウンドの中から、あるいは、コモングラウンドのないところから、会話のコモングラウンドがどのように生まれるのか、会話が終わったときその会話のコモングラウンドがどのように消えていくのかを理解するために重要である。

会話への参加は話し手と聞き手だけではない

会話における参加者たちのやりとりをどう分析したらいいだろうか？　ゴフマンは、『会話の形態』［Goffman 1981］において、参加の枠組み、儀式性、埋め込みという3つの観点を示した。

図35　会話の構造

ゴフマンが示した会話の分析の枠組みでは、会話の関係者は、話し手、聞き手、傍参加者、傍観者、盗聴者に分類される。それぞれの会話は、話し手、聞き手、傍参加者を参加者とし、その周辺に傍観者と盗聴者がいる（図35）。

会話の中心は、話し手と、話し手が直接話しかけている聞き手である。会話に同席していて会話のやりとりを聞いているものの、現時点は話し手ではなく、話し手に直接話しかけられている聞き手でもないが、過去あるいは未来に話し手、あるいは、聞き手になる可能性のある参加者は傍参加者と呼ばれる。

会話の承認された参加者ではないが会

話のやりとりが聞こえている人は、会話参加者からその存在が認識されているか否かによって傍観者と盗聴者に分類される。会話参加者から、この人には自分たちの会話が聞こえていると認識されていれば傍観者であり、そうでない（例えば、物陰に隠れている）ときは盗聴者である。

会話の中の、儀式性を使った細かな気配りのやりとり

会話のなかでは、参加者たちは互いに細かな気配りのやりとりをしている。こうした気づかいは作法――あいさつのように、素朴で日常的な行動様式から区別され、それとすぐわかる型――として現れる。ゴフマンは、このような私たちの日常会話において、ふつうの発話とは明らかに区別される独特の言い回しを**儀式性**と呼び、その奥にある社会的インタラクションがどのようなものか考察した。

ふだんは大して意識されず、慣習的に行われている作法であっても、儀式性のある表現にはそれなりの意味があり、やりとりの雰囲気――空気――を作っている。

例えば、英語でも日本語でも、誰かから感謝されたとき、そのまま何も反応しないと何

となく居心地が悪く感じられる。やはり、「You are welcome」や「どういたしまして」と返しておいた方がいいように思える。なぜだろう？

会話の丁寧さ

こうした側面は、会話参加者たちがその場その場で想定した相場での社会的な価値を取引していて、そのバランスが崩れることが居心地の悪さにつながると考えられる。ハルトさんがミオさんに時刻を尋ねるとしよう。ふつうだったら次のようなものだろう。

ハルトさん「いま何時？」
ミオさん「5時」

時には2人のやりとりは次のようになるかもしれない。

ハルトさん「いま何時かわかるかな？」

ミオさん「ええ――5時よ。」
ハルトさん「ありがとう。」
ミオさん：（ほほえみ）

こちらの例では、2人は初めの例よりもたくさんのやりとりをしている。ミオさんは何かに取り組んでいたのかもしれない。ハルトさんは、初めの発話では、婉曲表現を使ってミオさんに質問することでじゃまをするという負の影響を修復しようとしたのかもしれない。これに対して、ミオさんは「ええ」という句を入れて応答している。クラークによると、ハルトさんが婉曲表現を使ったことをミオさんが認めて、ハルトさんの心配をやわらげようとしている。ハルトさんは、次の発話でミオさんのそうした気遣いを読みとって「ありがとう」と感謝の気持ちを口に出している。それに対して、ミオさんは、ハルトさんが謝意を表したので、このやりとりで自分の支払ったコストは十分に小さかったことをほほえみによって示している。

2番目の会話例のようなやりとりは、そのなかに含まれている儀式性によって、いま何時かを伝えるという素朴なやりとりからはっきりと区別され、その文化圏で共有された意味をもつメッセージを生み出している。

会話に代表される社会的インタラクション

１９６７年に刊行された『儀礼としての相互行為』［Goffman 1967］の中でゴフマンは、参加者たちが、会話の中でやりとりする社会的価値を面目と呼び、参加者たちの細やかな心づかいのやりとりの分析を行った。この分析によれば、人々が日常遭遇する出会いでは、会話を通してそれぞれの参加者の面目が維持されるよう、自らが方針をたてて会話行動を行っている。会話参加者たちはお互いに面目をつぶしたり、失わせたりすることのないように会話行動をし、万が一面目を脅かすようなことがあれば、いろいろな修復が試みられる。

会話の中でのやりとりは、原則的には参加者同士気づかい合いながら丁寧に行われる。丁寧さは、参加者の気持ち、感情、アイデンティティといった、インタラクションに関与する人が定義し、共同行為の中に位置付けられる社会的価値の交換という観点からモデル化できる。社会的なインタラクションの中で人々はコストと利得をバランスさせようとする傾向がある。万が一、社会的価値の平衡が損なわれると、埋め合わせ、再評価、再定義などで回復を試みる。

インタラクションの中では、AがBを批判してBの尊厳を低める、AがBに対して命令したりしてBの自由を低める、Aは謝罪などして自分自身の尊厳を低める、Aは約束をすることなどにより自分自身の自由を低めることなどがあり得る。面目は社会的価値であり、所有者だけによって決定されるのではなく、出会いなどにおいて相手と共同で決定される。BからAへの社会的価値の移動が要求されたとき社会的均衡を保つには、BにとってAに社会的価値の移動をすべき十分な理由があることをBに伝える（正当化）、Bにとってのコストが大きいときは要求の最小化をする、お返しとして将来Bに何かをしてあげるという意図があることを伝える（将来の義務）、Bの利益を最大化する、Bがその行為をすることによって生じることがBにとってメリットのあることを伝えるなどの手段がある。

面目を保つ工夫

ペネロペ・ブラウンとステファン・レビンソンは、会話の中でしばしば相手の面目を脅かしたり、自分の面目が脅かされたりする事態に対応するために、人々がどのような工夫をしているかについて分析を行った[Brown 1987]。

彼らは、社会の典型的なメンバー（MP）は自分自身に対して、主張したいと思っている公的な自己イメージ（面目）と、目標の達成につながる手段を見つける合理的な推論能力の2つを有すると仮定した。面目はさらに、自分の場所や持ち物に対する主張、気を散らさない権利、つまり、行動の自由と何かを負わされることからの自由を求める消極的な立場（負の面目）と、（参加者たちに称えられたり認められたりしたいと思っている）ポジティブで整合性のある自分のイメージあるいはパーソナリティ（正の面目）に分類される。

そのうえで、

・2人のMPに共有された関心は、それぞれの面目を維持することである。そこで話し手Sは聞き手Hの面目を維持しようと思うだろう。

・いくつかの行為は本質的に面目を脅かすものである（これを面目に脅威を与える行為とし、FTA（Face Theatening Act）と呼んでいる）。

・話し手Sが全力でFTAを実行しようという気持ちが聞き手Hの面目を守ろうという気

持ちより小さければ、SはFTAの効果を最小化するであろう。

と論じ、ポライトネス（各自の外的印象を良好に保つための言語的配慮）を達成するための、方略が示される。

図36はその一つであり、自分Sが何かの行為をすることで、相手Hの面目を傷つける恐れがあるとき起動される。この方略が示唆するのは次のようなことだ。

・まず、自分が相手を傷つける可能性のある行為をすることを公言するか、しないかを決めよう。
・公言するのであれば、なるべく間接的ないしは単刀直入に伝えよう。
・公言しないのであれば、Hが何かをしないという選択肢を与える、Hへの威圧を最小化する、Hを侵害する意図がSにないことを伝える、Hの負の面目から生じる他の願望についても言及する、のいずれかをしよう。
・Hが何かをしないという選択肢を与えるのであれば、なるべく単刀直入に伝える、尋

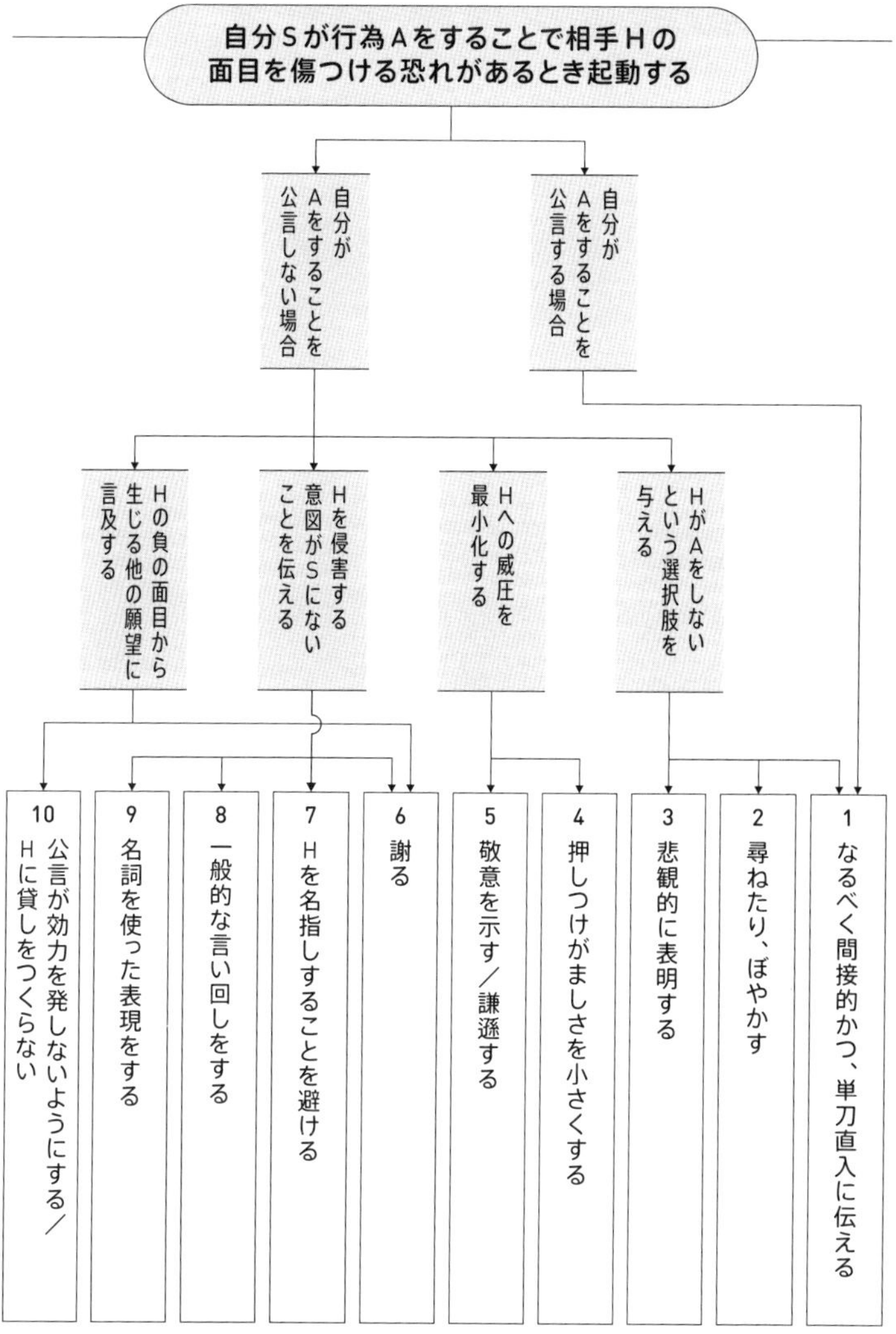
自分Sが行為Aをすることで相手Hの面目を傷つける恐れがあるとき起動する
自分がAをすることを公言する場合
自分がAをすることを公言しない場合
HがAをしないという選択肢を与える
Hへの威圧を最小化する
Hを侵害する意図がSにないことを伝える
Hの負の面目から生じる他の願望に言及する
1 なるべく間接的かつ、単刀直入に伝える
2 尋ねたり、ぼやかす
3 悲観的に表明する
4 押しつけがましさを小さくする
5 敬意を示す／謙遜する
6 謝る
7 Hを名指しすることを避ける
8 一般的な言い回しをする
9 名詞を使った表現をする
10 公言が効力を発しないようにする／Hに貸しをつくらない

図36　ポライトネス理論の一部：負のポライトネス方略

ねたりぼやかしたりする、あるいは、ダメもとでなどと悲観的に言おう、等々。

ブラウンとレビンソンが行った面目という概念をもちいた丁寧さの分析は、ゴフマンの提案を広げたものとして大変興味深い。しかし、日常会話でときどきこうした例に遭遇しても、いまの会話の感覚と少し違うなと思ったりするのは、現代の会話のコモングラウンドとのずれを感じるからだろう。たとえそうであっても、現代には現代の丁寧さの実現の仕方があり、その背後にあるコモングラウンドは、面目システムという考え方をつかってモデル化できるのではないかと思われる。丁寧な会話ができる会話システムのデザインにも有用であろう。

言葉を発して社会的な行為をする

会話でやりとりされる言語表現に踏み込んでみよう。古典的な議論で会話にかかわりの深いものはJ・L・オースティンとJ・R・サールによって提案された言語行為論である。言語行為論は言語理論では語用論と呼ばれる部門に属するものであり、言語表現が社会的状況にどのような影響をもたらすかという観点からの分析が行われる。

言語行為論では、人が会話において発話をすることとは、そこで対象としている状況についてただ陳述しているだけではなく、提案するとか、宣言するといった、具体的な社会行為をしていることであると考える。言語表現によって行われる社会行為の同定、社会行為によってもたらされる効果、そして社会行為が適切に行われるための条件を解明することを目指している。

オースティンは、言語行為の基本概念として、話者が言葉を発するという行為そのものをさす発話行為、そうした発話行為によって実行される社会的行為をさす発話内行為、発話内行為によってもたらされる社会的効果をさす発話媒介行為を同定した[Austin 1962]。

発話をするという行為を、サッカーにたとえてみよう。パスを送るとか、シュートを打つといったプレイがどのような行為であり、それがプレイヤーあるいはゲームにどのような影響を与えるかを分析しようというのと同様の観点で言語行為を分析しようというのである。

サッカーゲームでルールブックに定められたプレイ（例えば、「シュートする」）として抽象化された行為が発話内行為、要素となる具体的行為（「足を上げる」、「足をスイングする」、「手を動かす」、「狙う場所を見る」…）の総体が発話行為、「観衆を魅了する」、「技を披露する」…が発話媒介行為となる。「観衆を魅了する」といった発話媒介行為は行為がもたらす効果であり、行為によって確実に実現されるとまでは言えない。

オースティンの貢献は、言語表現が陳述だけではなく、社会的行為の遂行であることを示したこと、および陳述以外の社会的行為の遂行を示唆する動詞を、**判定宣告型**（acquit［無罪とする］、convict［有罪と宣告する］、estimate［推定する］、rank［位をつける］、reckon［算定する］など）、**権限行使型**（appoint［任命する］、order［命ずる］、plead［申し立てる］、urge［催促する］、veto［拒否する］など）、**行為拘束型**（bet［賭ける］、consent［同意する］、oppose［反対する］、promise［約束する］、swear［誓う］など）、**態度表明型**（applaud［賞賛する］、congratulate［祝辞を述べる］、criticize［批判する］、deprecate［嘆願する］など）、**言明解説型**（affirm［肯定する］、begin by［から始める］、call［呼称する］、mean［意味する］、recognize［承認する］など）の5つの型に分類したことである［Austin 1962］。

サールは、オースティンの分類［Austin 1962］に、態度表明型と言明解説型について一様性が薄いといった点を指摘して、動詞を、**表示型**、**指令型**、**行為拘束型**、**表明型**、**宣言型**に分類する案を提案した。確かに、オースティンの分類は［Austin 1962］で自らも表明しているように、［Searle 1969］ほど丁寧に検討されていないようにも見えるが、発話内行為の分類は困難であり、実際のところどれほどの意味があるか不明である［Searle 1975］。

これらの言説はいずれもコミュニケーション科学や社会学では古典に属するものであり、以前は大学のいろいろな学科で――しかしばらばらに――入門として教えられてきた事柄である。会話のコモングラウンドを理解する上で重要な概念となる。

会話を構造化する

ハーバート・クラークは、共同行為という観点から包括的に言語運用としての会話的インタラクションを捉えて、**共同行為論**［Clark 1996］を展開した。共同行為論の根底にある基本原則は、「言語は原理的に社会的な目的に用いられる」、「言語使用は共同行為の一種である」、「言語の使用は常に話者の意味生成と聞き手の理解を含む」、「言語使用はしばしば2つ以上のレイヤから構成される」、「言語使用の基本的なセッティングは面談形式の会話である」、「言語使用の研究は認知科学と社会科学の両方に属する」の6つである。

最初の2つの基本原則は、より上位の社会的インタラクションのための手段として位置付けられる会話は、それ自体が共同行為という社会的なインタラクションであることを指摘している。これは当たり前のように見えるが、言語学ばかりか言語行為論でも軽視されてきたとしてクラークは批判している。

クラーク理論によると、会話の参加者たちは、会話のための場を共有し、協調装置を使いながら共同行為を遂行することによって、話題の空間を広げていく。会話のための場は、レベル、レイヤ、トラックによって、構造化されている。クラーク理論の第3〜5番目の基本原則はこれらに関わるものである。まず、第2章で導入したレベルとレイヤの概念をもう少し深めておこう。

レベル概念

レベルは、参加者たちの行う共同行為の抽象度を表す。音声発話、表情、身体の動きによって生成される社会的シグナルのレベルから、より抽象的なレベルでのインタラクションまである。

会話におけるインタラクションは、音韻行動、挨拶的行動、修辞的行動、発話行為、発話内行為、発話媒介行為など複数のレベルにまたがる共同行為としてモデル化される。各レベルの行為を結びつける作業は、上のレベルにおける意味づけを探し出す作業と、下のレベルの根拠を探し出す作業に分けられるが、クラーク理論ではこれを、はしごの登り降りにたとえている。

レイヤは、いわば「整合性のあるムービークリップの集まり」、つまり、会話で言及されているつじつまのあった世界を表す。例えば、Aさんが、昨夜見た夢の世界についてBさんに話していたとすると、その状況を分析するために、AさんとBさんが話している世界、AさんとBさんの話している内容、Aさんの夢の中で起きたこと、の3つのレイヤを想定しましょう、ということである。

虚と実を同格に捉えるためのレイヤ概念

レイヤは、会話や物語の中に出てくる別の会話や物語というような談話世界の派生を説明するための概念的道具であり、会話で参照されている状況の基盤となる世界を指している。この世界は、会話参加者の間で共有されている現実の世界かもしれないし、想像上の世界かもしれない。会話参加者がこうに違いないと信じているありさまから構成される世界も異なっていると考えておいた方が、誤解や皮肉など多様な現象を説明できる。

会話の参加者たちが置かれている世界が基本的なレイヤとなるが、過去、未来、想像上の世界など、参加者たちが会話の中で想定した世界があればそれはみなレイヤとなる。大人でも子どもでも、会話の中で自由自在にそうした架空の世界を生み出し、発展させていくことができる。これが、ゴフマン［Goffmann 1981］が示唆した埋め込みの機能である。

あるレイヤ——例えば現代の東京——から派生したレイヤ——例えば時代劇の江戸の街——は元のレイヤとほとんど関係がないかもしれない。しかし、同じレイヤから派生した別のレイヤ——例えば東京に怪獣が現れたとしたらという架空の世界に対応するレイヤ——は、元のレイヤが表している世界を参照し、対応付けられている（図37）。

クラーク理論では、レイヤの概念を用いて、言語行為論の発話行為と発話内行為が互いに関係付けられた異なる階層における行為であり、会話参加者の間で各レベルの行為がかみ合うことによって、インタラクションが起きる、という説明が行われている。

後で述べるように、実際はそうではないのにそうであるかのような「ふりをする」、あるいは、「とりつくろう」という行為は、子どもから大人までコミュニケーションに広くみられるものであるが、レイヤを用いて分析を行うことができる。

図37　複数のレイヤを使った世界の派生

社交辞令としてだけの招待のレイヤによる分析

会話の重層性は、小説や映画に代表される虚構だけでなく、私たちの日常の会話でも至るところに現れ、気持ちを伝える役割を果たしている。クラークはその一例として、「本気でない、社交辞令としてだけの招待」を紹介している。社交辞令としてだけの招待は、純粋な招待ではなく社交辞令としてだけの役割を果たすものである。本気での招待ではないから、受けてはならない。社交辞令としてだけの招待は一見不誠実に見えるが、文化に依存したものであり、我々の日常に見出すことができる。例えば、「家を新築したからいつでも遊びにおいでよ」といった発言を文字通り受け取って、「じゃ、今日の夜お邪魔するからよろしく」などと言ってはいけない、といったたぐいのものだ。さらに、「これたくさんあるからただであげるよ。いくらでも持って行って」と店で言われても、それは社交辞令であることをちゃんと読み取って、節度を守らなければならない。

エレン・A・アイザックスとクラークが分析対象にした社交辞令だけの招待［Isaacs 1990］では、会話の中で、自己都合で約束を破らざるを得なくなった一方（ロス）がガールフレンド（キャシー）を、一緒に来ないかとイベントに招待する。キャシーは、その招待は実は形だけのものだと見抜き、「パスする」と言い、断る。アイザックスとクラークの分析では、ロスは、キャシーが受諾したら、本当に招待しなければならないというリスクを取りつつ、招待の辞を告げる。ロスが開始したこのやりとりの背景を読み取ったキャシーは、ロスがそうしたリスクをとってまで招待をして誠意を示したことを認め、辞退したと解釈している。ただし、ロスからの招待が、本気でない社交辞令にすぎないものであると、見抜いたと言ってしまうと、コミュニケーションは台無しになってしまうので、キャシーがあくまでもふりをしつづける、というところも見逃してはならないポイントの一つだ。

ミオさんがイツキさんに新築の家のことを話したとき、「時間ができたらお立ち寄りください」と、本気ではない社交辞令だけの招待をし、それを察したイツキさんが「いまの仕事が片付いたらぜひ」と答えたとしよう。この煮え切らないやり取りの背景は、図38のようにレイヤを用いた図式で説明できるかもしれない。

ミオさんは、本心では「ぜひ遊びに来てください！」、「喜んで！」というやりとりがしたいところ（図38下半分のレイヤ2が表す虚構）であった。ただし現実は、まだ引っ越し直後で家が散らかっているし、いろいろな手続きに時間が取られて、とてもイツキさんを招ける状態ではない。しかし、新築の家のことを口に出した以上、早いうちに披露しないわけにもいかない。そこで、断られることをある程度期待して、「時間ができたら」と少しだけ条件を付けて「お立ち寄りください」と言った、というのがミオさんの発言の背景かもしれない。

他方、イツキさんのほうは、（本当だったら）ミオさんからの「ぜひ遊びに来てください！」という招待を受けて、「喜んで！」と答えたいという気持ちは共有しつつも、実際にはミオさんが引っ越し直後で、色々大変なところを無理して招いていてくれていることを察して、「しばらくたってから招待を受けます（が、今は行けません）」とソフトに辞退したと（図38上半分のレイヤが示す現実）ということかもしれない。

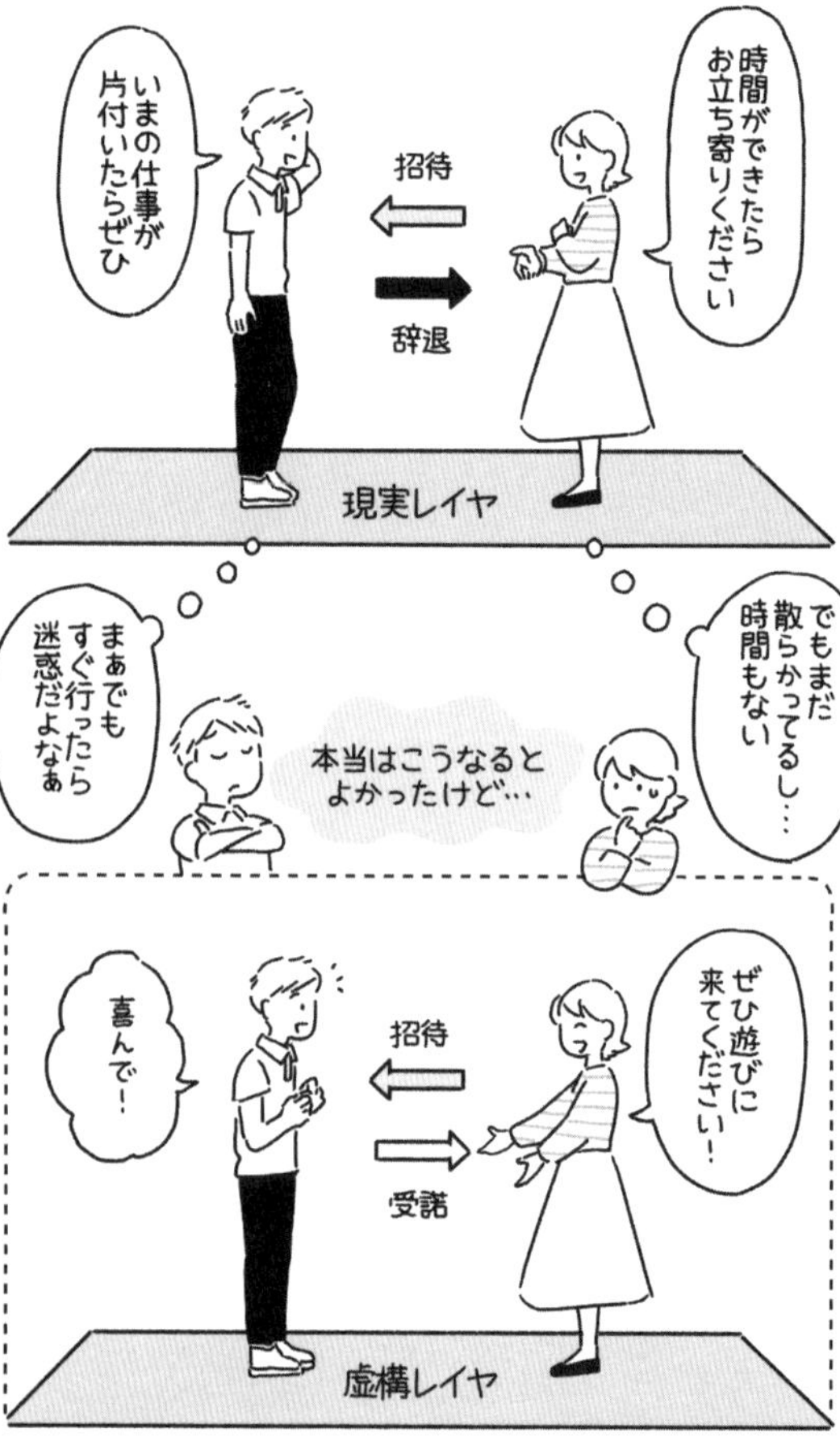

図38　社交辞令としてだけの招待のレイヤによる分析例

一般には、こうしたコミュニケーションは曖昧さのなかにつつまれ、招待が社交辞令のためだけのものか、ほんものかを区別することは難しい。

もう30年近くも前になる、1995年春にカリフォルニアから日本に家族で帰国する機中を思い出す。当時のユナイテッド航空機は満席で、家族ばらばらに座り、私は日本公演に向かうロックバンドのボーカリストと聞かされた人たちと隣り合わせになった。ロックバンドは、ジャニス・ジョプリン亡き後のビッグ・ブラザー・アンド・ザ・ホールディング・カンパニーということであったが、当時全く無知であった私は、場所がエコノミークラス席だったこともあり、そう大したことのないバンドだろうと思ったきりで、日本に来るんだったら少しは日本語も話せた方がいいと――当時、自然言語理解の研究をしていたから、構文解析アルゴリズムの考え方を使いながら――基本的な日本語文法を教えてあげた。そうしたら、飛行機から降りるときに、公演のバックヤードパスを書いていただいた。ぜひ行きますと答えて別れたが、帰国してみると地下鉄サリン事件で世間は不安の渦のなかにあったので、小さな子連れの私たちは結局公演会場を訪れることはなかった。そのときの招待はほんものだったが、受諾の返事は結果としては社交辞令的なものと同じになってしまったことをいまだに思いだし、残念に思っている。現実は複雑で、思っていないことの絡み合いだ。

ここまで述べてきたようにクラーク理論の大きなメリットは本書で言語使用の背後にあると考えるコモングラウンドについて、かなりの広範囲の言語使用の現象をカバーする包括的で体系的な概念を提示したことである。さらにそのモデルの内容に踏み込むと、レベル、レイヤ、トラック、共同行為を可能にする装置、面目といった情報学に親和性の高い概念で構成されているので、情報学の手法を用いて具体化しやすい。これらの理由により、本書における会話レベルのコモングラウンドの分析とモデリングの基礎として用いている。

コミュニケーションを行うチャンネルとなるトラック

クラーク理論では、トラックは主トラックと副トラックから構成される。ふつうは、会話で共有される発話内容を担う主トラックだけあって、そこに、AさんとBさんの声や表情の動き、身振り、手振りが記録されていくと思えばよい。しかし、AさんとBさんが、メールでやり取りをしているときに、問題が発生しAさんがBさんに電話をかけて「いま送ったからしばらく待ってください」と言ったとしたら、その間は、電話に対応する副トラックが使われていると言える。

副トラックの中でまた副トラックを参照することもあるから、主トラック――副トラックという関係は相対的なものであり、原則としていくらでも続く。

一般に、主トラックには様々な理由で聞き取れない、間違って受け取られる、というノイズが混入することが想定されている。そうした場合は、「さっき、10時って言ったように聞こえたけど…」、「いや、12時だよ」などといったやりとりが副トラックで行われる。

クラーク理論の第5の基本原則である「言語使用の基本的なセッティングは面談形式の会話である」についても当たり前のように見えるが、伝統的な言語学のように音韻のやりとりだけをみるのではなく、韻律、視線、身振り手振りなどの非言語的なコミュニケーション手段も総動員して会話を分析しようという姿勢を示している。

クラーク理論の第6番目の基本原則である「言語使用の研究は認知科学と社会科学の両方に属する」については、クラークの分析手法が認知言語学に基づくものであり、会話参加者がそれぞれにもっている心的状態や社会的関係が言語表現にどのように表れるか、あるいは、言語表現を解釈した結果、会話参加者それぞれの心的状態がどう変化するか、そして社会的関係がどう変化するかまで視野に入れた議論を行っていることを示唆している。

共同行為と協調装置

クラーク理論は、共同行為を中心として組み立てられている。共同行為の構成単位は**共同動作**と呼ばれる。共同動作を行うためには、参加者はそれぞれの行動をうまく協調させるために必要な諸条件（**協調条件**）を満足することができなければならない。つまり、参加者たちが会話進行に従って次々と発生するさまざまな協調問題を解くことが、言語運用の基本である。しきたり、慣例、明示的な同意、顕著なイベントなど、協調条件を満たすための拠り所となる状況は**協調装置**と呼ばれる。協調条件を満たすための基本的なアプローチは、どの会話参加者にとってもはっきり知覚できる、顕著性の高い手がかりを活用することであり、**顕著性共有の原理**と呼ばれている。典型的な例はコミュニティで共有されている儀式性のある挨拶行為である。例えば「握手」は、手を差し出して、握り、揺さぶるという区分に分かれるという認識が共有されているから、相手が手を差し出す様子が見えたら、自分もすぐに手を差し出し、手が握られたら揺さぶりに入る、といった具合に、共同動作の区分に注意を向けるだけで、簡単に握手という共同行為を調整できる。一般には、リズム、開始、節目などの手がかりが共同行為のための協調装置として使われる。

共同行為を支えるものは、コミュニティの構成員が共有している知識や信念や感性の総体であり、クラーク理論ではこれを「コモングラウンド」と呼んだ。クラーク理論におけるコモングラウンドは、コミュニティ型と個人型に分けられる。コミュニティ型は、みな同じく人間であるという性質、コミュニティで共有されている語彙、有形無形の文化的な背景などから構成される。個人型は、個々人の知覚の共通性、一緒に行っている行動、関与者が共有している過去の記憶などから構成される。

クラーク理論では、コモングラウンドをこのようにコミュニケーションの背景となるもろもろに限定していた。それは、本書でいうコミュニティレベルのコモングラウンドやパーソナルグラウンドの中でも、協調作業で参照され得る、比較的長期的な事柄に限定されたものであった。

本書では、それを協調作業レベルと会話レベルまで、さらにその奥にある自他の信念、能力、感情——ただし、自覚して共有できる範囲——まで広げている。

3タイプの社会的シグナル

インタラクションにおいて意味を表すために種々のシグナルが用いられる。シグナルの中心となる合図は、対象と知覚的な類似性を持つ**アイコン**、対象と物理的に接続される**インデクス**、コミュニティで合意された規約によって対象に対応づけられる**記号**に分類される。合図を送る動作を**シグナリング**と呼ぶ。シグナリングは首を縦に振るといった記号としての合図を使う**記述**、指さしなどに代表されるインデクスとしての合図を使う**直示**、アイコンとして聞き手の知覚に訴える**実演**に分けられる。

シグナリングの媒体には、声、手、顔表情、眼、身体などの「道具」が使われる。

共同プロジェクトは隣接ペアの連なり

シグナルを使って、会話参加者が共同で実現するプロジェクトを共同プロジェクトという。行為のはしごでは、共同プロジェクトはシグナルの共同解釈のレベルと、共同プロジェクトの提案と採択のレベルに位置づけられる。共同プロジェクトは、参加者の一人が何かを提案し、他の人がそれを採択することで開始される。提案と採択はセットになったものであり、提案しても採択されなければ共同プロジェクトは開始されない。

共同プロジェクトの構成要素は、隣接ペアと呼ばれ、異なる話者が発話した1組の発話

から構成される［Schegloff 1973］。隣接ペアを構成する発話は、

・召喚と応答
・挨拶と挨拶
・質問と応答
・宣言と承認
・要求と約束
・約束と了承

といった一定のパターンをもつ型に分類される。隣接ペアは、例えば、召喚といった1番目の発話のタイプから、応答といった2番目の発話の形式と内容が決まることを示唆している。

隣接ペアは、埋め込み、連鎖、先行連鎖と呼ばれる作法で拡張されていく。埋め込みとは1つの隣接ペアが完了しないうちに、別の隣接ペアが入り込むことをいう。連鎖は、2番目の発話形式が1番目の発話形式をもつ隣接ペアにつながることである。先行連鎖は、

相手が共同プロジェクトを採択する準備ができるまで時間がかかると思われるとき、「ちょっと頼みがあるんだけど」といった具合に頭出しをした後、いったん別の話題を振っておいてから、頼みごとの話に戻ってくるというスタイルである。

状況の解釈の共有も円滑な会話に必要

共同解釈は、参加者が協力しながら共通した解釈を確立するプロジェクトであり、もっとも基本的な提案－採択は次の６つのパターンに分類される。

・解釈の確認
・解釈の改訂
・解釈の詳細化
・誤解の訂正
・見落とした項目の追加
・選択的な解釈

このうち、選択的な解釈は、間接発話行為の概念から派生したものである。オースティンとサールの枠組みでは、話者だけによる間接発話行為で言語運用の分析を試みた。これに対して、話し手と聞き手との間の共同行為の視点から言語運用の分析をしたところがクラーク理論の大きな特色になっている。

グラウンディング

共同プロジェクトの成否は共同解釈構築の成否にかかっている。共同解釈を構築するための基本的な考え方は、シグナルを使って、共同行為が思った通りに行われたこと——当該の会話セグメントについてのコモングラウンド構築が成功したこと——を確認してから次に進むことである。これをグラウンディングと呼ぶ。

相手が自分の言った通り聞き取ったかとか、言ったことを思った通り解釈したかといった、会話の基本部分のグラウンディングは、この章の前の方で導入したトラックを用いてモデル化する。基本的には、話の公式の内容を伝えるためのトラック1と、トラック1でのやりとりの内容についてメタレベルのコミュニケーションを行うためのトラック2を使用する。例えば、次のような会話を考えてみよう。

ミオさん「これもらってもいい？」
ハルトさん「はい？」
ミオさん「もらってもいいのかな？」
ハルトさん「いや、考え中」
ミオさん「そうなんだ」
ハルトさん「いい機会だから差し上げることにしたよ」

一番初めのミオさんの「これもらってもいい？」は、会話中の通常の発話なのでトラック1に位置づけられる。しかし、それが聞き取れないことがあると、次のハルトさんの「はい？」のように、聞き取れなかったことが示される。これにはトラック2が使われる。ミオさんはそれを察知して、発話を繰り返す。その内容はトラック1に位置づけられるとともに、トラック2では、あたかも「私がこう言った。もう一度言うからよく聞いてくだ

さい」という発言があったかのように解釈される。時には、実際にそのような発話がされることもあるだろう。そして、最初の内容が了解されると、ハルトさんは回答する。その次のミオさんの「そうなんだ」という発話は、ミオさんが会話の流れが正常に戻ったことを承知したという報告であると捉えられ、トラック2に関係づけられる。その後、ハルトさんもそれを承知し、再びトラック1を使った会話が続く。

一般的にはトラック2はトラック1と同時に社会的シグナルが発生するが、トラック2のシグナルは簡潔であり、トラック1のシグナルとは区別される。トラックはさらに再帰的に増えていくこともある。

基本形は、参加者Aが社会的シグナルを参加者Bに提示するプレゼンテーション・フェーズと、Bが受け取ったことをAに知らせる根拠提示フェーズからなる。受け手は、理解したことの表明、理解したことを前提にした行動、理解したことの提示、理解したことの例示などによって自分の理解を伝えるのが原則である。

実際には、発話を理解したことを示す代わりに、それを前提とした次の発言を行う発言の完結、ターンをとることなく同意する、発話をオーバーラップさせるなどあいづちを使って理解していることを示す、もうわかったと思えば、聞き手は話し手をさえぎってプレゼンテーションを中断させる打ち切りなどが行われることも多い。さらに、話し手が自ら話を中断するフェードアウトや、発話者が発話を完結できなくなったとき聞き手が助け舟となる発話をして発話を完結させるなど、いろいろなバリエーションがある。

下位のレベルでのトラックを使ったグラウンディング

行為のはしごの下位にあたる提示レベル、実行と注意レベルでの参加者の間のグラウンディングもトラックを使った協調的なインタラクションとして理解できる。ジェスチャもトラック1に関わるものか、トラック2に関わるものかを区別することができる。物の形状や動作の特徴を示す映像的なジェスチャやVサインのような記号的なジェスチャ、指さしのような直示的なジェスチャは、トラック1の内容を構成するために使われると考えてよい。他方、トラック2に関わるジェスチャとしては、情報を配布するジェスチャ、聞き手の過去の発話に言及するジェスチャ、聞き手から応答を引き出そうとするジェスチャ、発話権（発話の順番。以下では、「ターン」と表記する）に関わるジェスチャなどがある。また、「つまり」、「ご存じの通り」などの編集表現も、トラック2のシグナルであると考えることができる。「注意を向ける」という行為はこれらのレベルで基本となっている。私たちは数十ミリ秒のオーダーで、別のものにさっと注意を向けられるという意味で素早いものであるとともに、一時に一レベルのイベントだけにしか注意を傾けられないという点で選択的なものである。また、注意は壊れやすく他のものに移ろいやすい。

視線や声の抑揚などを使って行動調整

下位のレベルでも話し手も聞き手もいろいろな手がかりを使って行動調整をしている。レベル1では、話し手の音声、ジェスチャへの聞き手の注意構造の制御が問題となる。有用なシグナルの一つは視線である。レベル2では、話者の話の中断への対応が主要な話題である。話者は中断をマークし、何で置き換えたかを示すためにいろいろなシグナルを使う。

私たちの会話はある目的に動機づけられて始められるかもしれないが、たいていはあらかじめ計画されているわけではない。計画しようにも参加者が集まってみないと何が話されるかわからないところがあるからだ。そこで、多かれ少なかれ会話が始まると、参加者たちは、会話の場の様子を見ながら、隣接ペアなどを利用して小さなプロジェクトを作ったり崩したりしながら、いろいろな共同行為の原則に基づいて、会話の大域的な流れを少しずつ作り上げていく。会話の全体的な構造はそのような過程のなかから創発する。以下では、もう少し解像度を上げて、よりミクロな側面を見ていこう。

非言語コミュニケーションが会話を加速し、確実にする

会話行動では、文字として書き取れる**音声言語成分**と、書き取り文字の違いに現れない**音声成分**（韻律や音色）、視線・顔表情、手振り、身振り、接触、服装など、さまざまな媒体を連携させて、効果的なコミュニケーション行動が試みられる。

ゴフマンは、いかなる社会においても話し言葉によるインタラクション（会話）が起きるときには、実践の体系、慣習、手続き的な規則といったものが機能して、メッセージの流れを誘導し、組織化している、という見解を示している［Goffman 1955］。ここでは、ターンテイキング（発話権交代）の現象に関する研究を概観して、実際に言語運用のシステムが

どのように働いて、会話のフロー制御が行われるかについての理解を深めたい。

視線はターンテイキングの手がかり

ケンドンは、オックスフォード大学の学部生13名（うち3名が女性）が参加した7セットの会話の音と映像をビデオで収録し、対話における視線方向の分析を行った［Kendon 1967］。この実験に参加した各ペアは初対面であり、テーブルに30分間向かい合って座り、自分のことを相手に自由に紹介するよう指示された。

ターンテイキングの分析の基本

実験では、対話者の顔表情の動きの時間的な関係を精密に調べられるようにするため、テーブルの端に鏡を置いて、1人の対話参加者の顔表情を直接、もう1人の対話参加者の顔表情を鏡像で同時に1台のカメラで撮影できるようにした。ケンドンに従って、議論の対象になっている人をp、その対話相手をqと表示しよう（図39）。qは話者の場合も聞き

図39　q視線とa視線

手の場合もある。ケンドンは、qの視線方向を、**q視線**（pはqを見つめている）と、**a視線**（pはqを見ていない）に分類して分析すると、いくつもの面白いことがわかることを示した。

話し手は概ねa視線、聞き手は概ねq視線

ケンドンが調べた14例のなかの11例では、pが話し手行動をしている時間の半分未満の時間しかq視線が観察されなかった。一方、9例では、pが聞き手になっている時間の半分以上にわたってq視線が観察された。pが聞き手

行動をしているときをさらに詳細に観察すると、話し手のqのほうを見るq視線が長く、ときたま短いa視線がはさまれるというパターンとなる。また、q視線をしている時間は、話しているときより沈黙しているときの方が長い傾向がみられ、沈黙しているときは、q視線の方がa視線よりも長く、話しているときはその逆の傾向が観察された。pのq視線とa視線はpが話し手行動をしているときはより均等であり、聞き手行動をしているときより、a視線が長くなっていることが観察された。このことから話しているときよりも話を聞いているときの方が会話の相手を見ていることがわかる。ただし、こうした傾向は、話す相手によって異なっている。

きっかけとなる話し手の視線の変化

話者と聞き手が入れ替わるターン交代時の視線の動きの分析は興味深い。典型的なケースは、次のようなものである。pが話し手として行動している間はpの頭は揺れていたが、聞き手に回ると揺れが止まった。一方、qは長い間相手のpを注視していたが、やがてうつむきかげんになり、相手から視線をそらし、そのタイミングをはじめからわかっていたかのように話し始めている。また、発話の交代が起きるとき、95発話のうちの70パーセント以上はａ視線で始まった。

ケンドンは、こうしたｑ視線とａ視線のふるまいについて、次のような解釈を示している。ターン交代前の話し手の観点に立ってみよう。それまでの話し手は、自分の発話が終わりに近づいてきたことを自覚すると、聞き手の様子をよく観察して、発話したそうにしているかどうか判断しようとする。聞き手の方はまず、現在の発話者から自分の注意をそらして、発話の準備を行う。

そうした視線の動きは対話参加者の行動を調整するための社会的シグナルとして利用できることがわかる。視線をそらすという、それまでの聞き手の行為は、現在の発話者に対して聞き手が次の発話者として行動するために準備をはじめたことを知らせるとともに、現在の発話者からのシグナルをシャットアウトする役割がある。

他方、現在の発話者が現在の聞き手に視線を向けるという行為は、現在の発話者が聞き手に注意を向けつつ、発話を終了しようとしていることを聞き手が知覚できるようにして、聞き手からの何らかの応答を求めているということを、聞き手に気づかせる働きをしている。つまり、発話者は、聞き手にターンの移譲を提案していることになる。

ケンドンの実験データによると、それまでの話し手pが発話の終わりにそれまでの聞き手に対してq視線を向けたら、qは間髪を入れず話し始めた。他方、q視線をしなかったら、qが発話を始めるまで、間があいた。このことからq視線は話し手からのターン移譲の意図を示す社会的シグナルであることが示唆される。

q視線は流暢さを示唆する

長い発話では、話し手は考えながら話をすることも多い。話し手が発話のプランをうまく立てられないときは、そのことに心が奪われて、発話はたどたどしくなるとともに、q視線をしなくなることが予想される。ケンドンが行った実験では、話し手が聞き手に視線を向けているとき発話は流暢であることが観察された。また、四分の三の発話区間で、話し手がq視線をしているときの方が、そうでないときより発話が速くなっていたことが報告されている。視線の頻度についても、話し手は円滑な発話のときは躊躇した発話のときより頻繁にq視線を使い、発話を終了するときになると、休止するときより頻繁にq視線を使うことが報告されている。

「考えながら話し続けたい」を表示するα視線

話し手はあれやこれやと考えながら話を続けていきたいときがある。これまで述べてきたように、それまでの話し手pはターンを相手に渡したい場合は、ターンを渡そうとする直前にqに視線を向け、ターンが移動すると、qへの視線割合は小さくなっていく。これに対して、pが考えながら話を続けていきたいと思っているときは、pに言いよどみが生じがちで、α視線の割合も高くなる。考えがまとまって、pの発話が再び円滑になるに従って、q視線の割合が高まる。pの考えがまとまって発話プランができあがると、話し手pは聞き手qの様子を見守りつつ、発話を進めていく。

話し手pの発話に伴って、聞き手qから発せられる**随伴シグナル**（あいづちや賛同の合図など、ターンの移動を引き起こさない弱いシグナル）も重要な役割を果たす。ケンドンの実験では、随伴シグナルの48%は、発話フレーズの境界にある休止区間で起きた。一方、発話が休止後再開されるときは、qからの随伴シグナルはほとんど発生しなかった。

視線の違いで区別される短い発話の意味

会話のなかでは、しばしば短い発話が行われる。こうした短い発話は、(a)長い発話中の随伴シグナルとして発生する聞き手の短い発話、(b)感嘆や笑い(話し手に求められることなく、聞き手が発する直接的な感情表現)、(c)割り込もうとする試み、(d)聞き手が話し手に短い応答を求めるとき、の4つのタイプに分類される。このうち、(a)の随伴シグナルはさらに、(i)聞き手が話し手の話をフォローしているというシグナルと、(ii)承認や賛同などを表すシグナルに分類される。話し手は、聞き手の発するこうしたあいづちからのシグナルを利用した発話行動を行っている。

ケンドンの実験では、聞き手pが話し手qの話をフォローしていることを示すときは、q視線を使い、賛同していることを示すときはa視線を使うことがわかった。

感嘆や笑いが発せられるときは、聞き手は話し手の発話のベースラインから逸脱する。このことは、聞き手の頭の位置や顔表情で識別できる。日常の会話では、聞き手が話し手の発話中に発話し、割り込みの試みをすることもよくある。また、話し手が自分が発話しているときに、聞き手をしっかりと見つめた上で、聞き手に短い質問をすることもある。

共同注視は、感情を覚醒して共有する効果があり、ほほえみの強さが感情の強さの指標として用いられる。ほほえみは対称的なものであり、相互のほほえみが多く起きる。ほほえみが起きるほど、相互注視の時間は減少する。ケンドンの実験例では、会話参加者の間に過度の親密さが生じるのを避けるために、共同注視を避けていると思われるケースも見られた。

あいづち

あいづちとは、聞き手が、話し手の発話の主導権を奪うことなく、話し手の発話中もしくは合間に発する「ふーん」、「そうそう」といった短いメッセージやうなずきなどの総称である。

聞き手から発せられるあいづちは話し手にとっては、自分の発話が聞き手にどう受け取られているかをモニタリングするために有用なシグナルである。聞き手からのあいづちが消失すると、話し手はけげんに思うことだろう。

ヴィクター・インヴェによる先駆的な報告［Yngve 1970］は、会話におけるあいづち行動の基本的な知見を示している。

・聞き手のあいづちメッセージは、うなずきや音声信号などの形でしばしば話し手の発話と同時に発せられる。
・あいづちシグナルは、ターン交代のシグナルと同様、あまり規則的に使われていないように見えた。例えば、会話参加者の両方が自分の順番だと思って同時に話し始める、ターン交代シグナルや沈黙がなくても話し始める、逆にターン交代シグナルや沈黙があっても話者交代が起きない、質問を投げた相手が答える前に質問者が話し始める、など会話が円滑に進行しない現象が観察された。
・あいづち現象は多様である。あるときは、「そうそう」や「はいはい」のような発声の連続によって示され、あるときはうなずきの連続で示されたりする。
・あいづちが適切かどうかは、発話で参照されている事物が聞き手がよく知っているものかどうかに依存しているように見える。
・あいづちは、参加者が共同でストーリーを構成するようなときに、双方向に同時に作られるときもある。
・あいづちの機能も多様である。単に注意を傾けていることや、興味を持ち続けていることを示唆する、同意のうなずきや短い発話もあれば、短いコメントや質問もある。あいづちへのあいづちを伴う行動もあった。

以上の観察に基づいて、インヴェは「発話権」を、「発話の順番（ターン）を得ているかどうか」と、「フロア（発言権）を有するかどうか」の2つのレベルに分けてはどうかと提案している。実際の会話では、発話のターンの交代が何回か行われた後で、フロアの獲得が行われる。いったん、誰かがフロアを獲得すると、フロアを有していない参加者は、当面は、ときおり短いターンをとって、質問するくらいになる。フロアを有していない参加者が、丁寧さを保ったままで会話に割り込むことのできるタイミングは、顔のわずかな傾きをともない、口をほんの少し開いて息を吸うといった繊細なシグナルが捉えられる限られた機会しかないように見える、とインヴェは述べている。

社会的シグナルのやりとりで円滑に

会話の規範的な姿として、原則的には一時に一人ずつ発話し、他の人はそれを聞いているという場面の連なりが思い浮かぶかもしれない。その背後には発話参加者に共有された発話のターンテイキングのシステムがあり、ちょうど街で人と人がぶつからないようにするのと同様に、発話の交通整理をして、同時発話が起きないようにしているからだと考えられる。ジョン・ダンカンJr.の一連の仕事［Duncan 1972; 1974a; 1974b］ではこの直観に基づくターンテイキングモデルが提案された。

このモデルでは、話し手継続シグナル、話し手ターン中シグナル、話し手ジェスチャシグナル、話し手ターン交代シグナル、聞き手あいづちシグナル、話し手状態シグナルの6つのシグナルを使ってターンテイキングが行われる。

・**話し手継続シグナル**　発話者がターンを得てすぐに、自分の発話が始まることを示すために発せられる。

・**話し手ターン中シグナル**　発話者の発話が文法的な節の終わりに差し掛かったとき発せられる、話者の顔を聞き手に向けるなどのシグナルである。このあと、聞き手あいづちシグナルや話し手継続シグナルが続く傾向にある。

・**話し手ジェスチャシグナル**　発話者が聞き手からのターン要求を抑制するために用いら

れるジェスチャを中心としたシグナルである。

・**話し手ターン交代シグナル**　現在の発話者が現在の聞き手にターンを譲る意図があることを示すシグナル。イントネーション、内容、周辺言語、身体の動きから構成される、ピッチ、ハンドジェスチャの終了、典型的な表現の使用、文法的な節の完了などから構成される。話し手ターン交代シグナルが発せられると、聞き手はターンを主張することができるが、それを強制されるわけではない。聞き手が話し手ターン交代シグナルに応じてターンを要求すると、話し手は直ちに自らのターンを放棄しなければならない。一方、話し手が話し手ターン交代シグナルを発しないときは、聞き手のターンの要求は不適切であり、同時発話が生じてしまう。

・**聞き手あいづちシグナル**　聞き手の発するあいづちである。「ふむふむ」といった声、話し手の言いかけた発話をそれまでの聞き手が完結させる、内容確認、短い陳述、うなずきや首振りなどがある。聞き手あいづちシグナルは、聞き手がターンをとったとはみなさない。また、ターンの要求ともみなさない。

・**話し手状態シグナル**　ターンの移譲を提案された現在の聞き手がそれを受けて次話者になるという意思表示をするためのジェスチャである。相手への注視をはずすことや、ジェスチャ表現の起動からなる。

以上の定義から示唆されているように、ターンテイキングは、話し手が話し手ターン交代シグナルを発したあとに、聞き手が話し手状態シグナルを発したときのみ生じる。発話者がターンを維持したいときは、話し手継続シグナルや話し手ターン中シグナルのように自分の発話の節々でマーキングをしたり、話し手ジェスチャシグナルのように聞き手からのターン要求を抑制したりする。一方、聞き手が現在の役割を維持したいときは、聞き手あいづちシグナルを用いてその意図を表明する。

でも、現実のターンテイキングはもっと多様

ダンカンが提案したターンテイキングシステムのモデルはよく整理されたものであるが、西洋文化における規範、つまり、理想化された行動であり、現実の行動の姿ではない、と限定的に捉えておいた方が良いだろう。インヴェが指摘した不規則さはターン交代の失敗として位置付けられている。チャールズ・グッドウィンは、規範性、特に、一時に一人し

か話さないという制約を課して、現実に行われる会話を理想化された会話の劣化したものという位置づけにし、現実の会話ではなく、理想化された会話の姿を探究するアプローチを批判している [Goodwin 1990]。エマニュエル・シェグロフは、「通常の会話なんてものがあるだろうか?」と同様の立場を表明している([Schegloff 1999], p. 408)。

理想化しないでありのままの姿を見よう

会話分析のアプローチでは、理想化された会話ではなく、現象として実在する会話の記述と分析を目指す [Goodwin 1981]。ハーヴェイ・サックスは、ターンテイキングには次のような側面が見られることを指摘した [Sacks 1974]。

・会話における話者交代は存在する。ふつう、繰り返し起きる。
・ほとんどの場合、一時に1人の参加者が発話する。
・2人以上の参加者の発話は一般的であるものの、ほんのわずかである。
・ある人の発話から別人の発話への移行が途切れなく、重なりもなく行われることは一般的である。発話の間にほんのわずかな途切れがあったり、重なりがあったりすることも多い。

・発話の順番は固定されたものではなく、まちまちである。
・1回の発話の長さも固定されたものではなく、まちまちである。
・会話の長さは前もって定められてはいない。
・参加者が何を言うかも前もって定められていない。
・発話長の分布も前もって定められていない。
・参加者数は変化してもよい。
・発話は連続であったり不連続であったりする。
・発話の順番割り当ての技術は存在する。現在の話者が次の話者を選定することもあれば、参加者が自分を選定して話し始めることもある。
・発話の単位は、1語であったり、完結した文であったり、さまざまな構成単位であり得る。
・ターン交代の誤りや違反に対応するための修復メカニズムが存在する。

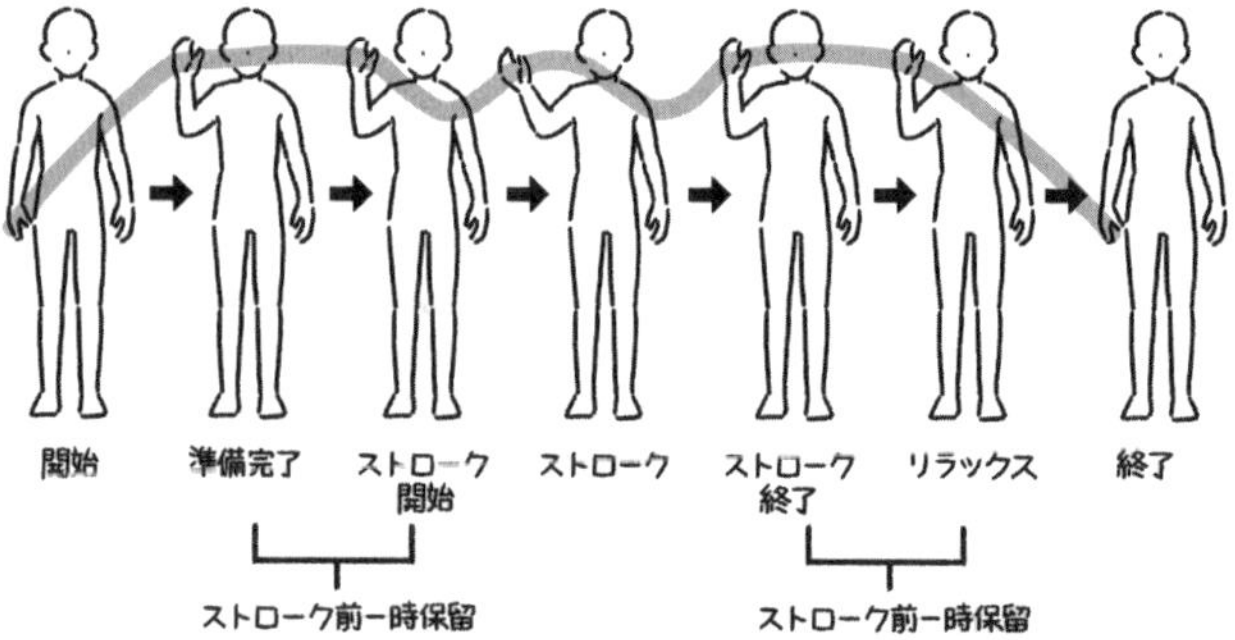

図40　ケンドンによるジェスチャへのアノテーションの枠組み

モデルはそうした観察された会話現象に共通してみられる法則という位置づけで緩やかに規定される。このスタイルの分析は、会話のオープニングや締めくくりの研究［Schegloff 1968］［Schegloff 1973］の流れをくむものであり、さらに、修復の研究［Schegloff 1977］に発展している。

ジェスチャの表現力に光をあてたケンドン

ケンドンは発話またはその一部分として機能する他者から視覚可能な身体の動きをジェスチャと規定した［Kendon 2004］。

ケンドンは、イタリア・カンパニア州、英国ノーサンプトンシャー州、アメリカ東部で撮影されたビデオに収録され、書き起こされたジェスチャの分析を行った。ケンドンの貢献は、ジェスチャが音声を用いた発話とどう連携するか、話し手の表現にどのような意味作用を与えるか、について詳細に分析した。

ケンドンの実験では、ジェスチャ分析のためにジェスチャ・ユニットとジェスチャ・フレーズという概念が用いられている。ジェスチャ・ユニットは休止状態からはじまり一連の動作を経て休止状態に戻るまでの身体の動きのパターンを指す（図40）。ジェスチャ・フレーズはジェスチャ・ユニットの構成要素であり、準備、ストローク、保留、回復から構成される。ジェスチャ・ユニットは1つまたはそれ以上のジェスチャ・フレーズから構成される。

ケンドンの編み出した記述方法は発話とジェスチャの動きを時間軸をそろえて併記するものであり、音声発話とジェスチャの時間的な関係が分析されている。その結果、音声発話とジェスチャが連動する様子の詳細がわかる。発話の繰り返しに応じてジェスチャも繰り返されるさま、次のジェスチャの準備が完了するまで音声発話が保留されているさま、複雑なため完了まで時間を要している現在のジェスチャの終了まで次の音声発話が待たれているさま、ジェスチャの方に意味表現の主要な部分が現れているので、ジェスチャによ

図41　映像的ジェスチャ

るプレゼンを際立たせるために音声発話が抑制されているさまなどが、生き生きと伝えられている。

映像的ジェスチャで視覚的イメージを描出する

映像的ジェスチャは、参照対象の長さ、形状、構造などのイメージに関わる属性を抽象化した表現である。しばしば、話者は自分の前に参照対象及びその周囲にある状況のイメージを思い浮かべながらジェスチャを行う。参照対象の詳細はそぎ落とされている一方、顕著な特徴が強調される。

図42　いろいろな指さし

ステファン・コップらが行った実験[Kopp et al 2007]では、実験参加者たちが大学キャンパス内でのある場所から別の場所への移動経路を語るときに、映像的ジェスチャをどのように使うかが観察された。

ある実験参加者は、図41のように、右の手のひらでキャンパス内の道の曲がり方を示し、左の手のひらで目的地に行く途中にある教会の垂直の壁を表した。

いろいろなタイプの指さし

指さしは言語表現と環境内のものごとを対応付ける。例えば、自分の家を指さして、「ここが私の家です」と発話することで、それまでの会話の流れに現れる「話し手の家」と、物理空間内にある建物の対応関係が表明される。これが基本であるが、実際のジェスチャを観察すると、図42のように多様であり、様々なメッセージが追加されたものとなる。

例えば、参照対象の位置を正確に示したいときは、指を使い、そうでなければ、掌を使って聞き手にわかるように指さしをすればよい。指さしは、他のメッセージと混在し、いろいろなタイプがある。例えば、丁寧さを加えたいときは掌を上向きにして、献上のメッセージを加える。

ケンドンによれば、英国ノーサンプトンシャー州とイタリア・カンパニア州には、人差し指を伸ばし、掌面を地面に垂直にする標準的な指さしのほか、人差し指は伸ばすが掌を下にするもの、親指を使うもの、手を開いて自然に伸ばしたもの（掌面は地面に垂直）、手を開いて仰向けにしたもの（掌面は上向き）、手を開いて斜めにしたもの（掌面も斜め）、手を開いてうつぶせにしたもの（掌面は向こう向き）の7種類がある［Kendon 2004］。

ジェスチャが発話に加える意味

ケンドンは発話に伴うジェスチャが作り出す意味を、次の6つのタイプに分類している。

・語を強調するために、その語とほぼ同じ意味をもち、その意味が誰にでもはっきりとわかる narrow gloss（狭い光沢）と呼ばれるジェスチャを併用する。

・音声発話で強調したい語と異なる意味をもつ narrow glossを併用して、音声発話に意味を追加する。

・ジェスチャを動詞と併用して、その動詞により具体的な意味を追加する。

・例示としてジェスチャを使用する。

・形状、大きさ、空間的な特徴、対象の位置的関係を示したり、視覚的あるいはプロセスの動きに関わるイメージを作り出したりするための動作パターンとしてジェスチャを使用する。

・会話者の周囲の状況内の対象を参照するための直示的な表現としてジェスチャを使用する。

解釈が限定されるメッセージははっきりした情報を加える

Narrow glossは、形状の特徴から聞き手がすぐそれと気づくジェスチャである。例えば、ケンドンによれば、イタリア・ナポリ地方では、すぼめた手と指を束にしているところに特徴がある房ジェスチャは、疑問があること、あるいは、説明を求めていることを示す。指を環状に丸めたリング属のテーマは「正確」を表す。話し手がこれらのジェスチャを発話に並行して繰り出すことによって、ジェスチャのもつ意味が発話に追加される。例えば、あるトピックについて発話を始めたとき、同時に房ジェスチャを繰り出すと、そのトピックについて、話者が説明を求めていることを示す。

形状の似たジェスチャは共通の意味がある

形状が類似したジェスチャは意味的にも類似していることがよくある。典型的なものは、掌が上向き、下向き、相手の方を向いている場合である。掌を開いて仰向けにするジェスチャは提示ないしは献上がテーマになる。掌を開いてうつ伏せにしたり、掌を相手の方に向けたりするジェスチャは、停止や割り込みを示唆する。

ケンドンが見事に示したように、非言語コミュニケーションには、コミュニケーションの流れを制御するという制御機能と、コミュニケーションの内容にさらに情報を追加するという表現機能の2つの大きな役割がある。会話への参加者はこうした機能についての理解をコモングラウンドのなかに共有しているからこそ、円滑で、豊かなコミュニケーションができていると考えることができる。ときとして、そうしたコモングラウンドがうまく共有できていない会話に遭遇すると、会話の流れは悪く、話の内容がほとんど伝わっていないと感じることがある。現実の会話では、サックスが指摘したように、会話の参加者が何らかのルールに厳密に従っているというわけではないが、規範からの逸脱の解釈の仕方も含めて、人間のコモングラウンドは共有された意識を作り出すための精巧なしかけも包括していると考えられる。

コミュニケーション行為が生まれる認知プロセス

ケンドンが著書の中で**言語・非言語メディアの協奏**と評したコミュニケーション行為がどのように生成されるか、背後の認知プロセスについて考察を進めたのはマクニールであ

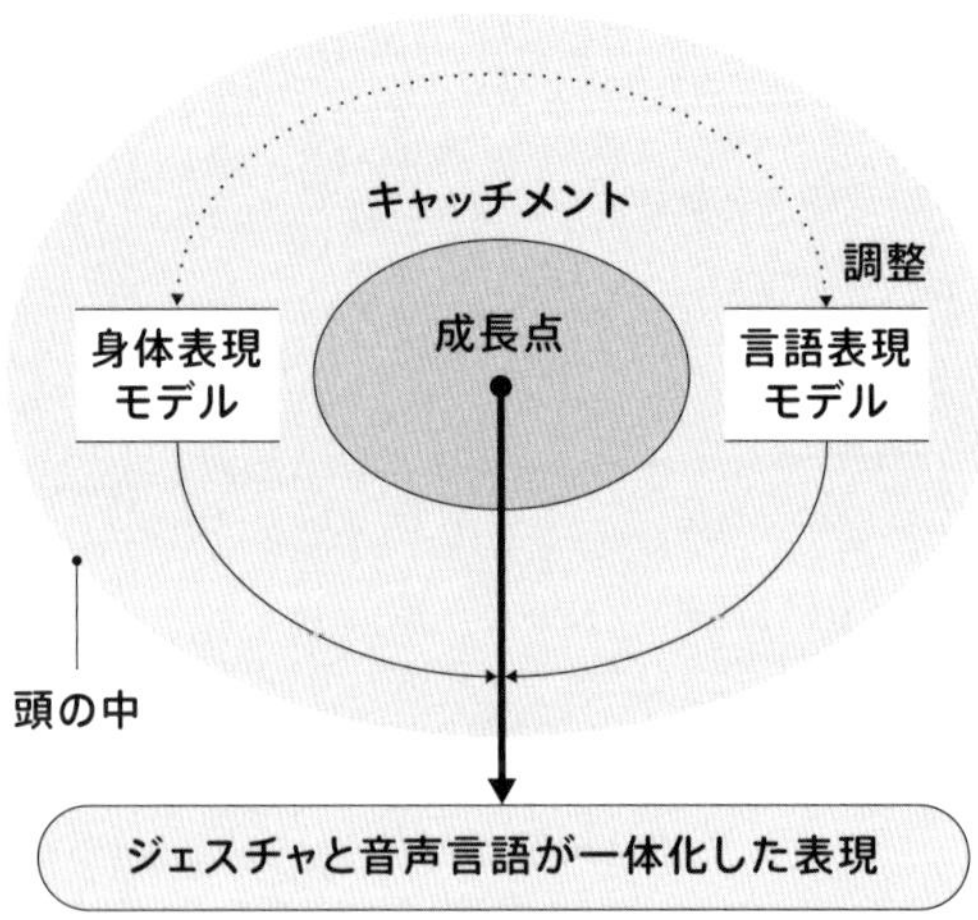

図43　マクニールモデル

る。

マクニールは、ジェスチャ行動の生成プロセスについて、**成長点**（growth point）という概念を想定し、そこからイメージプロセスと言語プロセスの弁証法的なインタラクションを経て、言語とジェスチャの同時生成が行われるのではないかと論じている（図43）。マクニール説［McNeill 2005］は、ジェスチャのモジュールと言語のモジュールがある程度独立して並列動作することを示唆したKitaとÖzyürekの仮説［Kita 2003］に基づくものであり、次のような生成過程を提案している。

・本書でいうパーソナルグラウンドに相

当するキャッチメントと呼ばれる心的構造のなかから、次の発話の種となる言語表現とジェスチャ表現を一体的にパッケージした成長点が生まれる。

・そこから言語モジュールとジェスチャモジュールが弁証法的な交渉（潜在的な対立点を際立たせ、新しい観点を導入してその解決を試みること）を重ねて、言語表現とジェスチャ表現が並列に具体化されていく。

慣れ親しんでいる経験の力を引き出すメタファー

ジョージ・レイコフは認知言語学の立場から、一方では、要素、要素の得性、要素間に成立する関係を記述する命題、他方では、容器、部分全体、連結、中心・周縁、起点・経路・目標といった空間・身体に関わるイメージスキーマという対照的な心的表現を総合することが、日常生活でコミュニケーションによる経験の更新の根源であると考えた。そして、ある領域の命題やイメージスキーマを別の領域に対応付けるメタファー、ものごとの象徴的な一部分を切り取ってその全体を表す作用をもつメトニミーを用いた経験主義的な枠組みを示した［Lakoff 1987］。

この枠組みに従えば、認知プロセスの対象となるものは、プロトタイプとしての可塑的なイメージスキーマの集まりである。イメージスキーマたちは、近いもの同士カテゴリーを形成する。また、イメージスキーマには社会の多くの構成員が共有しているステレオタイプ的なものがある。

人は自分の心の理論を作って他者の心を読む

我々は他者の行動を理解しようとするとき他者が何らかの心的状態に従って行動していると仮定する。例えば、道を歩いている人が横にある店に目をやり、そちらに歩き始めたら、きっとその人はその店に行って何かをしたいのだ——店に入って商品を見る、何かを購入する、あるいは単に道を尋ねる、そのいずれかまでは特定できなくても、その店に行って何か用事をすることを望んだ——などと思うことだろう。

他者に心的状態を帰属させる能力を有することを**心の理論**をもっているという［Baron-Cohen 1985］。例えば、猛スピードで走っているから急には止まれないだろうといったふうに、物理法則を使って他者の行動を解釈したり予測したりすることができる機会は稀にはあるが、心の理論をもつことなく人間の行動の解釈や予測をすることは一般には難しい。なお、「理論」とは、その全貌が観察できない現象を説明するための理屈の体系であり、一定の予測力、つまり、観察されたイベントに基づいてそれから先に起きることをある程度の確度で予測できることを意味している。コミュニケーションにおいても他者の意図の推定を行ったりするから、たとえ100%の正解率に至らなくても、心の理論は人間のコミュニケーション行動を理解するうえでも重要な役割を果たす。

我々は生まれたときから心の理論をもっているのではなく、経験を積み重ねていく過程で獲得していく。ハインツ・ウィマーとジョセフ・パーナーは、3～9歳の子どもを対象とした実験を行い、4～6歳くらいの間に、子どもは他者の信念を理解し、それを利用して、他者をだましたり、助けたりする能力を身につけることを示した［Wimmer 1983］。ウィマーとパーナーが行った実験は誤った信念課題と呼ばれるものである。実験に参加した子どもたちは、図44のような人形劇を見せられた。

劇中では、主人公は、もう一人の登場人物（マキシ）が好物のチョコレートを青の箱にしまったあとで、その場をはずしている間に母が来てそのチョコレートを緑の箱に移したシーンを見せられる。その後帰ってきたマキシが事実と異なる誤った信念をもつことを言

図44　誤った信念実験

い当てられるか、さらに、マキシがほかの人を助けるために自分が正しいと思っている信念を伝えることや、逆に、他の人を妨害するために嘘をつく――自分が誤りだと思っている信念を伝える――ことを言い当てられるか、質問によって確認される。ウィマーとパーナーは、この物語を理解するためには、実験参加者が心の理論を身につけることが必要であるとし、子どもが心の理論を身につけるのが4～6歳であることを実験によって示した。

アラン・レスリーは、生後18か月～24か月に達した子どもは、例えば、バナナを電話の受話器に見立てて電話機ごっこ

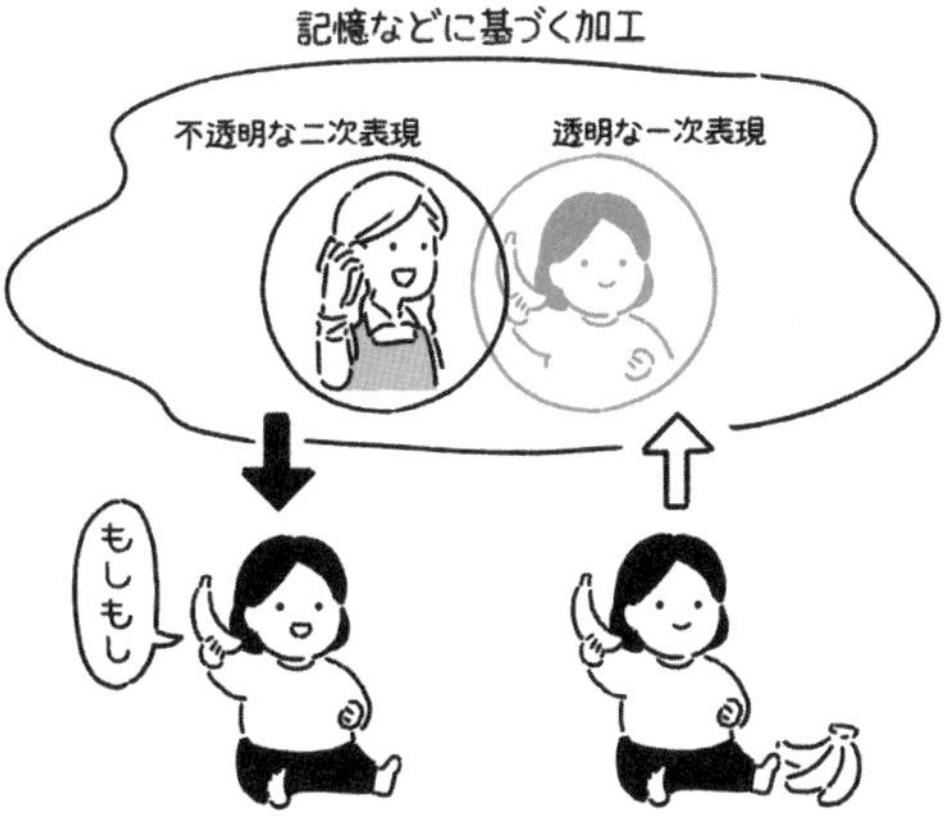

図45　レスリーの分離モデルによる「ごっこ」の説明

をして遊ぶように、何かのふりをすることができる能力が心の理論に深く関係することを指摘した［Leslie 1987］。レスリーの分離モデル説によれば、図45のように、実体と同様に子どもがバナナを持っている一次表現――「透明な表現」――が作られ、それが記憶などに基づいて加工されて、バナナのイメージが電話機のイメージに置き換えられて、実体と直接対応していない二次表現――「不透明な表現」――が作り出され、行動を生み出すもとになる。

チンパンジーも心の理論を作ることができるか？

チンパンジーにも心を読む能力があるか？　これはディヴィッド・プレマックとガイ・ウッドルフが１９７８年に発表した論文［Premack 1978］で取り組まれた問題である。アフリカから連れてこられた14歳のチンパンジー、サラを対象としていくつかの実験が行われた。最初の実験では、人がバナナを取ろうとして困っている様子（例えば、バナナが天井からつるされていて届かない、檻の向こうに置かれていて届かない、など４例）を映したビデオを見せた上で、複数の候補の中からそのソリューション（例えば、人が台に乗っているシーン、人が棒を使って檻の下の隙間からバナナを手繰り寄せようとしているシーンなど）を示した写真を選び出せるか調べたところ、24試行のうち21について正しく言い当てられた。

これが単なる物理的な状況の類似性や対応づけに起因するものか、心の理論に起因するものかを区別するために、問題をがらりと変えて、鍵の掛けられた檻から逃げ出そうともがいている人、故障したヒーターにいらだっている人、ホースが蛇口にうまく取り付けられないため汚れた床掃除ができないでいる人、電源プラグの抜かれたレコードプレイヤーを動作させようと苦戦している人などのビデオクリップが見せられたあと、鍵、種火点火用の火、蛇口にうまくつながれたホース、コンセントに差し込まれた電源プラグの写真を見せたところ、サラはほとんどの場合、それらを困っているビデオクリップと対応付けることができた。

プレマックとウッドルフはこの実験から、サラがビデオに映っている人の心的状態を推定できたと結論づけて、チンパンジーも心の理論を持つことを示唆した。ただし、この主張は10年後の論文［Premack 1988］で弱められている。

視線は心の理論の重要なインプット

バロン・コーエンは、自分が観察している行動者の動きと視線のふるまいから、その行動者、自分、対象となるオブジェクトの間の関係を構築し、そこから行動者の心的状態を表現し、行動予測を行うメカニズムを提案している［Baron-Cohen 1995］。

このモデルは、意図検出器、視線検出器、注意共有メカニズム、心の理論メカニズムから構成されている。意図検出器は、視覚、聴覚、触覚を手がかりとして、外界から得られた動きが目標や願望をもつものかどうかを推測する。視線検出器は、外界にある眼のような刺激の存在を検出し、方向を特定し、凝視があれば見ているものと解釈する。注意共有メカニズムは、意図検出器と視線検出器からの入力を取って、自己、他者、第三のオブジェクトの3つの間の関係を構成する。心の理論メカニズムは、他者のふるまいからその心の状態を推論し、未来のふるまいを予測するモジュールである。他者の意識に関わる心的状態（ふりをする、考える、知る、信じる、…）を表現し、他者の心的状態と行動の相互関係についての一貫性のある理解を生成する。

このような推論をするための知識源として理論説とシミュレーション説が唱えられている。理論説は知識に基づくと仮定し、シミュレーション説では、相手の立場に自分自身の身体や経験を当てはめてシミュレーションをすることによって帰結を導く［Davies 1995］。

心の理論に基づいて人の社会的能力を評価する

心の理論が乳幼児のころから段階的に発達していく様子は発達心理学を中心に詳細に研究されている［Wellman 2014］。乳児の段階から、人は、外的行為や出来事だけでなく、他者が信じていること、感じていること、意図していること、求めていること、注意を向けていることといった、人の内的精神状態に注意を向け、人の内面を解釈しようとする。

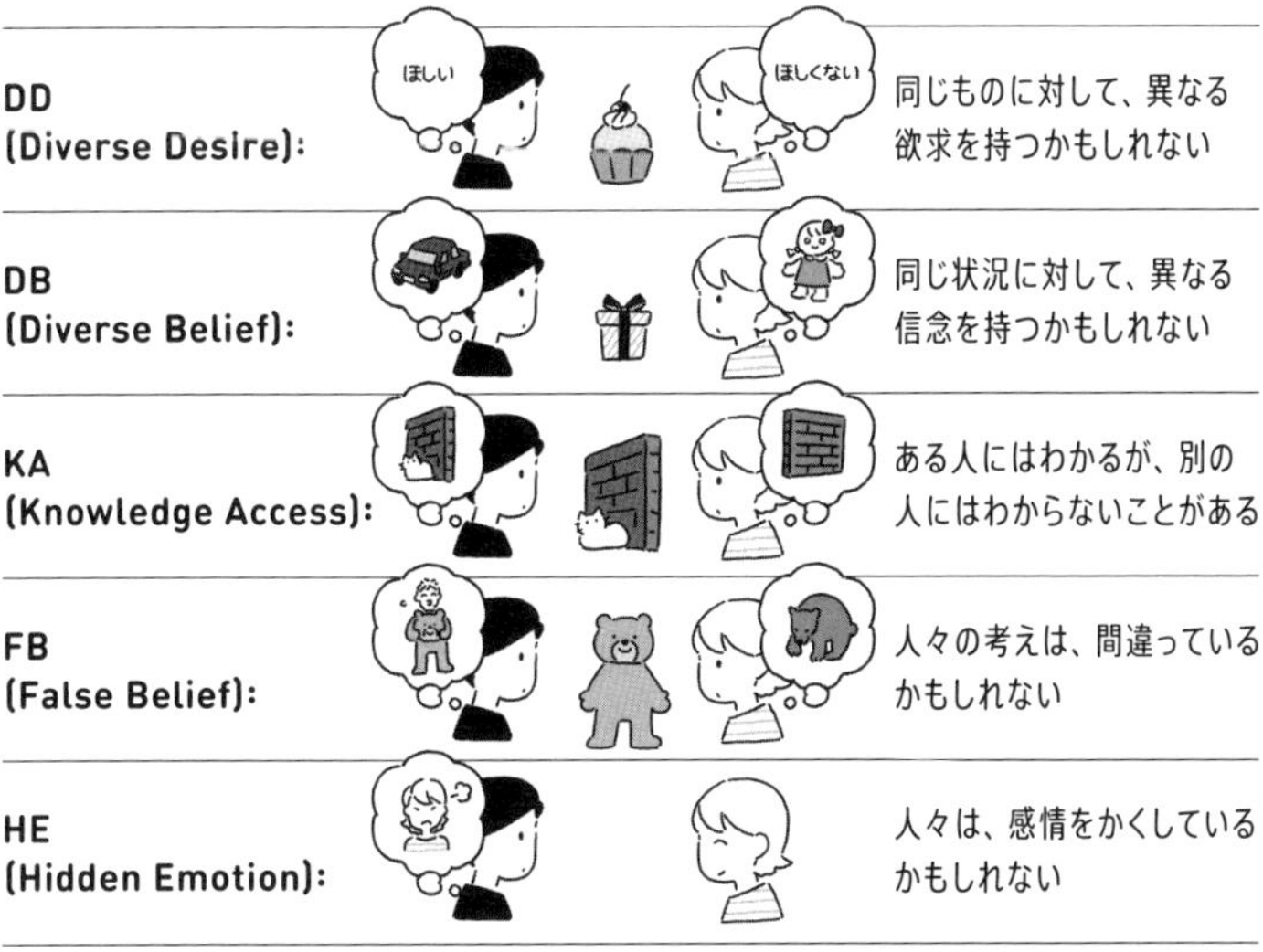

DD **(Diverse Desire):**			同じものに対して、異なる 欲求を持つかもしれない
DB **(Diverse Belief):**			同じ状況に対して、異なる 信念を持つかもしれない
KA **(Knowledge Access):**			ある人にはわかるが、別の 人にはわからないことがある
FB **(False Belief):**			人々の考えは、間違っている かもしれない
HE **(Hidden Emotion):**			人々は、感情をかくしている かもしれない

図46　ウェルマンらが着目した社会的能力

こうした能力の発達の仕方には一貫性があり、さらに、人類での普遍性があることを示唆する結果が報告されている。ヘンリー・ウェルマンは、図46に示した5つの能力に着目した［Wellman 2014］。

これらの基本的な心の理論スキルを獲得していく順序はいろいろな文化圏でかなりの一貫性があり、DD→DB→KA→FB→HEの順に獲得されていくという。

また、感情理解の能力は、次のように発達していくという。基本的な感情（幸福、悲しみ、恐怖、怒り）の表情を視覚的に認識する能力の獲得は早く、乳児期に始まり、2〜3歳のころ、子どもたちはいくつかの感情を認識してそれに名前をつける。

ついで、外的要因が感情にどのように影響するかを理解する能力が獲得される。例えば、2～4歳のころ、誰かがお気に入りのおもちゃをなくした場合、子どもたちはその悲しみを推測できるようになる。他方、誰か別の子どもがお気に入りのおもちゃを手に入れたら、うれしいだろうと察するようになる。

欲求に応じて異なる感情的な反応が生じることがわかるのは、単純な状況については、同じく2～4歳のころであり、人が同じ状況に対して異なる欲求を持つことがあることがわかるようになる。

4～6歳になると、人が、状況について信じていること――それが真実であろうと虚偽であろうとお構いなく――によって感情的な反応が生じることがわかるようになる。また、否定的な出来事や感情については、記憶と感情が関係していることがわかるようになる。例えば、現在の状況での出来事が、過去の否定的な感情を思い出させて活動に使われるようになることもわかる。

6歳以上になると、感情をコントロールするために、さまざまな方略が役に立つことがわかるようになる。年少の子どもたちは行動を使った方略がわかるようになり、6歳以上になると、否定、気晴らしなどによる心理的な方略を使い始める。

一般に、4～7歳で、感情の表現をコントロールできることがわかるようになり、感情の外向きの表現と実際の感じられた感情との間にちがいを残せるようになる。さらに、7、8歳以上になると、人が同時に複数の矛盾する感情を持っている可能性があることがわかるようになる。

これまで述べてきたように、心の理論は、コミュニケーションに陽に現れてこない、他者の心の状態を推定するメンタルスキルであり、会話において他者のことを思いやり、他者と共感するために重要な機能を果たすと考えられてきた。本書では、コモングラウンドに含まれる規範的なアクターは、心の理論を持つと仮定する。

感情の研究は古くから

感情の表現に関する研究はチャールズ・ダーウィン［Darwin 1872］が始まりとされている。再び活発化したのは、ポール・エクマンらが顔表現の分類と関連して、それまで多数提案されていた感情に対して、喜び、嫌悪、驚き、悲しみ、怒り、恐怖の6種類の基本情動を提案してからである〔Ekman 1992〕。また、ダニエル・ゴールマンによる感情知、社会知の重要性の指摘〔Goleman 1995; 2006〕の果たした役割も大きい。さらに、ロバート・プルチックは感情タイプの体系的な分類の試みを行った〔Plutchik 1980〕。

感情を3次元空間で捉えるPADモデル

アルバート・メラビアンはPADモデル〔Mehrabian 1996〕として知られる次元モデルを提案した。この提案は、従来提案されている多数の感情はすべて、P（快楽）、A（覚醒）、D（支配）の3つの座標系の中で捉えられるという強い主張を含んでいる（図47）。

これは、メラビアンの長年にわたる実験〔Russell 1977〕に基づくものであり、

・熱狂的な喜び：〈快楽〇，覚醒〇，支配〇〉
・敵対的：〈快楽●，覚醒〇，支配〇〉
・リラックス：〈快楽〇，覚醒●，支配〇〉
・依存：〈快楽〇，覚醒〇，支配●〉

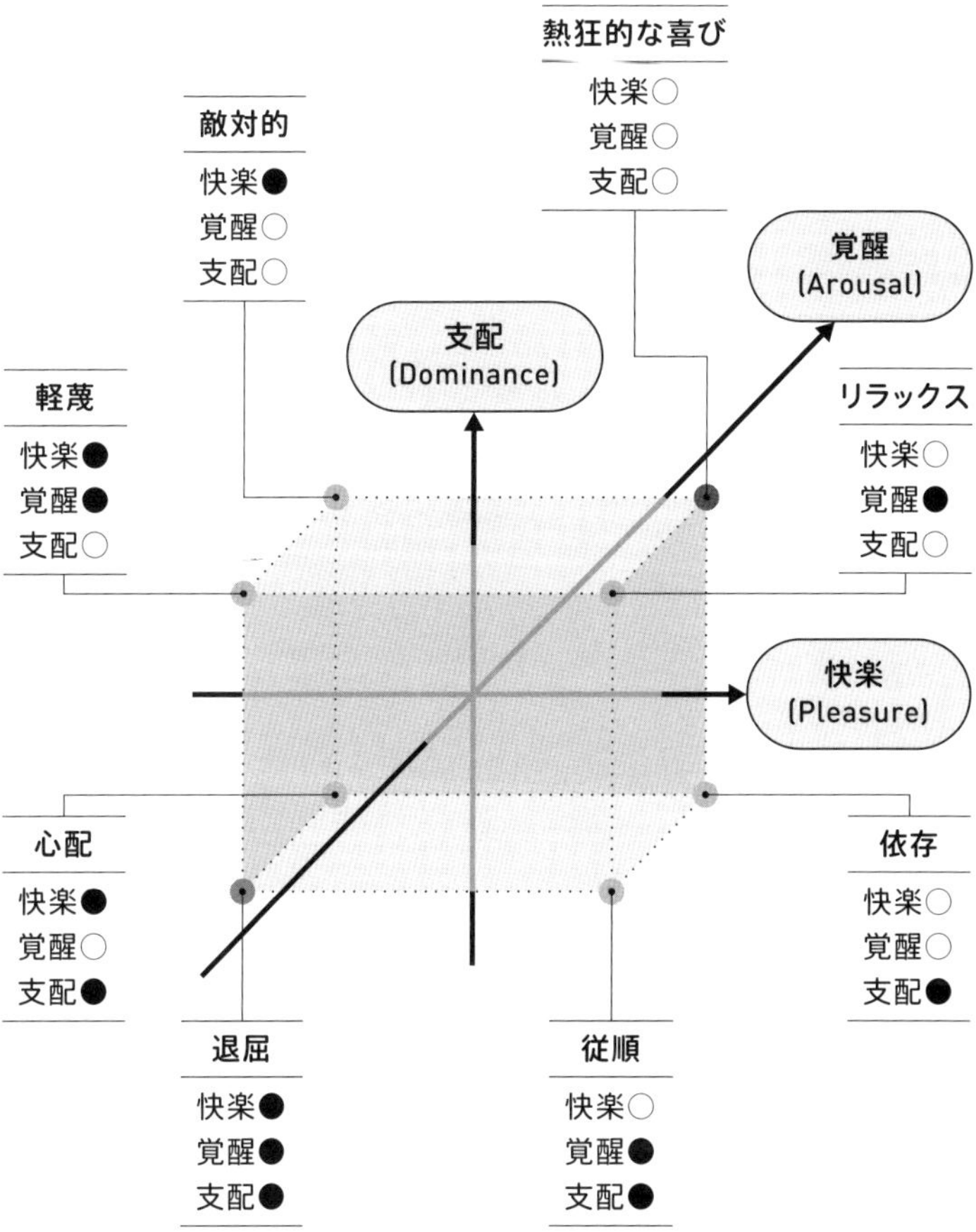

○はプラス、●はマイナスを示す

図47　感情のPADモデル

・従順：〈快楽○，覚醒●，支配●〉
・退屈：〈快楽●，覚醒●，支配●〉
・心配：〈快楽●，覚醒○，支配●〉
・軽蔑：〈快楽●，覚醒●，支配○〉
（ただし、○はプラス、●はマイナスを示す）

といった具合に、ＰＡＤ空間に配置されていく。このモデリングの利点は、情動を連続空間の現象として扱えるので、応用しやすいことである。

感情と目的行動をルールで関連づけるOCCモデル

では感情はどのようにして他の知的活動と関連づけられるのか？　この疑問に答えるのが、**認知的評価理論**である。認知的評価理論によれば、ある主体が遭遇したさまざまなイベントを自分の信念の状態に照らして評価することによって多様な感情が生じる。例えば合格発表を見て、努力していた目標が達成されたことを知ると、喜びが生じるといった具合である。

アンドリュー・オートニー、ジェラルド・クロア、アラン・コリンズは、この考えに基づいて示したモデルを示した［Ortony 1988］。このモデルは提唱者の頭文字をとってＯＣＣモデルと呼ばれ、図48に示すように、イベントの結末、自分の代理人のアクション、オブジェクトの側面によって生じる感情を包括的に規定している。

イベントの結末に対する情動的反応には、愉快／不愉快がある。さらに、その結末が自分にとって好ましいことであり他人に関わるものであるとき、それが他者に望ましいものであれば、他者との関係に応じて、共に喜ぶ（「よかったね」）／敵意を持つ（「ほくそ笑む」）という感情になる。

同様に、イベントの結末が自分の予想と関係がないとき、自分にとって好ましくないとき、自分の代理人のアクションであるとき、オブジェクトの側面に関わるときについても、いろいろな場合にどのような感情が生じるかをＯＣＣモデルは予測している。

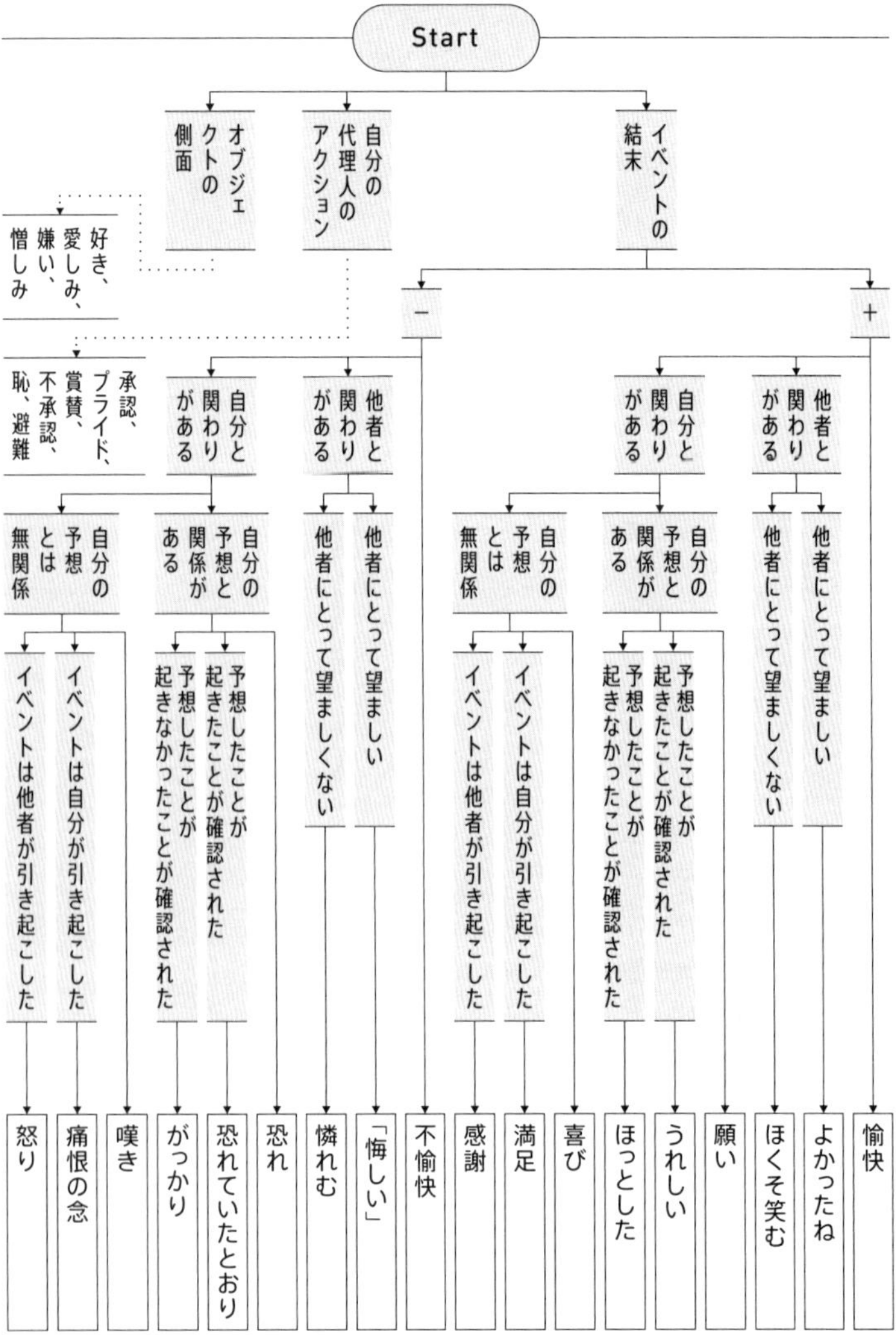

図48　オートニー、クロア、コリンズの感情モデル

反射的な一次情動と熟考による二次情動

アントニオ・ダマシオは脳神経科学の立場から、感情システムを分析し、デカルトの心身二元論を批判し、心と身体の相互依存性を示唆した感情モデルを提案した［Damasio 1994］。ダマシオが提案した感情モデルは、外界からの刺激に素早く反応する生得的な一次情動と、大脳皮質における熟考過程を経た二次情動から構成されている。

一次情動の場合は、外界からセンサを経て獲得された信号は扁桃体に送られてくる。ここには生得的な信号分類機能があり、信号の種類に応じて直ちに仕分けされ、刺激に対応する行動を生み出す反射的な信号として、内的信号、筋肉への信号、内臓反応を引き起こす自律神経系の信号、および、血流へのホルモン送出のための化学反応を引き起こす視床下部への信号が発信される。

二次情動の場合は、刺激は直接扁桃体に送られず、大脳皮質に送られて、思考のプロセスの中でつくられる言語的あるいは非言語的なメンタルイメージを用いた意識的・意図的な熟考が行われる。その結果は、前頭前野のネットワークに捉えられ、腹内側前頭前皮質を経て扁桃体に送られる。その後は、一次情動と同じように信号が身体の各部に送られる。つまり、二次情動は一次情動のメカニズムの一部を利用して、そこに、思考や経験の結果を反映するものであると考えることができる。

ダマシオは、一次情動と二次情動から構成されるこのメカニズムが知的行動を実現するために不可欠なものであると論じ、ソマティック・マーカー仮説を提案している。

ネガティブな結果をもたらしかねない行動があると、そのシナリオを作り出す原因は情動とセットにしたソマティック・マーカーとして記憶される。のちに、主体がソマティック・マーカーに記憶された行動と同様の行動をしはじめるとソマティック・マーカーが起動され、二次情動のメカニズムを利用して、不快な直観的情動信号を発生させて、主体に警鐘をならす。これがダマシオの仮説である。

また、脳内の心のプロセスは、身体から発生する感情があるかのように、脳内だけで身体や感情に関わる推論をしているのではなく、身体を「劇場」として使い、身体や感情に関する推論をしていると主張している。

ミラーニューロンまでさかのぼる共感

認知神経科学の知見によって、感情をはじめとする心の機能の神経基盤が明らかになりつつある。なかでもマカク属のサルと人間の腹側運動前野において、他者における運動をあたかも自分の運動のように捉える働きをするミラーニューロンの発見［Rizzolatti 2008］は、コミュニケーションにおける共感など人間の心の働きの奥深い領域を理解する手掛かりを与えるものとしてインパクトが大きい。ミラーニューロンなどの働きによって引き起こされる意図的な身体の共鳴が共感を引き起こしているのではないかという指摘もある［Gallese 2007］。

マルコ・イアコボーニは、ミラーニューロンによってあたかも他者の中に入り込んで内面の行動を模倣しているように感じ、他者を理解できているような気持ちになるのではないかと指摘している［Iacoboni 2008］。心の活動基盤についてわかってきたことをつなぎ合わせて脳において心がどのように形成されているかという考察も進み、心の全貌についての議論もはじめられている［Frith 2007］。会話をはじめとするコミュニケーションが心と心をつなぐプロセスであるとするならば、そこに主として関与する心のメカニズムに関する知見が急速に増えつつあることは非常に望ましいことである。

会話のコモングラウンドがもつゆたかさ

会話のコモングラウンドについてこれまで考察してきたことについて図49に基づいて、まとめてみよう。会話のコモングラウンドの題材は語ることのできる、ありとあらゆるものであり、そこに制限はない。会話の参加者には出入りはあるが、比較的ゆっくりしていることが仮定されている。会話のコモングラウンドそのものの豊かさについては、この章で見てきたとおりである。会話の参加者たちは、言語・非言語的なコミュニケーション手段を使い、種々の言語運用の技法を駆使して会話を効果的に進めることが期待されている。最も基本となるものは、コミュニケーションされる内容の表現であり、言語表現が中心となるが、ケンドンはそこに非言語的な手段が重要な役割を果たすことを示した。コミュニケーションの流れを制御するための話者交代のしきたりやお互いを尊重するための作法、他者の意図を推定するための心の理論などについて見てきた。また、会話のコモングラウンドで想定されている世界も、レイヤなどのコンセプトに基づいて、架空の話をしたり、相手の顔を立てたりするといった、重層的なものであること、そして、こうした重層的な世界は、感情や気持ちの共有に大きな役割を果たすことを見てきた。

そして、会話の進行とともに、その奥にあるコモングラウンドがどのように更新されて

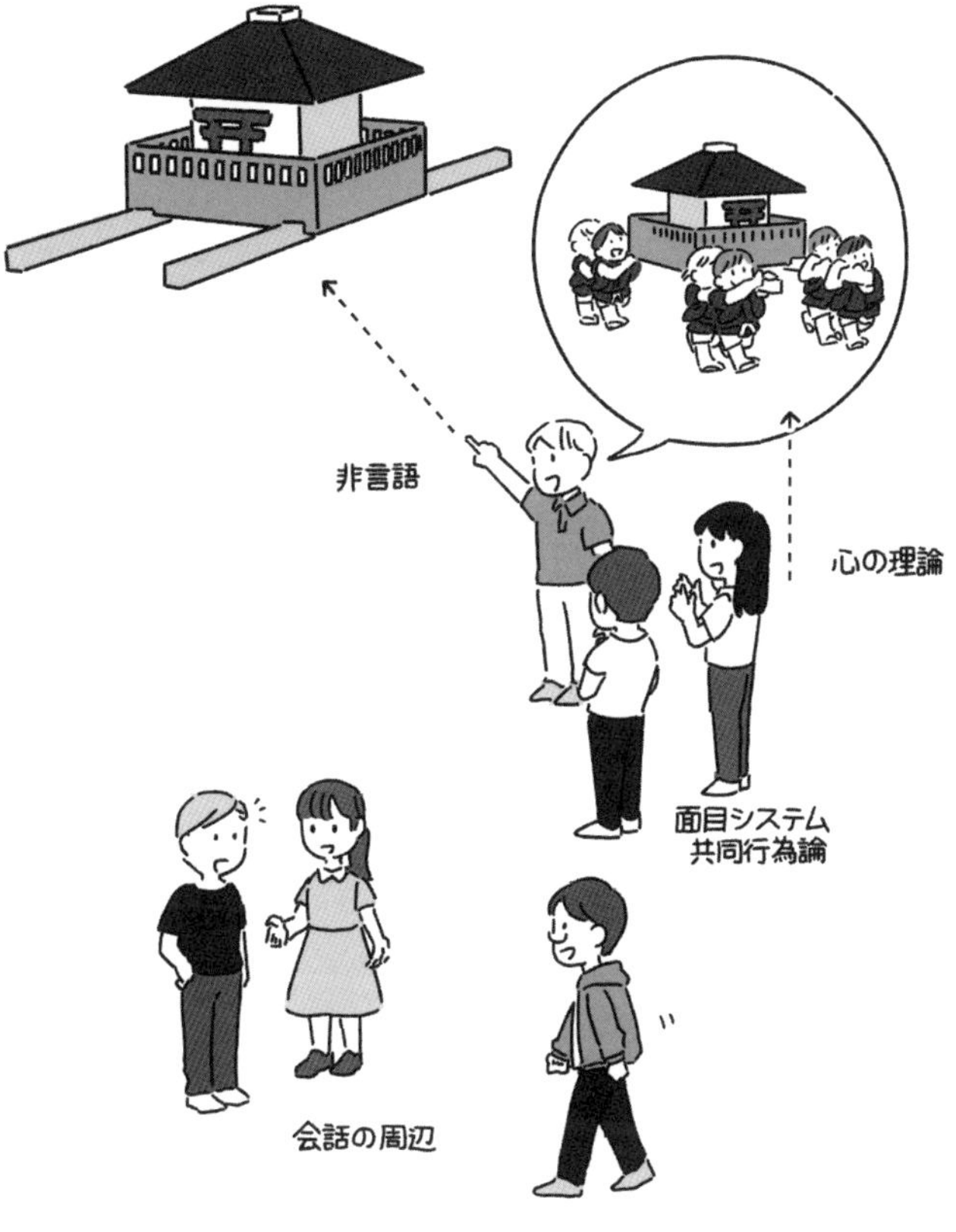

図49　会話のコモングラウンド（まとめ）

いるか、基本的な事柄を取り上げて論じてきた。まず、会話の置かれている社会的状況をきちんと意識するところから始めて、焦点のある集まりとしての会話、社会的インタラクションの中での会話を位置付けた後、会話の中の社会的インタラクションを観察してきた。主要な概念としてレベルとレイヤを導入し、レベルで抽象度の異なる社会的インタラクションを構造的につなぎ、レイヤで想像上のものも含めて、認知できる規模と複雑さの様々な状況をとらえてきた。会話はその中での参加者の共同行為としてとらえられ、下位のレベルの社会的シグナルを使って上位のレベルの行動が実現される様子を面目の維持といった抽象的なレベルから、ターンテイキングという短い時間内の共同行為まで取り上げた。さらに、会話に参加する主体——ＡＩ出現まではもっぱら人間の独壇場であった——が会話の最中にどのような心の動きをしているのか、特に、他者のことを考える心の理論、論理的な思考と並行する感情に焦点を当ててこれまで学術分野で報告されてきた主要な理論を紹介した。

第6章

会話システム

コモングラウンド形成と発展のカギを握る会話システムはＡＩの研究目標の一つとして位置づけられ、長い間研究されてきた。会話システムはそれ自体大変興味深いＡＩの研究テーマであるが、私たちが日常使い慣れている日本語や英語などの自然言語を使ってコンピュータのサービスを享受できるようにするという有用性をめざしたユーザインタフェースという応用上の観点からも重要である。そのため、研究開発の歴史は長く、２０１０年代になって、音声技術との融合も進み、AMAZON ECHOやGOOGLE HOMEのようなスマートスピーカーも広がってきた。こうした技術は、会話よりも対話に焦点をあてたものであるが、会話を実現するためにもその多くを活用することができる。まず、会話システムの研究開発の歴史を俯瞰しよう。

質問応答システムからはじまった

会話システムの研究のはじまりは、自然言語の質問に対して回答を返す質問応答システムであった。１９６１年に発表されたＢＡＳＥＢＡＬＬ［Green 1961］は最も早く構築された自然言語対話システムの一つである。その名が示唆する通り、「レッドソックスは７月

7日にどこで試合をしましたか？」、「どのチームが7月に10勝しましたか？」といった野球チームの勝敗についての質問を受け取り[*13]、辞書とプログラムとして実装された文法知識を使って、データベースへの検索コマンドを内部的に生成し、実行することで、応答する。

LUNARは、月から採取された石のデータベースに英語でアクセスすることができるようにした質問応答システムである。LUNARでは、拡張遷移ネットワーク文法（ATNG）[*14]という手法を用いて、次のようなかなり複雑な構造をした文を解析することができた［Woods 1973］。

ユーザ：Give me all lunar samples with Magnetite
LUNAR：（月の石のサンプルを提示）
ユーザ：In which samples has Apatite been identified
LUNAR：（燐灰石の存在が認められたサンプルの名前を提示）
ユーザ：How many samples contain Titanium
LUNAR：（チタンを含んだサンプルがいくつあるか回答）
ユーザ：Give me the K / Rb ratios for all lunar samples

LUNAR：（すべてのサンプルにK／Rb比を提示）

ATNGはその後しばらくの間、自然言語文の構文・意味解析の定番となったが、スケールアップが難しく、現代では用いられていない。

積み木の世界の生み出したインパクト

こうした流れを発展させたのは、MITの学生であったテリー・ウィノグラード（のちに、スタンフォード大学教授）が博士論文研究で作り上げたSHRDLUというシステム［Winograd 1972］である。SHRDLUは画面に図50のように平面上にさまざまな色の円錐や直方体が置かれた「積み木の世界」のコンピュータ・グラフィックス・シーンを表示し、「箱の前には何がありますか？」といったユーザからの質問に回答するだけでなく、ユーザが英語で与えた指示を「理解」して、言われた作業を行うことができる。

例えば、「大きな赤いブロックを持ち上げて」とユーザが入力すると、画面に表示されているロボットアームが動いて、大きな赤いブロックを持ち上げるシーンが表示される。

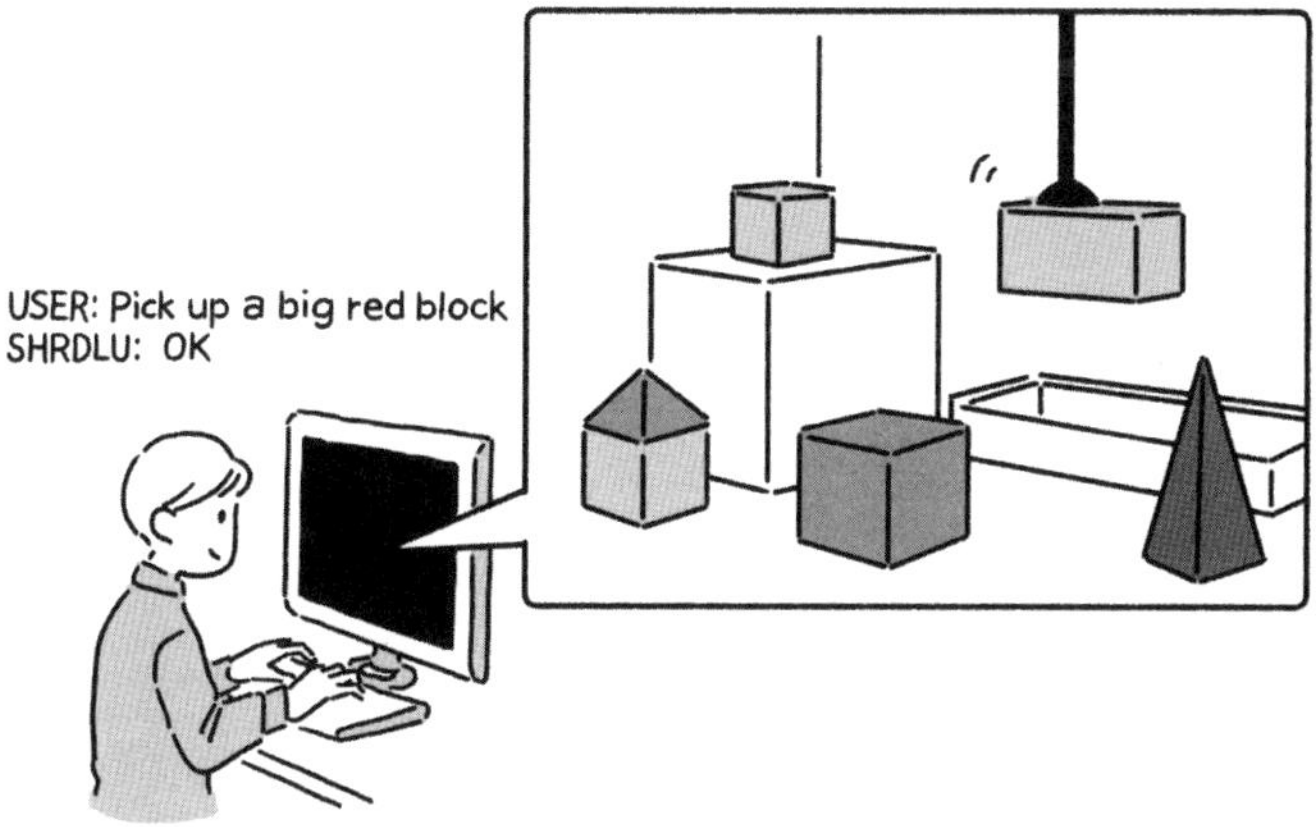
USER: Pick up a big red block
SHRDLU: OK

図50　積み木の世界を対象として質問応答と簡単な推論を行うSHRDLU

このロボットアームは一時に一個の積み木しか持ち上げられないという設定になっていて、上にいくつかの積み木が積み上げられた積み木を動かしてほしいという要求が出されたときは、目標の積み木の上に積まれている積み木を一時的に退避するための作業用の場所を探しつつ、一つずつ積み木を移動させて、与えられた目標を達成する、といった「推論」を行う。

ＢＡＳＥＢＡＬＬ、ＬＵＮＡＲ、ＳＨＲＤＬＵはコンピュータを使いやすいものにするという観点からは明確な貢献であり、今日の多くの応用につながる。これらは、与えられたコモングラウンドの上で情報やサービスをユーザに提供するという点から、対話システムと呼ぶことはできるが、人とコンピュータのやり取りを通して、コモングラウンドそのものが発展していくことはないという意味で、限界があった。

人のように、相手に働きかける受け答えをするＥＬＩＺＡ

こうした限界への挑戦として、ジョセフ・ワイゼンバウムが１９６６年に発表したＥＬＩＺＡ（イライザ）[Weizenbaum 1966] は、対話で参照されている世界に関する知識ベースやデータベースを使わないで、やり取りを行う。例えば、ユーザが「私のボーイフレンドは私がいつも落ち込んでいるって言っているんだ」と入力すると、「落ち込んでいる…それは残念ですね」と返し、ユーザが「そうなんです、私はアンハッピーなのです」と入力すると、「ここに来ることでアンハッピーじゃなくなると思いますか?」と返す。

ワイゼンバウムは、(a) インプットを特徴づけるキーワードをみつける、(b) 応答を生成するために必要となる最小の文脈をみつける、(c) 適切な変形を選択する、(d) キーワードがないときの応答を用意しておく、(e) いくつかの回答パターンの中からランダムな選択を行って機械的な応答をしていないようにみせる、などのテクニックを使って、ＥＬＩＺＡからの応答が人間からのように相手へのさまざまな働きかけを含むものにした。これにより、人々にとってコンピュータが非常に珍しかった時代には、ＥＬＩＺＡはあたかも実在の人間であるかのような強い印象を与えた。

ワイゼンバウムのアプローチは、与えられた自然言語表現の文法的な構造を解析して、コンピュータに「理解」できる表現に変換してから、応答生成の処理を行うという、当時のスタンダードとなりはじめていた手法に警鐘を鳴らすことを意図するものであった。つまり、コミュニケーションの本質は、質問された事柄についての情報を提供したり、指示された通りの仕事をしたりするところにはなく、相手と関係性——コモングラウンド——を築き、発展させていくという会話的なやりとりを作り出して、ユーザの自発的な参加を誘導することであると気づかせた。

残念ながら、ＥＬＩＺＡはユーザに関係性自体を築き、発展させているようなイリュージョンを生じさせることはあっても、実際にコモングラウンドの構築も発展もさせていく機能はもっていなかった。

メディアの等式説

ワイゼンバウムがＥＬＩＺＡによって示した、人のような受け答えができることの意味を明確に語ったのが、バイロン・リーブスとクリフォード・ナスが提唱した**メディアの等式説**［Reeves 1996］である。メディアの等式説によれば、テレビやコンピュータなどの情報メディア上の表現は、それを受け取る人の心の底に、対面している人から受ける効果と同等の効果を引き起こすという。

例えば、目の前の人に何かをしてもらって「よくできたでしょうか？」と尋ねられると、礼をわきまえた人なら、「よかったですよ」などとほどほどにポジティブな回答を返すであろう。しかし、他の人に答えるのであれば、「ちょっと時間がかかりすぎかも」などとネガティブな側面にも触れて、批判的になるであろう。これと同じことをコンピュータ端末に置き換えて実験する——人にサービスを提供するプログラムを実行させ、終わったときに、出来具合を尋ねる——と、サービスを提供したコンピュータ端末から評価をインプットするときはポジティブでばらつきが少ない。しかし、サービスを提供したコンピュータ端末とは別のコンピュータ端末から評価をインプットするときは、批判的になるという。

つまり、人に対しても、コンピュータに対しても、対面で評価結果を示す場合と、別の人に――あるいは、別のコンピュータ端末から――評価結果をレポートする場合とでは、対面の方がポジティブになりがちだという。そしてその理由は、社会心理学で知られているように、相手に対する配慮があるから、ということになる。

しかも、コンピュータ端末から評価結果を返した人に、「あなたは、サービスをしてくれたコンピュータに対して配慮をしましたか」と尋ねると、「そんなことはない。どの端末からインプットしても同じでしょ」といった回答が返ってくるという。つまり人々は、表立って尋ねられると、自分はコンピュータを人間のようには考えていないと答えたという。

リーブスとナスは、「誉め言葉やお世辞を使う相手の方が、そうでない相手よりも好ましいという印象を受け手に与える」、「支配的な性格の受け手は、はじめから支配的な性格の相手より、はじめは従順的で、あとになって支配的になる性格の相手を好む」、「メンバーをチームに振り分けると、チームメイトでない相手よりも、チームメイトである相手の方が自分に似ていると感じる」などのことが、相手が人間であっても、コンピュータであっても起きるという実験結果をいくつも示し、メディアの等式の根拠とした。

なぜメディアの等式が成立するのか？　「進化の速度は遅いので、人類の脳の奥部は、いまだに情報メディア技術のなかった原始的な世界の状況を引きずったままであり、テクノロジーによって実現された現代の状況には対応できていない。だから、表向きの言動とは裏腹に、心の奥底では、情報メディア技術によって生成された現象を、人が作り出した現象と同様に考えてしまう」というのがナスとリーブスの考えである。

哲学者のダニエル・デネットによれば、人は周囲にあるものを、物体——石ころのようなもの——、デザインされた人工物——機械のようなもの——、人間みたいなもの、の3種類に大別しているという。それぞれの見方を、物理姿勢、設計姿勢、志向姿勢という［Dennett 1989］。

人とインタラクションをするコンピュータシステムも人に寄り添うシステムも、人と同じように社会的な原則に従ってふるまうようにしておいて、人が志向姿勢を適用して助け合えるようにしておくのが一番良いから、コンピュータを社会的な行動主体にしようという考え方——Computers Are Social Actors（CASA）［Nass 1994］——は、スマートスピーカーを含むその後の会話システム構築の一つの原理となっている。

さまざまな知識を使った物語理解・生成システム

物語性は、コモングラウンドに立脚する会話システム構築をデザインするとき、非常に大きな役割を果たす。物語を理解したり生成したりするＡＩシステム――物語理解・生成システム――については、当時イェール大学を拠点としていたロジャー・シャンクのグループが１９７０〜80年代にかけてまとまった研究を行った［Schank 1975］［Schank 1977］［Schank 1982］。

物語理解・生成システムの研究では、

・質問応答システムの研究と同様に与えられた自然言語文章にもとづいて多様な質問応答ができるようにするための意味表現
・文章を簡潔に要約する手法
・文章に明示的に書かれていないことを補って説明を生成する手法
・意味表現から物語を生成する手法

などに焦点をあてた取り組みが行われた。そこでは、注目している出来事を原因・結果などの因果関係に従って一連のつながりとして記憶を構造化することが軸となっている。そのようなことができるプログラムには、知識を使って、与えられた文章の背後にある物語構造を推定したり、物語構造に従って文章を生成したり、いろいろな物語を読んで、その背後にある物語構造を知識として獲得したりする機能を組み込む必要がある。

ロジャー・シャンクのグループは、物語の理解・生成について、

・文の意味を、PTRANS（物体の移動）、ATRANS（抽象的な移動）、MBUILD（心的状態の構築）、SPEAK（話す）、ATTEND（注意を向ける）、INGEST（体内に取り込む）、EXPEL（体外に排出する）などの11種類の基本動詞の接続を中心に表現することで、概念の類似性を構造的に捉える概念依存構造を提案し、プロトタイプを作ってその効果を示した。

・人々が日常生活でよく経験するイベント（できごと）の典型的な系列をスクリプトとして構造化することで、物語を理解し、いろいろな質問にも答えられるようになるスクリプト理論を示し、SAMと呼ばれるプロトタイプを作って実証した。

・スクリプトほど典型的ではないが、なんらかの目標（ゴール）を達成するためにたてら

れた行動計画（プラン）に基づく、一貫性を見出せるイベント系列についても考察し、PAMと呼ばれるプロトタイプを作って実証した。

・スクリプトをどのように獲得するかを論じたダイナミック・メモリー理論を示した。

など、いくつもの先駆的な成果を残した。これらのうち、スクリプト理論や、ダイナミック・メモリー理論は本書ともかかわりが深い。

スクリプト理論による物語理解は、物語理解とは聞いた話を自分の知識や経験と対応付けることであり、物語の背景に関するかなりの量の知識が必要であるという考えに基づいている。スクリプトには、図51のように、例えばレストランに行くと、ウェイター／ウェイトレスが席に案内し、注文を取りに来て、やがて注文に基づく料理が出され、請求書が渡される、そして支払をして去っていくといった、我々の生活空間で起きる典型的な出来事の系列が構造的に記述される。

物語がインプットとして与えられると、記憶されているスクリプトのなかから最も関わりの深そうなものを探し出してきて、与えられた物語に含まれる出来事と照合する。与えられた物語が、記憶されていたスクリプトからの想定された逸脱の範囲に入っていれば

登場人物：客g、ウェイター／ウェイトレスw、シェフc、店長o

起動条件：gが空腹、gが金を持っている

結果：gが満腹になる、gの所持金が減る、oの所持金が増える

シーン：

- S1：gが店に入る
- S2a：gが空席に座る
- S2b：wがgをテーブルに案内する
- S3：wが注文を取りに来る
- S4：gがwに料理dを注文する
- S5：cがdを調理する
- S6：wがdをgのところに持っていく
- S7：gがdを食べる
- S8：gが勘定書きrを求める
- S9a：gがrを持ってレジに行き、支払いpをする
- S9b：gがwを呼び、rに基づいて支払いpをする
- S10：gがテーブルにチップを置く
- S11：gが店を出る

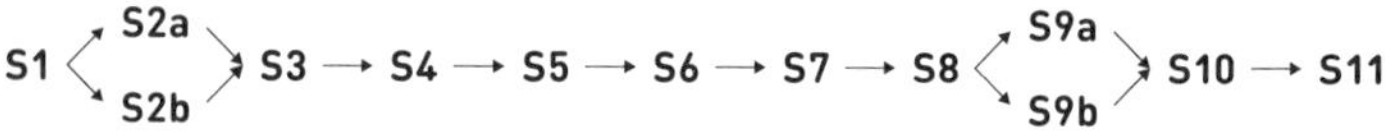

図51　レストランスクリプト

——例えば、レストランスクリプトで通常予想される一連の出来事に、参加者の誕生日のお祝いセレモニーが追加されていたというくらいの違いであれば——、探し出してきたスクリプトを用いた物語理解は成功となる。

物語理解において検出された逸脱は、想定範囲内のものでも、個々の物語を特徴づける情報となる。この考え方は、スクリプト理論に基づいて交通事故ニュースの要約を生成するFRUMPというシステム［Dejong 1979］で用いられている。多くの人が常識的に知っている交通事故の典型的な状況がスクリプトに蓄積され、与えられたニュースに一番近いスクリプトが選び出されて、それぞれのニュースに特徴的な事柄が要約として出力される。

ここで2つの疑問が顕在化する。第一は、経験や知識はすべてスクリプトで表現できるのかという疑問、第二は、スクリプトはどこから来るのかという疑問である。

第一の疑問に対して、シャンクは、スクリプトは典型的なイベントの系列を記憶するためだけのものにしておいたほうが良いと考えた。旅行や政治のように、興味や制約などの多くの要因に応じてさまざまなバラエティがあり、動的であって、定型的なテンプレートではとらえにくい物語に対しては、別の知識構造を用いたほうがすっきりする。先に述べた、プランやゴールはスクリプトより非定型性の高いイベントの系列の背後にあると考えられるものであり、さらにその奥には、いくつかのゴールを関連づけるテーマなど高次の概念で構成される知識を用意しておいて、国際政治や人々の確執のように複雑な構造を持つ物語の理解を行う［Schank 1977］。

第二の疑問に対して、シャンクは、「語ることで記憶は作られる」という立場をとっている。つまり、人がいろいろな物語を持ち寄って、物語の間にある類似性や差異に気づくことで、次第にスクリプトが作り出され、構造化されて記憶に組み込まれていくという立場が、ダイナミック・メモリー理論［Schank 1982］の基幹となっている。

ダイナミック・メモリー理論では、他者から物語を聞いたり新しい経験をしたりしたときは、まず、新しい経験の、索引（エッセンスのようなもの）、話題、ゴール／意図、結末、教訓といった特徴を抽出し、それを手がかりに記憶されている類似の物語を検索する。この過程は**想起**と呼ばれる。新しく経験したことは過去の経験と照合され、異なっているところがあれば、その違いを埋めるための対応が行われる。違いが大きければ、新たな物語の創作といった大がかりな記憶再構成が行われる。

このような考え方は、会話を重ねることでコモングラウンドを作り上げていくプロセスを実現するとき大変参考になる。類似の物語を見つけてくる想起のしかたや、新しい経験と過去の経験をどのように統合するかなど、まだまだ議論が残されているが、残念ながら、こうした研究は評価の難しさや、応用の狭さなどの壁に阻まれて、あまり発展しないまま現在に至っている。

ストーリーとナラティブ

同じ「物語」でも、ストーリーとナラティブは明確に区別しておいた方がよい。ストーリーは、イベントがどのような因果関係で展開されていくかを連ねたものである。しかし、あらゆることをすべて書き連ねていくときりがない。ストーリーの作者は、どのイベントや関係がいま語りつつあるストーリーに関わって意味をもつものであり、それらの展開のうちのどれに注目しているかをはっきりさせなければならない。

他方、ナラティブ［Edwards 1997］は、ナレイター（語り手）の主観的な語りであることが重視される。語り手の視点で、時間軸を遡ったり、空間を移動したりして、その動線に従って、様々な出来事が語られる。

この議論を単純化すると、状況を客観的な視点から捉えて、どのようなイベントが起きたかを第三者視点から語るのがストーリー、それに対して、当事者として状況の中に入り込んで、第一人称視点から経験を語るのがナラティブである。ストーリーだけでもナラティブだけでも状況の深い理解は得られないことを私たちは過去の経験で知っている。ストーリーは全体的にどうなっているかは冷静に捉えることができるが、そこで行動している個々の行為者の気持ちはわからない。ナラティブはその逆である。ストーリーとナラティブを行き来して、両方の経験を統合できる能力は、我々の社会的な知性にとってとても大事なものである。

マルチモーダル対話システム

人間同士の会話では、音声、顔表情と視線、ジェスチャ、姿勢と身体の動き、位置関係など、さまざまな様式——モダリティ——の情報表現を用いた言語的な手がかり、非言語的な手がかりを駆使して、豊かなコミュニケーションを手際よく行っている。会話システムが人間と自然なやりとりをするためには、複数のモダリティにまたがる言語的、非言語的手がかりをタイムリーに捉えて、統合し、メッセージを取り出さなければならない。そのためにはターゲットにしたモダリティを捉えるための入力装置を用意して、得られた情

図52　マルチモーダル対話システムPUT-THAT-THERE

報を効率的に処理しなければならず、実現には多くの困難を伴った。

研究者たちが文字テキストの壁を越えて、音声対話の世界に足を踏み出す契機を与えたのは、カーネギーメロン大学で開発された音声理解システムHEARSAY-IIであった。HEARSAY-IIは、ユーザの音声発話の解釈を行うため、仮説に駆動されたトップダウン処理とデータに駆動されたボトムアップ処理を連携させて、音響解析、構文的な構造解析、意味解析、意図解析の広い範囲にまたがる解析ルーチンを実行する。

複数のモダリティにまたがる情報を統

合して人とやり取りを行うマルチモーダル対話システムの先駆けとなったのは、MITで開発されたPUT-THAT-THERE［Bolt 1980］である。PUT-THAT-THEREでは、音声入力とジェスチャ認識を使って大型ディスプレイ上のオブジェクト操作をすることができる。例えば、図52のように、ユーザが「それをもっと小さくして」と言って「それ」に同期した指さし動作をすると、指さしの先にあるオブジェクトのサイズを小さくする。

PUT-THAT-THEREは画期的なシステムであったが、醒めた目で見ると居心地が悪いかもしれない。音声とジェスチャを使ってコミュニケーションできるから人間同士のコミュニケーションに近いと思える反面、どこかで誰かが隠れて自分の行為を一部始終監視しているように見えるので、対等な立場でのコミュニケーションとは言えないからだ。監視している相手は、どんな人で、自分のしていることをどれだけわかってくれているのだろう？　そんな疑念が払拭できない。コンピュータよ、姿を見せなさい！　そんなふうに思う人も多いことだろう。

図53　アップル社が1987年に発表したナレッジナビゲーターのコンセプトムービー

身体をもつ会話エージェントの登場はコンセプトムービーから

アップル社が1987年に公開した「ナレッジナビゲーター」と題するコンセプトムービー［Apple Knowledge Navigator 1987］で、ついに会話システムは、フィルという名の、身体を持つ会話エージェントとしてユーザの前に姿を現した。図53のように、フィルは、蝶タイをした執事の姿をしてタブレット端末に表示され、ユーザと音声で会話する。

「ナレッジナビゲーター」ムービーで描かれたフィルは「将来は、こんな素晴らしいソフトをつくりたい」という意思を映像化したものに過ぎず、実装されたわけではないが、その後の人に寄り添うシステムのありかたについて、いくつもの重要な示唆を与えた。

第一は、コンピュータのユーザが誰であろうが同じ応答を返すのではなく、それぞれのユーザのプロフィール、嗜好、使用履歴に応じて、ユーザごとにカスタマイズされ、さらには、コンピュータ自体が一定の個性——パーソナリティ——をもつサービスを提供できるようにすべきであるという主張である。科学計算をするシステムにはそのような特徴はないほうがいいかもしれないが、音楽やムービーなどを提供する人に寄り添ったシステムには個性があったほうがよいという考え方に基づいている。

第二は、人に寄り添うシステムは、社会のしきたりに従ったふるまいをし、人から信用されるという抽象的なレベルから、人が日常会話でふつうに行っているような自然なターン交代ができるという具体的なレベルまでの、広い範囲の社会的なインタラクションができなければならないという主張である。「ナレッジナビゲーター」ムービーでは、フィルは、いろいろなことに心が行き届いた礼儀正しいキャラクターとして描かれている。

第三は、生命らしさである。人に寄り添うシステムは、実在の人のように感じられ、人を相手にするような自然さが感じられなければならないという主張である。人からすると、

図54　マイクロソフト研究所で開発されたPeedyエージェント

生命らしさを感じられないと、寄り添ってくれているとは言いにくい、ということになる。

こうした一連の考え方を具体化した「ナレッジナビゲーター」ムービーは、その後の会話システムの研究開発に大きな影響を与えた。

身体を持つ会話エージェントの実装

身体を持つ会話エージェントの実装に先鞭をつけたのは、マイクロソフト研究所のペルソナプロジェクト［Ball 1997］であった。個人に特化したサービスを提供するために必要になる社会的インタラクションの実現をめざして、インタラクティブなギブ&テイク、遅延を考慮したインタラクション、割り込みの考慮、コミュニケーションの社会的な側面に焦点を当てた研究が行われた。このプロジェクトでは、図54のようなオウムの姿をしたＰｅｅｄｙエージェントと音声で会話するデモが研究開発された。

Ｐｅｅｄｙが、「何か聴きたいですか?」と尋ねたとき、ユーザが、「ボニー・レイットの曲があったらかけて」と音声で返事すると、「ボニー・レイット全集がありますよ」と返事し、ユーザがさらに「じゃ何かかけてみて」というと、Ｐｅｅｄｙは、「Angel from Montgomery なんかどうですか?」などと言いながら曲をスタートさせる。少し聞いたところで、ユーザが「じゃ、次に何かロックを」と言うと、「Fools in Love は?」と言いながら次の曲に進む。デモ版ではあるものの、Ｐｅｅｄｙのアニメーション付きで、会話はさくさくと進む。

ペルソナプロジェクトの成功は、身体をもつ会話エージェントが実現できるという希望を与え、会話エージェントの様々な側面についての技術的な取り組みを加速した。

Ｐｅｅｄｙエージェントの生き生きとした躍動感は、エージェントの内面だけでなく、外面の姿や動きが生命らしく見えることの重要性を明らかにした。ジョセフ・ベイツら

図55　ALIVE

は、生命のような姿をしたエージェントが、生命をもっているように感じられるためには、それが生命をもっているようだという幻想を掻き立てるだけではなく、これは幻想だという不信感を引き起こさないようにしなければならないと論じた［Bates 1994］。

ＭＩＴメディアラボで開発された、ＡＬＩＶＥ［Maes 1997］は、ユーザと人工ペットが生命的なインタラクションをすることのできるシステムである。ＡＬＩＶＥでは、図55のように、大型ディスプレイに表示された3次元コンピュータグラフィクスによって生成された仮想空間の中で、カメラで捉えられたたユーザの姿を重畳した合成イメージを通して、ユーザは仮想空間内に住まう人工ペット（「人工犬」）と言語・非言語インタラクションをする。

ＡＬＩＶＥで大きな役割を果たす人工犬サイラスを実現するために様々な工夫が行われた。高次レベルでは、ユーザから指示された目的を達成しようとし、達成して褒められると喜びを表現したり、他のものに興味をもって追いかけたりする。低次レベルでは、環境内を動き回ったり、感情を表したり、活動をし続けると疲労したりする、といった動物を模したふるまいをする。

身体をもつ会話エージェントに本格的な感情モデルを組み込んで、ユーザの感情を推定したり、感情モデルの状態を会話エージェントの顔表情や身体の動きとして表出したりする試みも行われた。前章で導入したＯＣＣモデルは、知的エージェントのもつ目標や信念と、外界で起きるイベントからどのようなタイプの感情が生じるかを規定しているので、感情モデルとしては大変使いやすいものであった。初めのころは、会話エージェントの身体の動きや感情表現は、作り付けのものであったが、やがて、パラメータから合成できるようになっていった。

さらに、劇場で演じられるドラマを制作するという観点からの取り組みも行われた。

Ozプロジェクト[Bates 1994]は、インタラクティブドラマ制作のためのエージェントモデルづくりをめざして実施された。ドラマの制作者は、登場人物がさまざまな経験をくりひろげる世界の物語をつくりあげる。ユーザは、ドラマの世界にアバターとして参加して、制作者によるさまざまなカメラワークや音響映像効果が繰り込まれたプレゼンテーションを通して、ドラマの世界を経験する。

ここで最も重要になるのは、キャラクターの存在が信じられることであり、それにはパーソナリティ、感情、自己動機、変化、社会的な関係性、「生命を吹込む術」の6つの要因が重要であると論じられた。パーソナリティは、キャラクターの話し方、動き方、話す内容、考える内容など一挙一動の根源になるものであり、そのキャラクターに固有のものでなければならない。感情は、キャラクターに内在するものであり、外部のさまざまな出来事に対して、そのキャラクター固有のスタイルで生み出されるものでなければならない。自己動機は、キャラクター自身の能動的な行動を引き起こすもとになる固有の願望や欲求であり、ユーザがキャラクターの行動を納得できるようになっていなければならない。変化とは、キャラクターが経験を重ねていくにしたがって、成長したり、変わっていったりすることを指す。変化しないキャラクターは違和感を生じさせる。キャラクターたちは他のキャラクターとそれまでの社会的関係性に基づいてさまざまな社会的なインタラクションを繰り広げて、社会的関係性を更新していく。「生命を吹き込む術」は、人間や生命であれば当たり前に行っているマルチスレッド――複数の動作を同時に行う――や、佇んでいるときの動作などを、インタラクティブドラマに登場するキャラクターにも組み込むためのテクニックをさしている。

劇場のステージで即興的に一定の役を演じることができるインタラクティブなキャラクターの研究開発をめざしたスタンフォード大学のヴァーチャル・シアター・プロジェクト［Hayes-Roth 1998a］では、ユーザを引き込むための手法として、インタラクションの背景設定をするバックストーリーが用いられた。例えば、「ジェニファー・ジェイムス」エージェント［Hayes-Roth 1998b］は、1964年にノースカロライナのハムレットに生まれた、元レーシングドライバーで、いまは自動車販売店で働いている車のセールスパーソンとして描かれている。これによりエージェントとの間のコモングラウンドがはっきりして、ユーザが会話をしやすくなるとともに、ユーザの発話の解釈も容易になり、頑健な自由対話が実現できる。

第2章で言及したFaçadeは、ツールキットとして、ユーザにインタラクティブドラマの制作機能を開放したものである。

身体を持つ会話エージェントの一つの節目となったＳＡＲＡ

身体を持つ会話エージェントの研究に早くから取り組んでいたジャスティン・キャッセルのチームは、言語・非言語コミュニケーションを統合して不動産物件の紹介をする会話エージェントＲｅａ［Cassell 1999］を開発したことや、ＢＥＡＴというソフトウェア・ツール・キットを開発して、音声、ジェスチャ、顔表情の変化を統合したキャラクター・アニメーションを生成できるようにしたこと［Cassell 2001］など、多くの先駆的な成果をあげてきたことで知られる。

世界経済フォーラムが主催する夏季ダボス会議（２０１６年6月26～28日）で展示されたＳＡＲＡ［Matsuyama 2016］は、それまでの身体を持つ会話エージェントの研究の集大成である。言語・非言語コミュニケーションの統合に加えて、会話を弾ませるためにありのままの自分をさらけ出す自己開示や、自己開示要求といった会話行動を導入して、打ち解けてきたときに意図的に社会的インタラクションの規範に違反する発話をするといった高レベルの会話方略が組み込まれている。

現代では、手作りで身体を持つ会話エージェントを作る試みは一段落し、統計的機械学習の部分的な導入を経て、深層学習の導入が本格化しつつある。以下では、身体を持つ会話エージェントのこれまでの実現手法を整理してみよう。

何事も手作りから始まる

何事も最初は、手作りである。会話システムの研究開発も手作りによる試行錯誤から展開した。初期の質問応答システムBASEBALLはこの方式で作られた。とにかく作ってみようというマインドはとても大切である。何かできてみると、それを改良しようとする人たちが現れて、たちまち、品質が向上していく。そのうちに定番が生まれると、定番を使っていろいろなものを作ってみる人たちが現れる。その一方で、壁も見え始め、これまでとはまったく異なる原理でその壁を乗り越えようとする人たちが現れてくる。はじめのうちは、新しい芽は、いろいろな経験が積み重ねられている従来版にかなわないが、生まれた芽のうち、新しい原理のなかで本当に優れたものが加速し、そのうち従来のものに

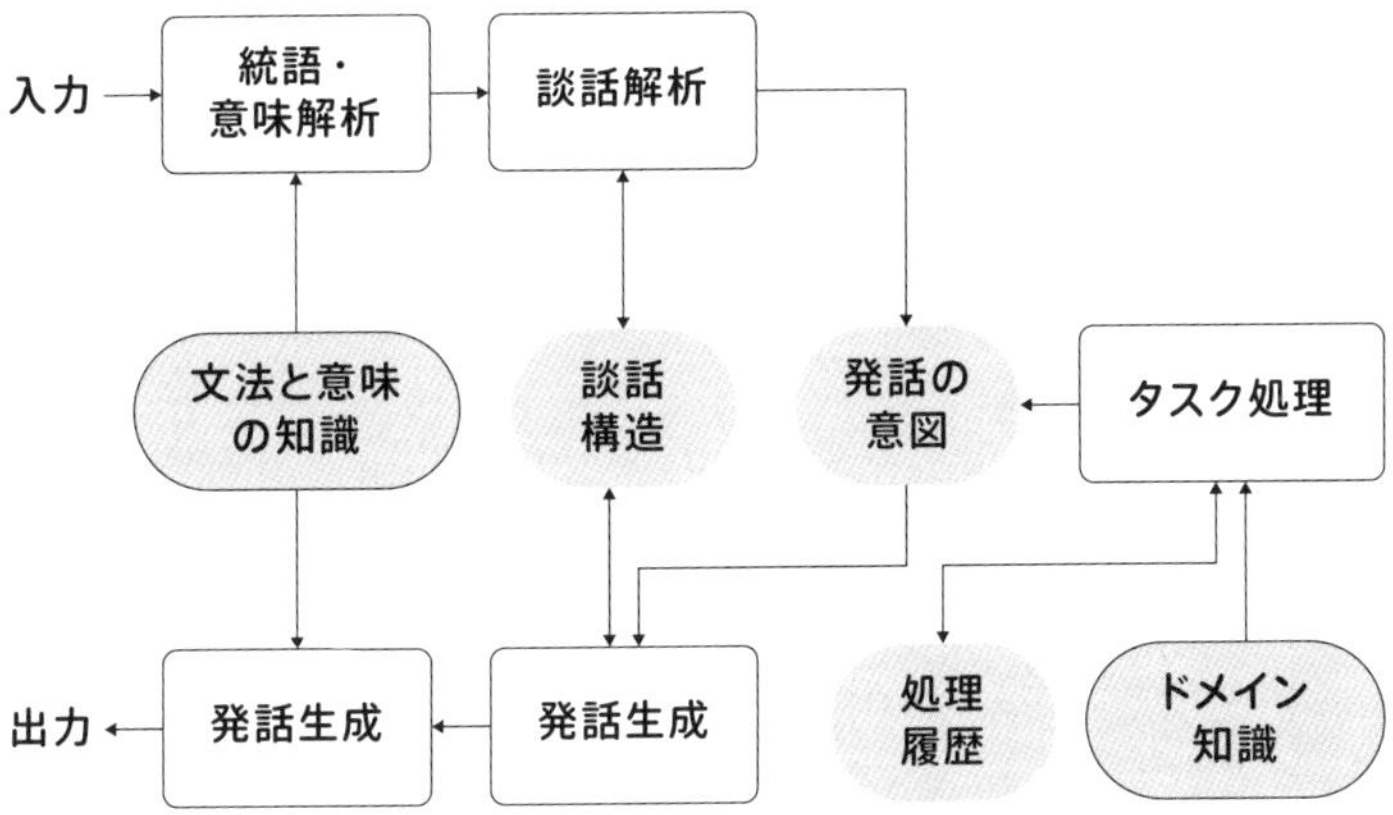

図56　古典的な会話システムの一般的なアーキテクチャ

置き換わる。

アーキテクチャは会話システムのデザインの基本となるものであり、会話システム実現にさまざまな部品の構成原理を与える。アーキテクチャが適切に選べたからといって、会話システムがうまく構成できるというわけではないが、基本的な土台ができていないと部品のつなぎ方の見通しが悪い。

質問応答システムをはじめとする会話システムが初期の試行錯誤の末にたどり着いたのは、言語の階層モデルを反映した図56のようなアーキテクチャであった。

この図に従えば、インプットが与えられると、まず、辞書を使ってインプットにどのような単語が含まれているかを同定し、次に文法と意味の知識を用いて、文法的、意味的な構造の解析を行い、インプットの統語構造と意味構造を明らかにする。これをそれぞれ、構文解析、意味解析という。その次に、文脈——専門的には談話（ディスコース）[Brown 1983]——の解析を行って省略語を補ったり、指示語が何を指しているかを推定したりして、インプットを談話構造のなかに位置付けて、発話の意図を求める。質問応答のタスクでは、質問をインプットしたユーザが求めている情報が何であるか、文脈に即して同定することになる。タスク処理では、タスクに関わる知識——ドメイン知識——や、過去の処理履歴を用いて、ユーザへの回答を発話の意図への情報追加などの形で求める。その後は、解析と逆向きの処理を行って、アウトプットとなる言語表現を出力する。

一見、きちんと手順を踏めばうまくいきそうに見えるかもしれないが、そうではない。現実は生易しいものではなく、そこには多種多様の困難が複雑に絡み合っていて、一筋縄ではいかない。

私たちが日常使っている自然言語——日本語、英語、中国語……——には、細かな規則がいっぱいあるばかりでなく、「Bankは銀行なのか、堤防なのか？」といった語の曖昧性、前置詞句「for it」は、先行する名詞句を修飾するのかそれとも、動詞句を修飾するのかという、係り受けの曖昧性、そして、「it」が何を指しているか特定できないケース、話者が情報を明示的に表示しないことによって生じる省略、果ては言い間違いや勘違いなど、枚挙にいとまがない。

意味がわからないとインプットを正しく単語に分割したり、統語構造を決めたりできないときや、意味がわかっても曖昧性を解消できないときが少なくない。

例えば、「ぼくのグレープフルーツといちご」という句は、「グレープフルーツといちご」が「ぼくのもの」であると普通は解釈されるだろう。では、「ぼくのグレープフルーツといちごのタルト」の場合はどうだろう？ 「グレープフルーツといちご」を入れた「タルト」か、「グレープフルーツ」と「イチゴのタルト」なのか、これだけでは断定できない。さらに、文法構造だけで解析すると、「ぼくのグレープフルーツ」と「いちご」が並列句になっているのかもしれないという、ふつうでない解釈までも構文解析プログラムは疑ってしまう。

ただし、研究室で実験をしたり来訪者にデモをしたりするくらいなら、図56のアーキテクチャは簡明でわかりやすいので有用であり、必要に応じてより単純化することもできる。

先に述べたＰｅｅｄｙエージェントはこのアーキテクチャを単純化して、目標達成に直結した部分だけを取り出して強化することによって構築された。

「ユーザの望んだ音楽を推定して、聴かせる」というアプリケーション領域において、ユーザとの会話が、「ユーザは、好みの音楽をまだ言っていない」、「ユーザが好みの音楽を示した」、「ユーザが好みのミュージシャンを示した」、「ユーザがどのアルバムが好きかを示した」、「ユーザがどの曲が好きかを示した」などの中のどの状態にあり、どのようなメッセージを表しているか、といった観点からユーザの音声が解析され、それに応じて処理が行われている。Ｐｅｅｄｙではアプリケーションを絞り込んで、うまくシステムを作り込んだことが、ユーザとの間のさくさくした会話を可能にした。また、ミュージシャンの名前や、曲の題目がよく聞き取れるよう細かいところまで作り込まれている。また、背景やキャラクターアニメーションでユーザを楽しませ、システムに引き込んでいる。

Ｐｅｅｄｙのアーキテクチャは、Ｐｅｅｄｙエージェントが社会的インタラクションというコンセプトを小規模ではあるが具体的なタスクを設定してデモするという、絞り込まれた目標に対してはうまくいったが、多くのユーザに開放して広く使ってもらう場合にはうまくいかず、本格的なアプローチが必要になる。このあたりについては、自然言語処理の専門書（［黒橋２０１６］など）に譲り、こちらは、会話システムの主要なアーキテクチャに話題を移そう。

図56のアーキテクチャは簡明ではあるが、タイミングを考慮した処理をしたり、インプットに応じて処理の順序を臨機応変に変えたりしようとするときは具合が悪い。また、より大きなシステムに組み込む時は、図56のようにまとまった形ではなく、もっと小刻みに機能を利用したいことがある。

黒板システム・アーキテクチャ

黒板モデルは、音声理解システムHEARSAY-IIを実現するために導入された[Erman 1980]。音声発話を実現するためには、音響信号処理、言語処理、応答生成など、さまざまな作業プロセスを多数連携させる必要があった。そのために、図57のように、「黒板」と呼ばれるデータベースを用意しておいて、作業中にわかったことや、作業中に立てられた仮説、そして、それらの間の関係を作業プロセスの間で共有できるようにした。これによって、多数のコンポーネントを導入して処理を並行して進めることができるとともに、階層を超えたコンポーネント間の連携も容易にできるようになった。

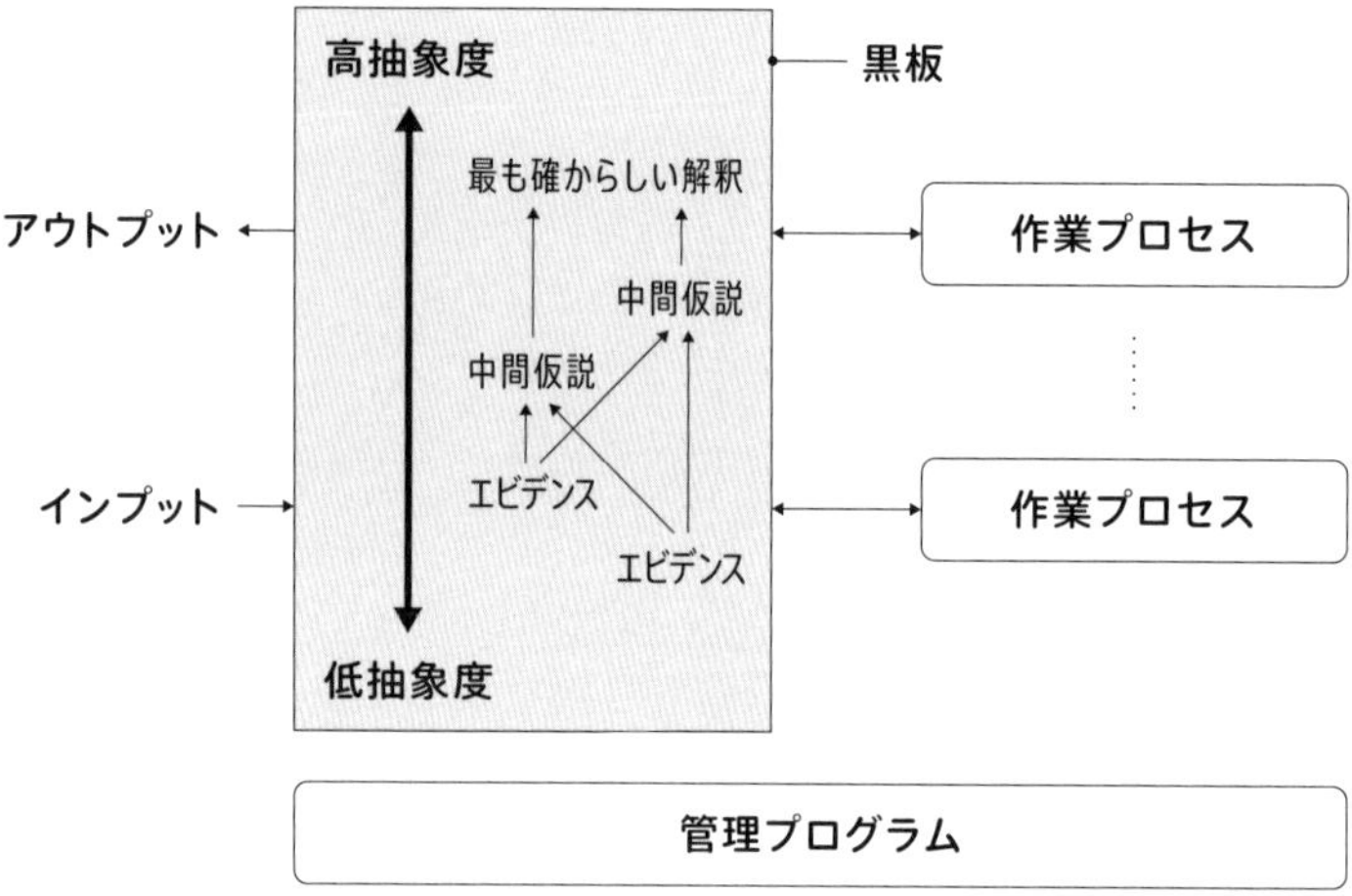

図57　黒板システム・アーキテクチャ

こうした構図はＡＩシステムに共通して見いだされるものであり、黒板モデルは多くのエージェントが相互に情報を交換しながら並行して処理を進める分散協調問題解決や、マルチエージェントシステムの研究の出発点となった［Bond 1988］。

認知科学的な動機から生まれたＢＤＩ

ＢＤＩアーキテクチャ［Georgeff 1990］は、機能的な観点から人知の働きを理解することをめざした認知科学の研究を参考に考案され、マルチエージェント・システムの基本的手法の一つとなった。ＢＤＩアーキテクチャは、環境内で生じ

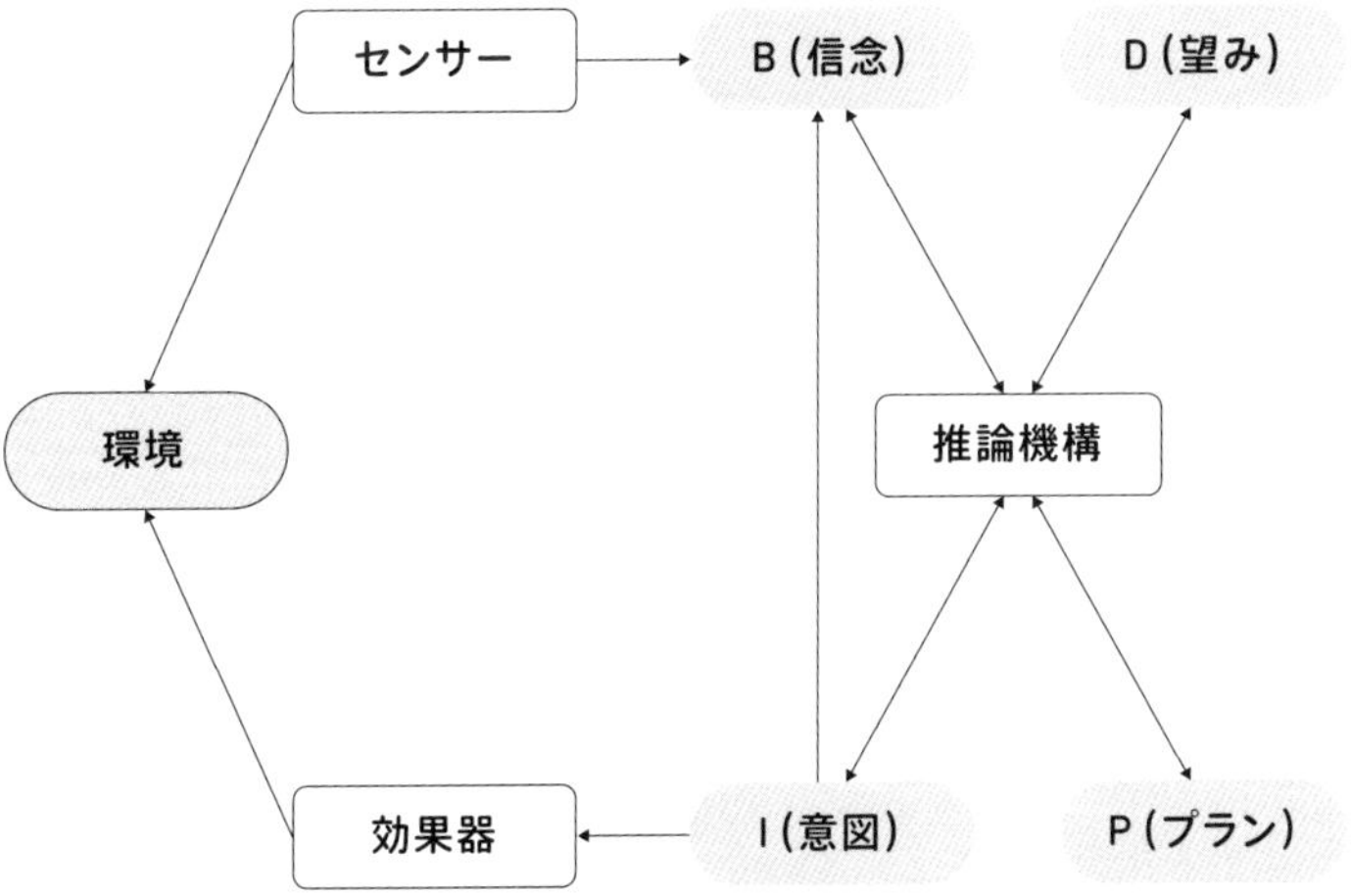

図58　BDI（Belief-Desire-Intention）アーキテクチャ

るさまざまな状況に対して自律的に行動して与えられたミッションを果たすＡＩエージェントを構築するために提案された。図58のように、Ｂ（環境の解釈）、Ｄ（願望）、Ｉ（意図）、Ｐ（プラン）の表現を格納したボックスから構成される。

　ＢＤＩアーキテクチャを用いたエージェント・プログラムは、センサー、推論機構、効果器のコンポーネントから構成される。センサーは環境を計測・数値化して、その結果をＢボックスに格納する。その結果は必ずしも正しいとは限らないが、ＡＩエージェントはそのことを知ったうえで、信じざるを得ないという意味で「信念」と表している。信念という呼び方は、ＡＩ研究分野では伝統的なものであり、正しさが保証されていると開発者が前提としている「事実」や「知識」とは区別された用語となっている。

推論機構は、ＡＩエージェントが達成する目標や行動の結果生じ、達成されると消えていくさまざまな小目標を管理するＤボックス、小目標を達成するためにプランニングを行って生成したプラン——目標を達成するために可能な行動の系列——を格納するＰボックス、可能なプランのなかからＡＩエージェントが選択し、専念することに決めたプラン（意図）の遂行状態の記録を格納したＩボックスの内容を更新していく。効果器はＩボックスのなかから環境に対する行動にかかわりのあるものを拾い出し、それを実行する。

このようなアーキテクチャを用いることで、会話システムを実現するための考え方が整理されるので、そのメリットは大きい。ＢＤＩアーキテクチャは、自律的なＡＩエージェントを実現するための標準的なアーキテクチャとなった。会話システムを構築するときも参考になる。

ＢＤＩアーキテクチャに対する認知科学的な批判は、願望を管理するＤボックスの内容がどのように生まれるか、十分な検討がなされていなかったことである。ＢＤＩアーキテクチャはもともと限られた認知能力しか持たないＡＩエージェントが外部からセットされ

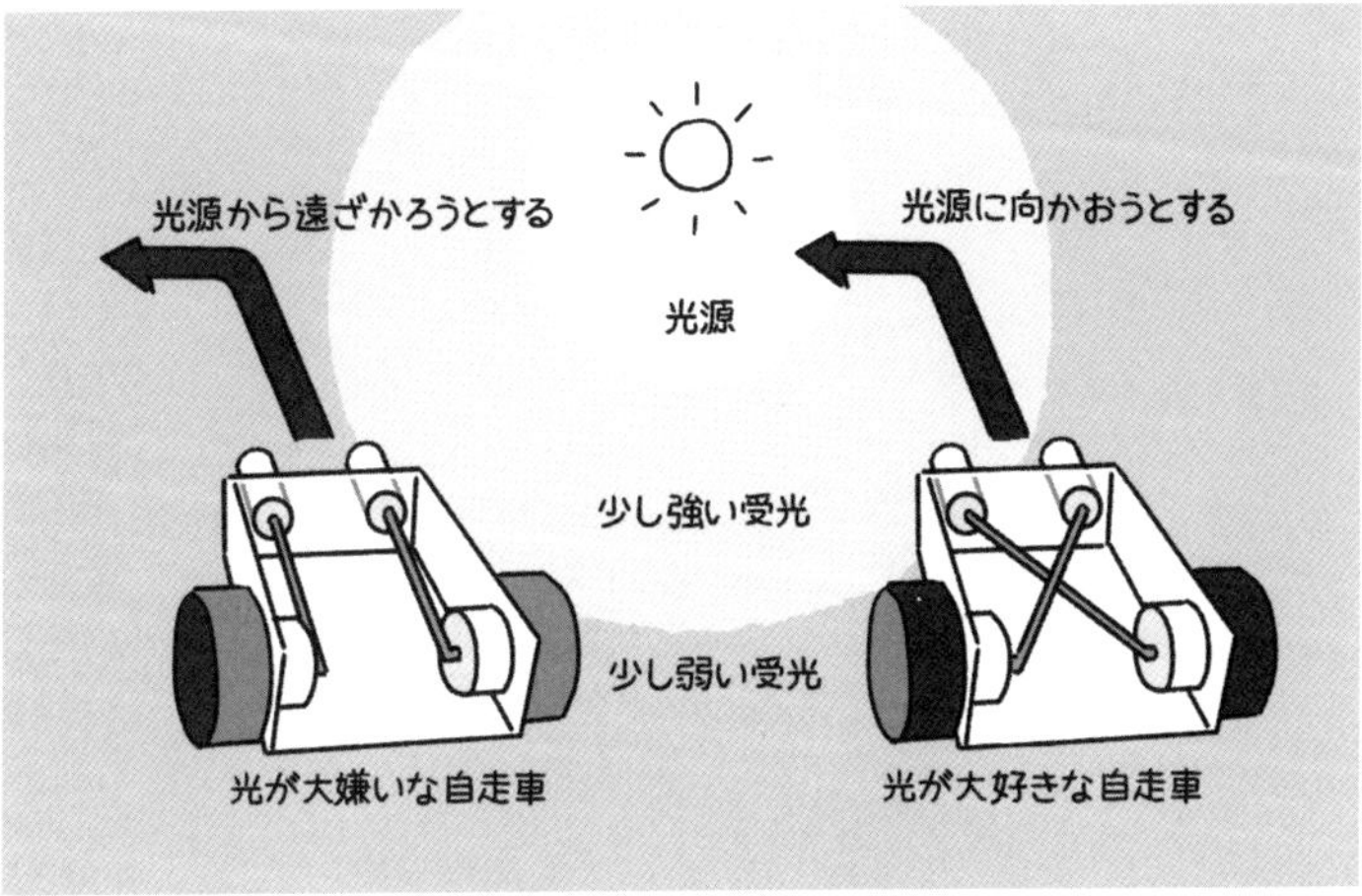

図59　ブライテンベルクのおもちゃ自走車

た願望を合理的な行動で達成するために提案されたものであり、生命的な動機や感情によってDボックスの内容が決まることは想定していなかった。そこで、生命的な動機や感情を生み出すコンポーネントを作って、AIエージェントに組み込む必要が出てくる。

ブライテンベルクのおもちゃ自走車

あたかも感情をもつかのようにふるまう「機械」を作り出そうとした試みのなかで有名なのはブライテンベルクのおもちゃ自走車［Braitenberg 1984］と呼ばれるものである。そのなかの代表格は図59に示した光が大嫌いな自走車と、大好きな自走車である。

それぞれの前部には、光に感応するセンサが取り付けられており、センサからの信号の強さに応じて車輪が駆動されるようにできている。図59左の光が大嫌いな自走車の方は、右のセンサが右の車輪を駆動し、左のセンサが左の車輪を駆動するよう配線されている。図のように、光源に向かって左側に置かれると、右のセンサより左のセンサの方がわずかではあるが光源により近いので、右車輪の方が強く駆動され、その結果、この自走車は左の方、すなわち、光のないほうに動く。他方、このように配線された自走車が光源に向かって右側に置かれると、同じ原理で、右側——またしても光のないほう——に動く。すなわちこの自走車の動きを見ていると「光が大嫌い」に見える。

図59右の内部配線が少しだけ違った自走車の方は、今度は光源の右側に置かれても左側に置かれても、光源に近づこうとするので、こちらは、「光が大好きな自走車」に見える。

ブライテンベルクのおもちゃ自走車が実際に動く姿は意外に面白いし、私たちの一次情動もこうした固定的な結線が複雑になったところから生じているのではないかと思えなくもないが、そこを研究の起点にするのは無理であろう。

認知的アーキテクチャで動物の行動基盤から感情、心の理論までシミュレートを図る

動物行動学では、動物はおおむね一時に一つのことをしていると考えられてきた。複数の候補があるときは、そのなかの一つを選び、他を抑制する。しかし、ゆとりがあるときは、優先度が低い行動を完全に抑制せず、実行を許す。そのようなとき、はた目には複数のことを並行して進めているようにみえる。しかし、重要な事態が起きると、他のことは中断して、最優先の行動をする。

ALIVEプロジェクトで人工犬サイラスの行動メカニズムを構築したブルース・ブルンベルクは、こうした動物行動学の考え方を取り入れて人工犬サイラスを生命らしくふるまわせようとした [Blumberg 1997]。基本的には、競合する活動は相互に抑制しあい、そのなかで一番強いものだけが残る「勝者総取り」方式を用いて行動選択を行う。

動物がにおいや音などの特定の刺激によって、遺伝的に定められた行動を発現するのは、その背後に常に蓄積された状態のエネルギーを刺激によって解放する解発メカニズムがあるからではないかと考えられてきた。ブルンベルクは、解発メカニズムを図60に示したアーキテクチャを用いて実装した。

このアーキテクチャでは、感覚器によって獲得された外界情報が解発メカニズムに送ら

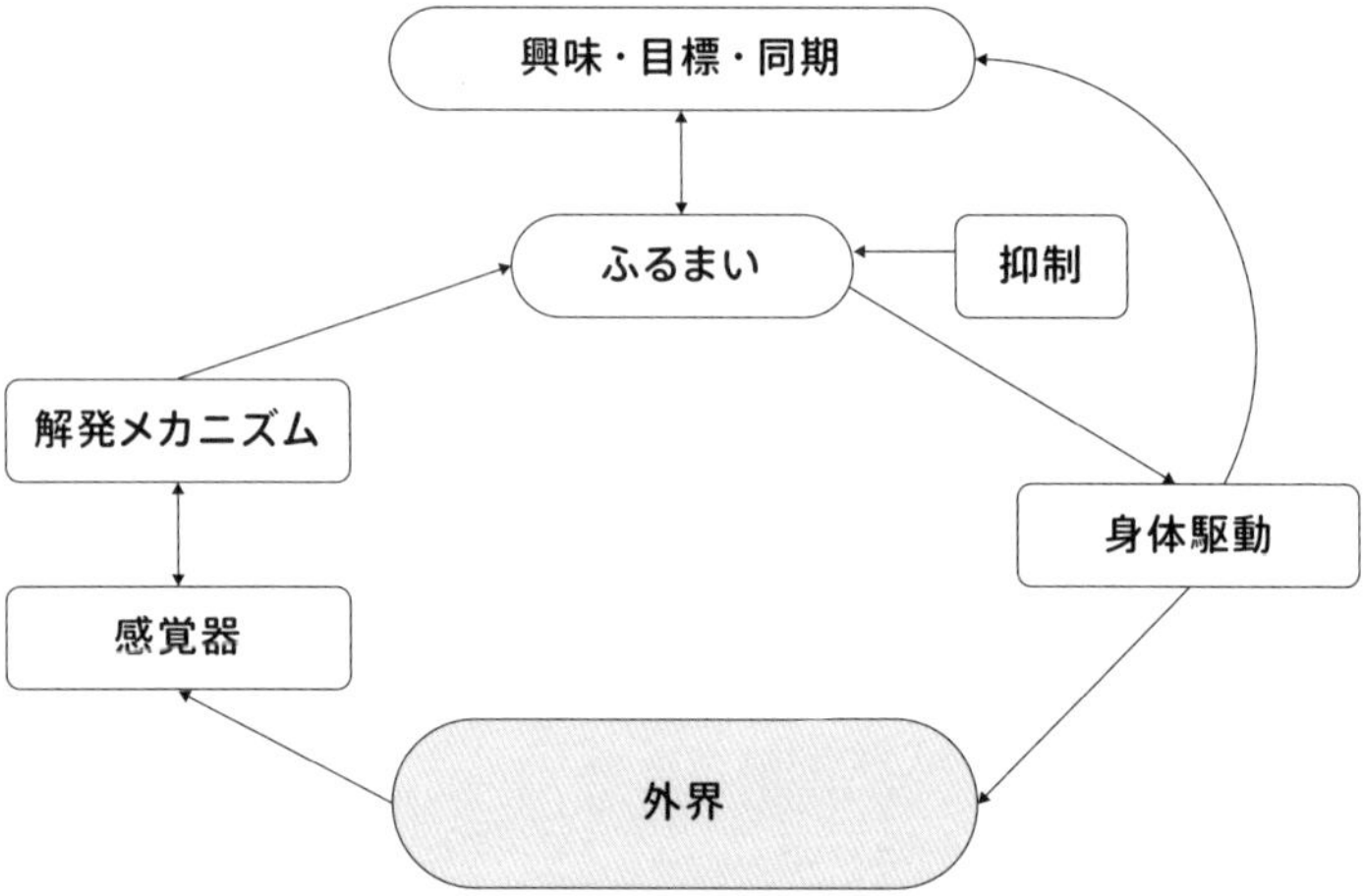

図60　サイラス犬のアーキテクチャ

れると、その刺激に対応する一連のふるまいが生成される。これと並行して、空腹、のどの渇き、恐れ、攻撃などを表す内部変数の値が、シミュレートされた興味、目標、動機、抑制に応じてコントロールされ、それらを総合して、最終的なふるまいが決定され、そこから身体動作が生成される。それぞれの活動には、促進要因から疲労を差し引いた、活性度が割り当てられる。そのために抑制と疲労を表す変数が用いられ、活動を続けると疲労が増えるが、活動を止めると疲労は減衰するようにした。

感情に関しては、ロザリンド・ピカードが著書［Picard 1997］において、図61のよ

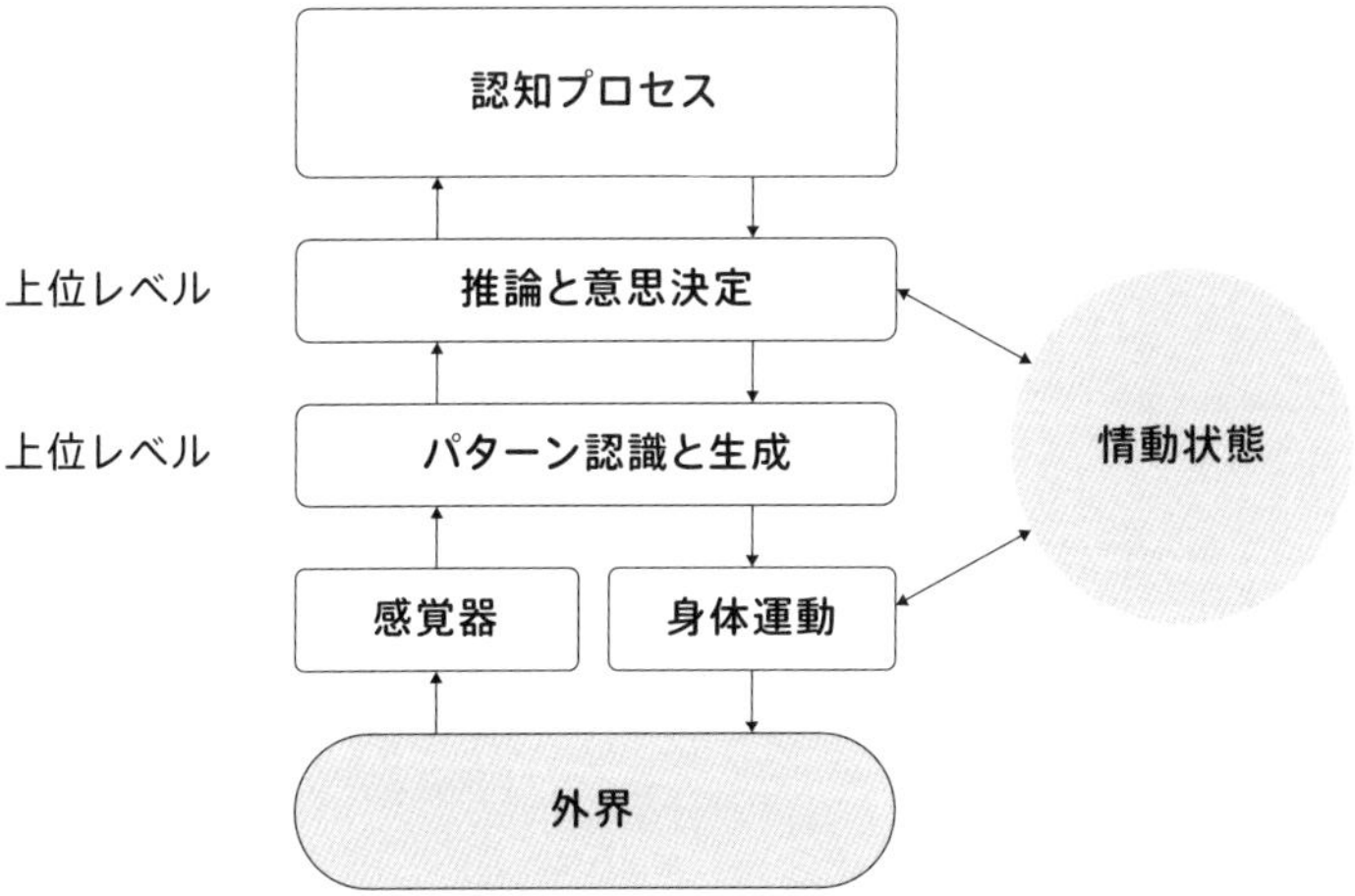

図61　2次情動モデルに基づく認知アーキテクチャ

うな、信号レベルの情報と認知レベルの情報の間の変換を行うパターン認識と生成を行う下位レベルと、推論と意思決定を中心とした上位レベルからなる2層構造のアーキテクチャを示し、その後の研究に大きな影響を与えた。

　下位レベルは、外界から感覚器を介して得られた信号レベルの情報を情動状態に基づいて解釈して上位レベルに送り、状況に応じて情動状態を更新するとともに、上位レベルから送られてきた認知レベルの情報を情動状態を参照しつつ、身体運動に変換して外界に作用をもたらし、情動状態も更新する。上位レベルは、情動状態の抽象的な表現に基づいて、抽象度の高い認知レベルの情報を用いて、推論や意思決定を行い、情動状態を更新する。

これは前章で述べたダマシオの二次情動の理論に触発されたアーキテクチャである。階層的な構造は実装もしやすい。このモデルを具体化して、ユーザとボードゲームをプレイするゲームエージェントの感情的なインタラクションを実現するためのＷａｓａｂｉアーキテクチャ［Becker-Asano 2008］が実現された。さらに、身体から内発する生理的欲求をシミュレーションする機構や、心の理論に基づいて他のエージェントの心的状態を推定する機能を組み込んで、情動的なレベルと認知的なレベルの間の複雑なインタラクションに基づく行動を生成するためのアーキテクチャも提案された［Lim 2012］。

会話エージェントのふるまいを記述する

これまでみてきたように、会話エージェントをきちんと作ろうとするとさまざまな側面からの取り組みを総合する必要がある。従来の経験の蓄積を踏まえて、本格的な会話エージェントづくりをめざしたいという人たちがいる一方で、会話エージェントにはいくつもの魅力的な応用があるから、多少粗くてもいいから、不完全なところはいろいろな方法で補って、とにかく会話エージェントを動かして使ってみたいという人たちもいる。

スクリプト言語やマークアップ言語を用いた手法〔Prendinger 2004〕のうちのいくつかは、本格実装向き、別のいくつかはお手軽実装向きである。

一般に、スクリプト言語とは、JavaScript、Python、Ruby、PHPといった簡易でわかりやすいプログラミング言語をいう。会話エージェント用のスクリプト言語は、キャラクターの動作と動作をつなぐロジックを簡便に記述して、すぐ実行できるようになっている。

他方、マークアップ言語とは、例えば、日本語テキストに「これは文です。主語はこれ、目的語はこれ、述語はこれ」といったマークをつけて、人間だけでなくコンピュータにもはっきりとデータの構造を伝えられるようにしたものである。

BML〔Kopp et al. 2006〕は会話エージェント向きのマークアップ言語の代表例であり、会話エージェントのアニメーションの構成要素——発話、ジェスチャ、頭部の動き、等々——の内容とその時間関係を記述できるようになっている。AIML〔Wallace 2003〕は、ワイゼンバウムのELIZAに触発された、チャットボットの受け答えルールを記述するためのマークアップ言語である。

すぐ実行できることに重点を置いたスクリプト言語と異なり、マークアップ言語はあくまでも会話エージェントの動作や動作の間の関係を記述することを主目標としたものである。会話エージェントを動かすためには、マークアップ言語の記述に基づいて、会話エージェントの身体の各部が時間の経過とともにどのように動作するかを規定したアニメーション情報を生成しなければならない。

スクリプト言語方式の多くは、会話エージェントの動作を細部まで記述することを許さず、また、会話エージェントに複雑な動作をさせようとすると、そのためのロジックをすべてプログラミングによって記述しなければならないので労力が大きい。他方、マークアップ言語方式では、会話エージェントの動作の記述とその解釈実行のロジックは分離されるので、データ処理を中心に動作を記述できる。また、会話エージェントの動作を全面的に記述する必要はなく、例えば、発話だけに限定して記述したものを、身体の動きについて記述したものと組み合わせることができる。

キャラクターのアニメーションをプログラミングによって作り出そうとすると、顔表情、ジェスチャ、音声など、複数のモダリティの動きを連携させねばならず、人と同じような自然なマルチモーダル・プレゼンテーションができるようにするのは大変困難である。マークアップ言語で動作記述を作り出すことも、プログラミングの手間が若干軽減される

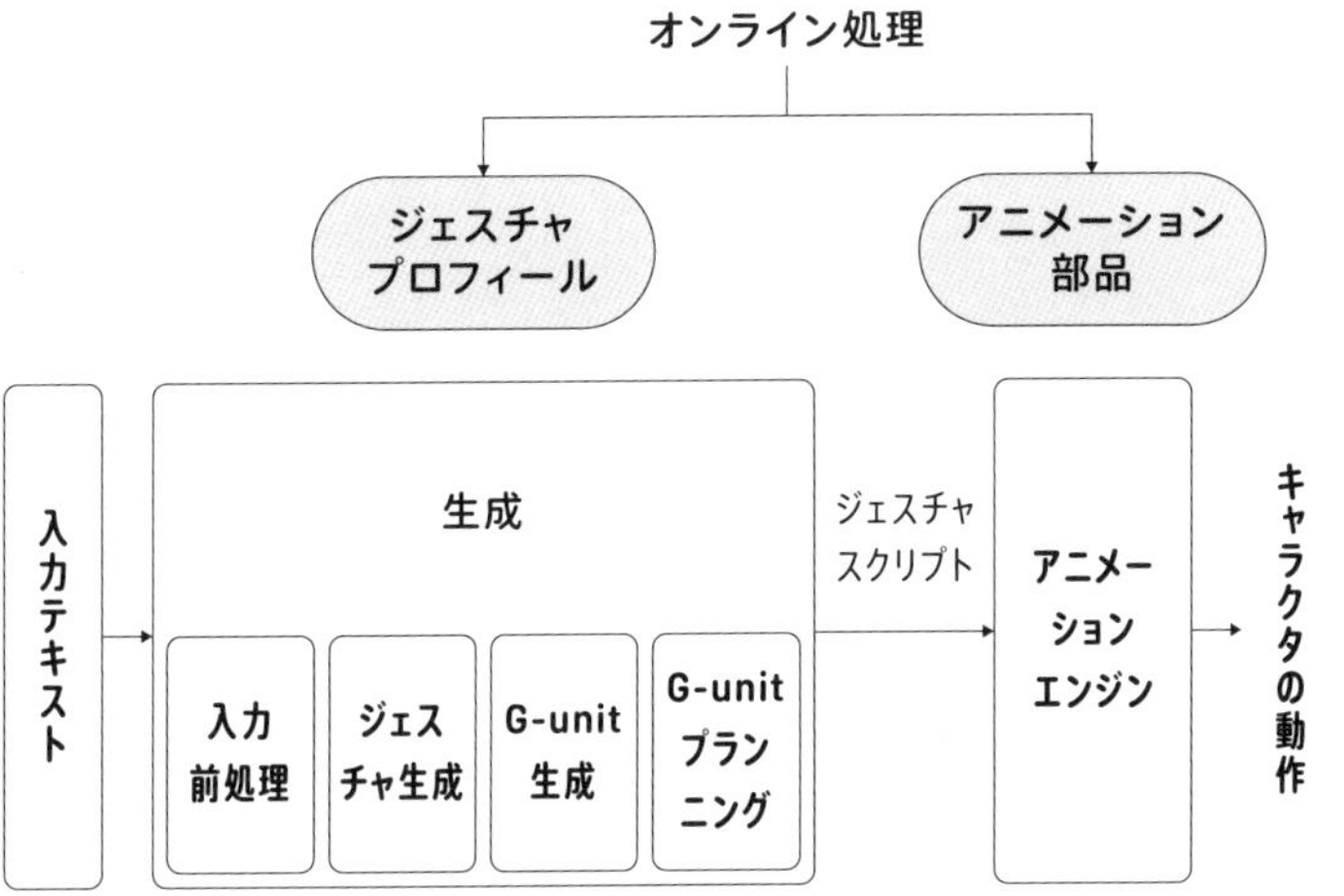

図62　キャラクタアニメーション生成の枠組み

だけで、ほぼ同様である。

大きなコストがかかってしまうという困難を回避するために、人間のふるまいを計測して、形状の特徴や、タイミングの関係を詳細に記述したデータを作成し、そこから汎用アルゴリズムによって会話エージェントの動きを生成することが考えられる［Kipp 2004］。

このアイデアをシステム化した方式［Kipp 2007］を図62に示す。キャラクターの動作生成に先立って――オフライン処理で――人間のふるまいを計測して得られたジェスチャ・プロフィールとアニメーション部品を用意しておく。ジェスチャ・プロフィールは、キャラクターの動作生成に使用できるジェスチャについて、動作の系列、意味的な情報、談話構造に与える効果、継続時間などの情報を提供する。アニメーション部品は実際のキャラクター・アニメーションのための情報を提供する。このシステムの入力は、語の区切り、時間情報、談話情報（新しい情報か、すでに導入済みの情報か、発話の焦点となるかどうか）を含んだマークアップ言語によるテキスト表現である。こうして与えられた入力の表現にふさわしいジェスチャをジェスチャ・プロフィールの情報に従って決定し、ジェスチャとその構成部品（G-unit）を少しずつ生成し、プランニングを行って、ジェスチャを構成する細かな動きとタイミングを決めていく。それが終わると、アニメーション部品に関わる情報を使って、キャラクター・アニメーションを生成する。

スマートスピーカーを駆動するALEXAなどもこうしたアプローチを機械学習で強化し、音声認識と自然言語処理をうまく組み合わせて、アプリ開発者がユーザからの入力をアプリ実行のための表現に容易に変換できるようにするサービスを提供している［Kumar 2017］。

機械学習による一般モデルを用いた会話行動の生成

２０１４年５月に公開され、世界で最も人気のあるチャットボットシステムの一つとなったシャオアイスでは、ＩＱ（問題解決型知性）とＥＱ（感情的知性）とPersonality（個性）の高い会話手法を実現するために、図63のように、強力なチャット機能、会話スキル、共感を高めるための工夫など、多彩な手法を用いている [Zhou 2020]。チャットコアのなかには、一般的なチャットや特殊な話題向きのチャットを生成するための部品が含まれている。また、会話スキルとして、タスク遂行や深い話題への対応、イメージとの関連づけ、コンテンツ制作も含まれている。さらに、ユーザに共感をもたらすために、ユーザ理解、社会的なスキル、パーソナリティなどの手法が用いられ、基礎データとして、会話を行うためのテキストや知識が用意されているだけでなく、ユーザプロフィールや自分――シャオアイス――のプロフィールも仕込まれている。

従来のチャットボットでは、手づくりのルールに基づいて、ユーザのインプットからシステムのアウトプットを生成していたが、シャオアイスでは、深層学習でトレーニングしたニューラルネットワークを用いて生成する。

シャオアイスで用いられているニューラルネットワークは、図64のように、入力ＲＮＮ、

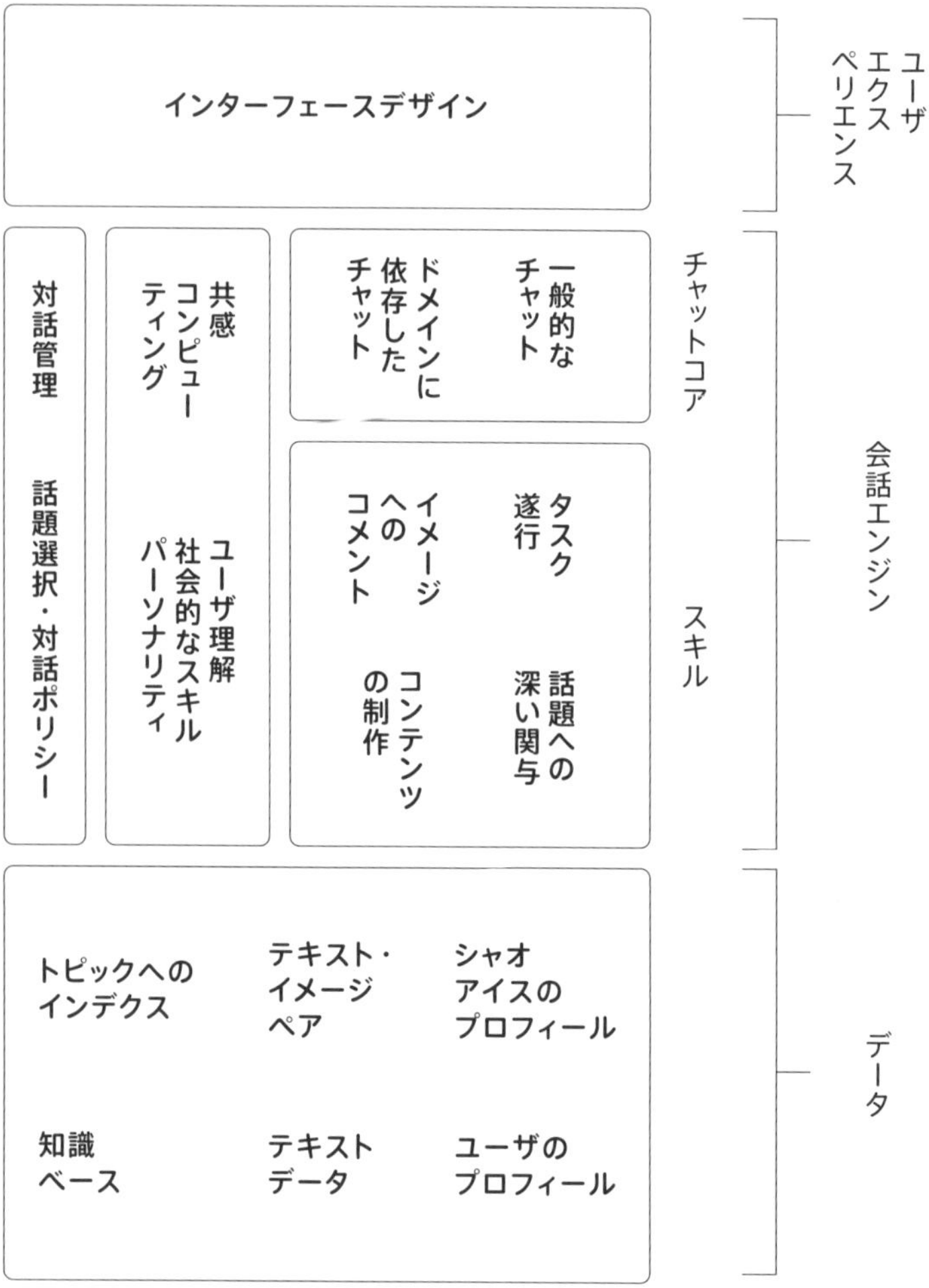

図63　シャオアイス（XiaoIce）のアーキテクチャ

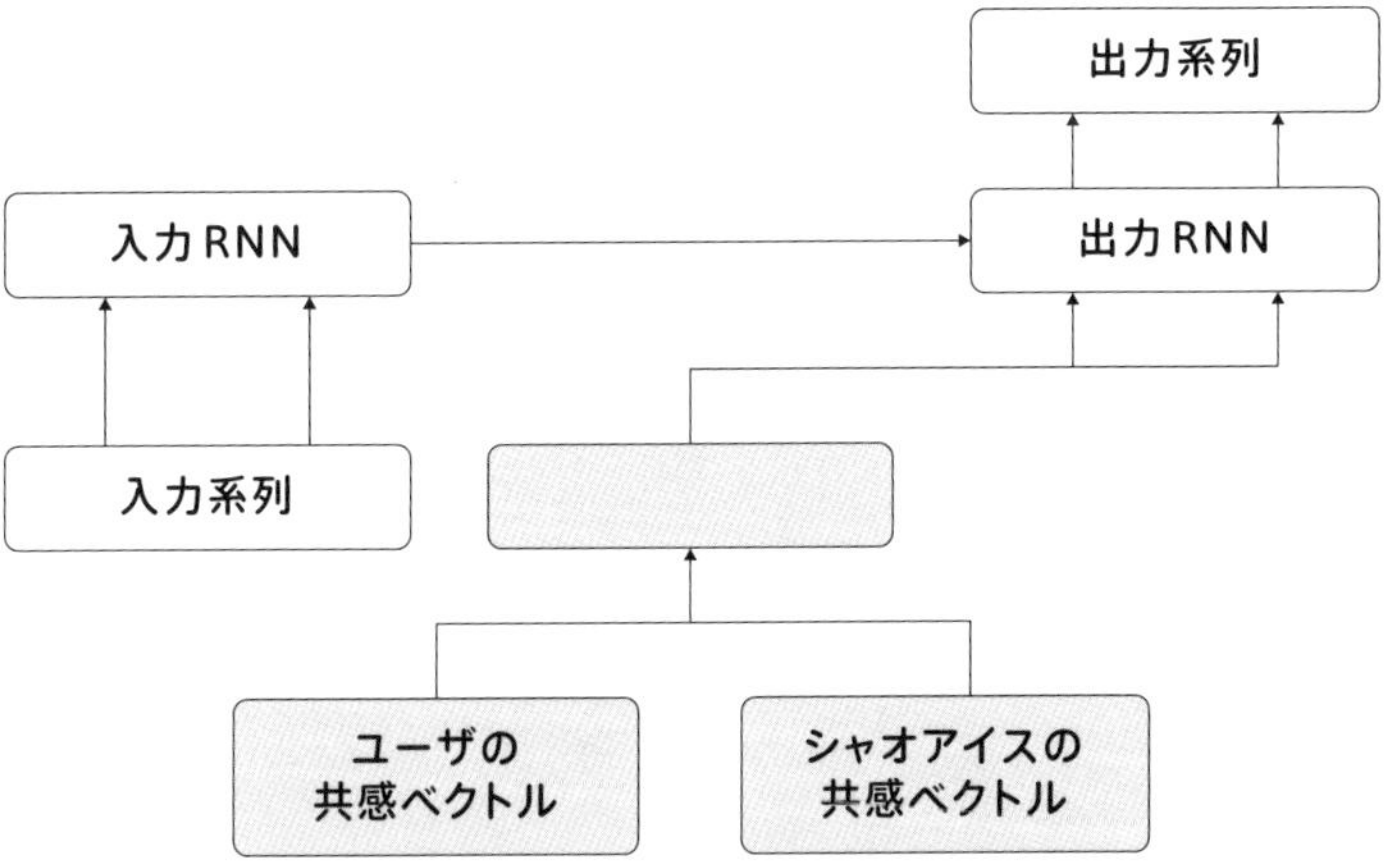

図64　シャオアイスで応答生成のために使われている
ゲート付き回帰型ニューラルネットワーク（GRU-RNN）

出力RNNと呼ばれる2個のゲート付き回帰型ニューラルネットワーク（GRU-RNN）を接続した系列変換モデルであり、チャットコアのなかに組み込まれている。ユーザからのインプットは「入力系列」にセットされ、入力RNNによって、先行する入力の文脈を考慮しつつ、系列の構成要素の意味が一つずつ順に、単語や文の意味を表す高次元空間内のデータ（ベクトル表現）に反映されていく。入力RNNのアウトプットとして得られたベクトル表現は、今度は出力RNNのインプットになり、ユーザへの共感を考慮したアウトプットが得られるよう共感コンピューティングモジュールで別途計算された、質問と応答の共感ベクトルを反映して、入力ＲＮＮとほぼ逆のプロセスを経て、システムからのアウトプットとなる。

このシャオアイスの例からもわかるように、最近の会話システムには、目覚ましい発展を見せつつあるニューラルネットワークを用いた自然言語処理研究の成果が取り入れられつつある。従来の回帰型ネットワークは、学習の質においても、学習速度においても高い性能を出すことができないという課題が知られていたが、２０１７年に発表されたトランスフォーマー型の深層学習モデル〔Vaswani 2017〕により、急展開した。トランスフォーマー型の深層学習モデルでは、変換を行うときインプットのどこに注目するかというアテンション機構だけを使って、深層ネットワークを並列にトレーニングできる。結果、ＧＰＴ-２〔Radford 2019〕やＧＰＴ-３〔Brown 2020〕などのような飛躍的に高いパフォーマンスを持つシステムの実現につながり、さらに急速な発展が見込まれている。

会話インタフェース開発の限界

この章では、会話システム実現という観点から、会話システム開発の歴史を俯瞰し、主

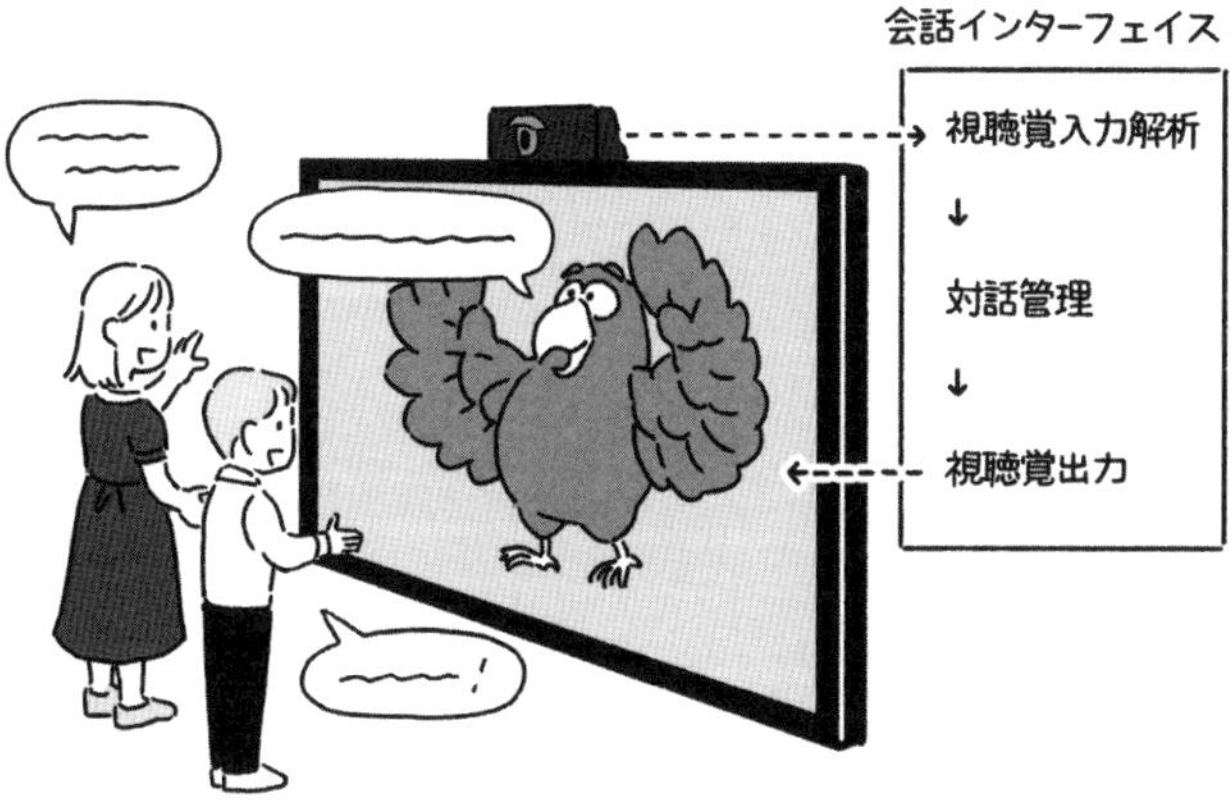

図65　会話インタフェースとコモングラウンド

要な手法をリストアップした。前半では、会話システムの開発の歴史的発展過程をたどった。書き言葉による対話だけの質問応答システムに端を発する会話システムは、言語表現と対象世界の関係をしっかり取り込もうとしたＳＨＲＤＬＵと、会話的なやり取りを取り入れることを重視したＥＬＩＺＡに分かれたが、やがて、ユーザとの対話のモダリティを広げる方向に進み、音声対話システム、マルチモーダル対話システムを経て、ついにキャラクターを使ったマルチモーダル対話システムに発展した。その過程で、物語性、ドラマ性、生命らしさ、そして、会話性やゲーム性を取り入れることも試みられた。後半では、実現手法として、会話システムのアーキテクチャ、高レベルのスクリプト言語、マークアップ言語による機械学習の手法の活用、より強力な機械学習手法の活用の可能性について述べた。

これまでの会話システムの研究開発の状況を見渡すと、図65のように、人間の会話を学びつつ、様々な実装手法――会話システムアーキテクチャ、スクリプト、機械学習――を駆使して、会話インタフェースとして、人間の会話機能の再現を目指してきたと言える。言語運用能力については、一定の成果が得られ、スマートスピーカーなどの形で製品化も行われた。しかし、ユーザ側から見ると、会話システムの背後には単にコミュニケーションだけでなく、サービス提供においてもコモングラウンド機能を期待するので、その要求に会話インタフェースだけで回答しようとすると限界があった。これが本書のコモングラウンド研究の動機の一つになっている。

＊13　BASEBALL が実際に受け取る質問は英語。

＊14　Augmented Transition Network Grammar の頭字語。

AI
による
自律
エージェント

第7章

この章では、コモングラウンドと相乗的に発展することになるであろうＡＩ研究の発展の過程と、そこで見いだされた主な原理を俯瞰する。第二期までのいわゆる古きよきＡＩ——ＧＯＦＡＩ（Good Old Fashioned AI）——に重点を置く。ＧＯＦＡＩは、「自分はこのように考える」とはっきり口にすることができる思考過程の手作り実装を中心に作りだされた。ＧＯＦＡＩは、いまや、高性能コンピュータとビッグデータに基づく深層学習を中心とする現代ＡＩにコストでもパフォーマンスでも全くかなわなくなってしまったのに、なぜＧＯＦＡＩに注目するのか？ それは、本書の目的が、高い知能を持つＡＩを作ることではなく、人と人、そして人とＡＩのコモングラウンドを理解し、強化することであるからだ。

人と現代ＡＩの間のコモングラウンドは、どのようになっているといいだろうか？ 私たちは、きっと心の理論が示唆するように、現代ＡＩは人のモデルを内部に持ち、どのように考え、どのように行動するか、理解してほしいと思うことだろう。他方、人間がどれだけ現代ＡＩが考えていることを理解できるかと言えば、かなり難しい。ＡＩの考えていることが理解できないという声が、最強のゲームＡＩと対戦したトッププレイヤーたちの口から出てくることをしばしば経験した。たとえそうであっても、現代ＡＩには考えたことを人にわかるように説明してほしい。それができなければ、人と現代ＡＩのコモングラウンドは絶望的で、両者の間には不幸な乖離ができてしまうに違いない。

幸いなことに、ＧＯＦＡＩのレベルはそうではない。ＧＯＦＡＩの思考過程が展開されれば、時間がかかったとしても人はそれを理解できる。なぜならば、ＧＯＦＡＩは、人が「自分はこのように考える」とはっきり口にすることができる思考過程をシステム化したものであるからだ。そして、現代ＡＩの思考過程の要所をＧＯＦＡＩの枠組みを使って表現することは可能だろうから、ＧＯＦＡＩを介在させることで人と現代ＡＩのコモングラウンドの形成と発展をリアルタイムに進めていけるのではないか？　この章の残りの部分はそのような希望のもとで執筆した。

人のような賢さを機械に求めて

人のように賢くふるまうことのできる機械を作ってみたいという欲望は、神話の時代までさかのぼる。この欲望はいろいろな危険な側面を含んだものであり、必ずしも手放しで受け入れられてきたものではなく、文化差がある。西欧ではオートマトン――自動機械

――、わが国では江戸時代にからくり人形といった形で顕在化するが、機械仕掛けによって実現される「賢さ」は非常に限定されたものであった。

しかし、20世紀初頭になると、フレーゲ、ラッセル、ホワイトヘッド、チャーチらが、人間の思考の中にある機械的な側面に着目した言説を展開し、チューリングが「思考機械」という形でまとめて、今日のコンピュータの理論的基盤をつくった。これと同等のものをフォン・ノイマンが電子回路で実現し、1951年に商用コンピュータが現れると、AIを取り巻く状況は急展開した。

AI研究が本格的に始まったのは1956年

できたばかりのコンピュータを前にして、これを使って人間みたいに賢い機械を作ろうと決意した人たちが研究に着手した。ジョン・マッカーシーらの呼びかけで1956年夏にアメリカ・ニューハンプシャー州のダートマス・カレッジで開催された夏期ワークショップ（ダートマス会議）で、この新しい研究分野を人工知能（AI）と呼ぶことを決めた。AI研究は、ダートマス会議を起点に発展を続け、いまで65年を経過したことになる［西田 2012]。

AI研究が始まってすぐ、情報の表現、推論、不確実性の扱い、機械学習のような基礎的な分野から、自然言語処理、パターン理解、ゲームプレイング、プランニングなどのような応用的な分野までのAIの研究分野の構造ができあがった。

掲げた研究地図は壮大であったものの、コンピュータのメインメモリーが1メガバイトにも満たず、利用できるデータもほとんどなかった当時は、いかんともしようがなかった。当時の研究で得られ、後世まで残った技術は、発見的探索くらいのものであった。発見的探索とは、基本的な探索技術に、解答探しのコツをうまく組み込んで、多くの場合、劇的に探索量を減らすことのできるようにしたものである [西田 1999]。

愚直に調べつくすのが探索の基本

図66左上のようなパズルを見かけたことがある人もいるかもしれない。

これは15パズルと呼ばれているものである。1番から16番までの番号がついた小さな正方形の番号札16個を4行×4列で収納できる木箱の中に、16番札を除いた15枚の番号札が

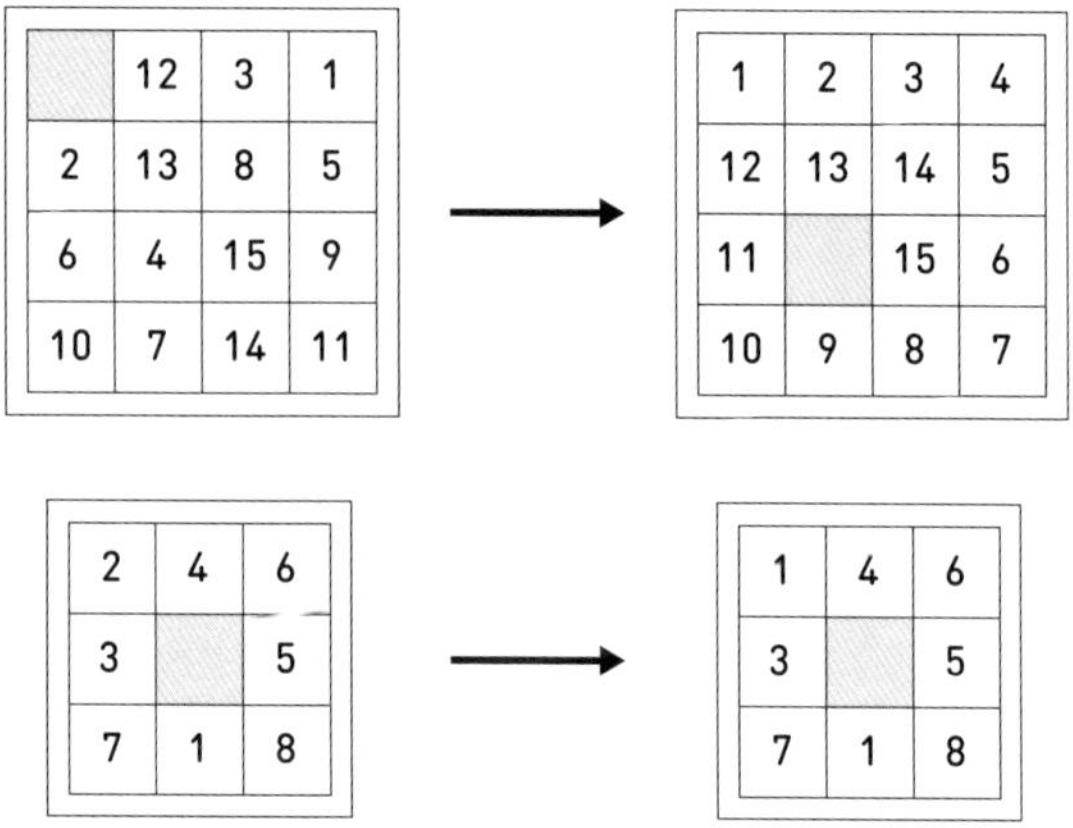

図66　15パズルと8パズル
空いた場所を利用して、木の札を整った配列に並べる。

入れられている。このパズルでは、欠けている16番札の空きを利用して、周囲の番号札を上下左右に動かして、図66右上のように番号札が規則的に並んだ配置を作り出すことが求められる。

図66左下の8パズルは、15パズルの小規模バージョンである。この場合は、1〜8までの番号札が使われ、3×3枚の番号札のスペースが与えられる。シンプルなパズルだが、解こうとしてみるとなかなか解けない。

試しに少しやってみよう。図66左下の盤面から4回駒を動かして到達できるすべての盤面を示してみると図67のようになる。図中の「上」、「下」、「左」、「右」は、

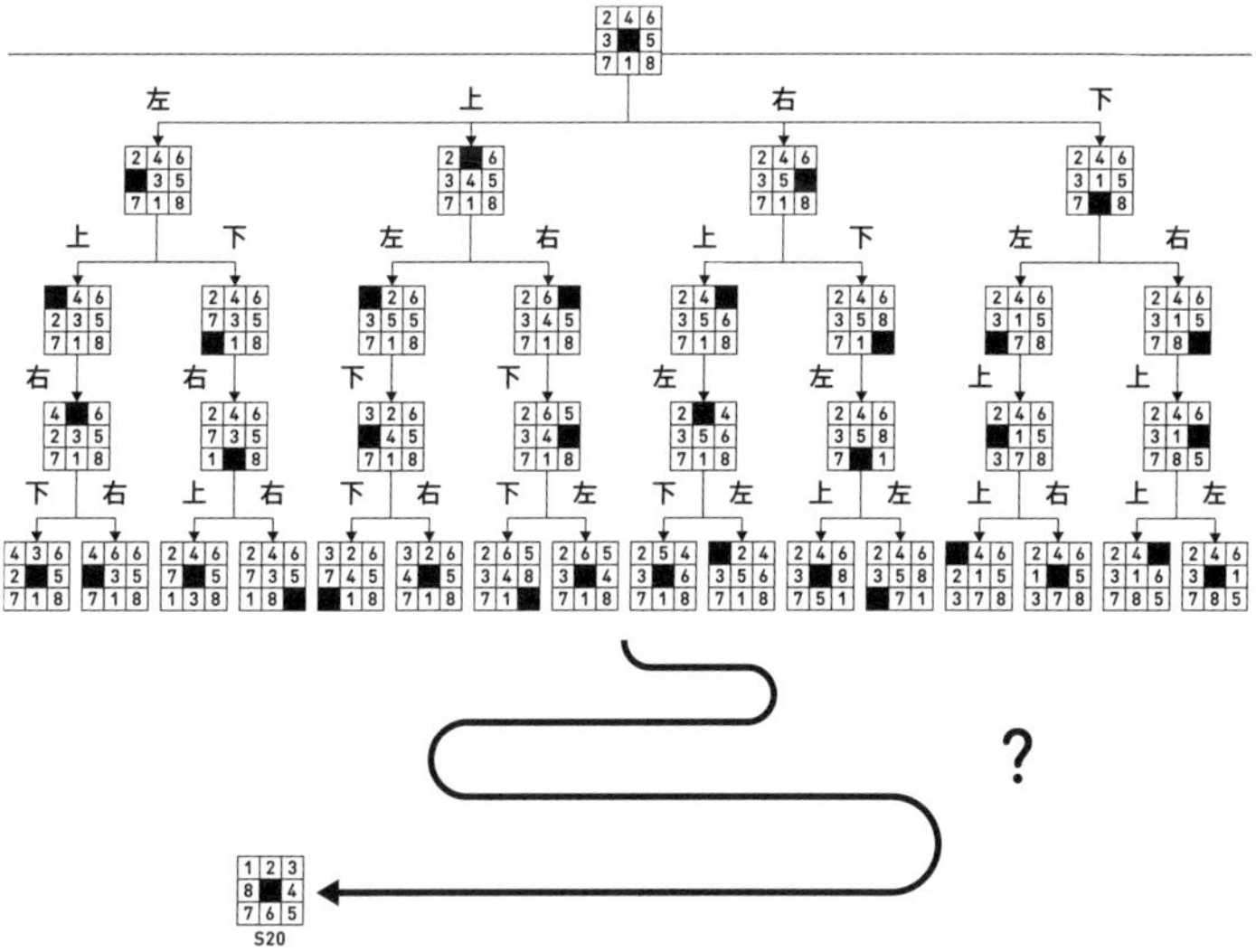

図67　8パズルを解こうとしてみると……

番号札を動かすことで空きスペースがどちらに移動するかを示す。

　これくらいでは、どうしたら目標を達成できるか、見当がつきにくい。はじめの盤面では、空白の位置こそ同じであるが、目標の盤面と同じところに置かれた番号札は7番札だけだ。そこから4回まで番号札を動かして到達できる36個の新しい盤面を眺めてみると、8個の盤面では、目標の盤面と一致する番号札の個数は2個になったものの、目標位置と一致した場所にある番号札を動かさないで目標状態にたどり着くことはできない。

　しかし、このパズルを手にとって、番号札をああでもないこうでもない、と動かしていると、そのうちだんだん考えがまとまってきて、解けることだろう。15パズルの方も複雑さが増すものの、次第に解き方がわかってくる。

ある程度わかってきたところで、どうすれば解けるかを言ってみろと言われても、大方の人ははっきり口に出して説明することはできないだろう。このように、私たちもこうすれば必ずまともな時間内で解けるというやり方がわからず、知恵を絞って解かなければならなかった「難問」を、解き方のコツをうまく教え込んで、当時は現在からは想像もできないほど低速度のコンピュータでも解けるようにしたことが、始まったばかりのＡＩ研究の大きな成果であった。ＡＩ研究の目標は、計算問題のように、こうすれば解けるという問題を解くことではなく、人にとっても解き方そのものがよくわからないような難問を解ける「賢い」プログラムを作ることであった。

こうした問題は、

状態集合：可能な盤面の集合
初期状態：可能な盤面のうちの一つ。任意に与えられる
目標状態：整った状態

基本操作：空きを上下左右のうちの一方向に動かす（高々4通り）

というように状態空間探索問題として定式化できる。そういうことであれば、プログラムを作って、この定義に従って初期状態から出発して、基本操作の可能な適用のしかたをすべて網羅して目標状態に到達するかどうかを調べればよいと思うかもしれない。しかし、いくらうまく定式化できるといっても、この操作をまともに実行すると大変だ。８パズルの場合、盤面の数は９の階乗で３６２，８８０個あるので、手作業では到底追えない。昔のコンピュータでも全部調べるのには時間がかかる。簡単そうに見えて手ごわい問題であった。８パズルは、ＡＩ研究で最初に成果が得られた発見的探索と呼ばれる手法を解説するためにちょうど手ごろであったので、ＡＩの初期の教科書には必ずと言っていいほど例題として取り上げられた。

図66左下の盤面から20回番号札を動かすと、目標状態に到達することができる。これが最少回数であり、そのような番号札の動かし方を最小解と呼ぶ。そうした番号札の動かし方は、３通りあるが、そのうちの一つを図68に示す。目標状態と同じ場所に置かれている番号札には、灰色の網掛けをしている。目標に近づくにつれ、灰色の網掛けをされた番号

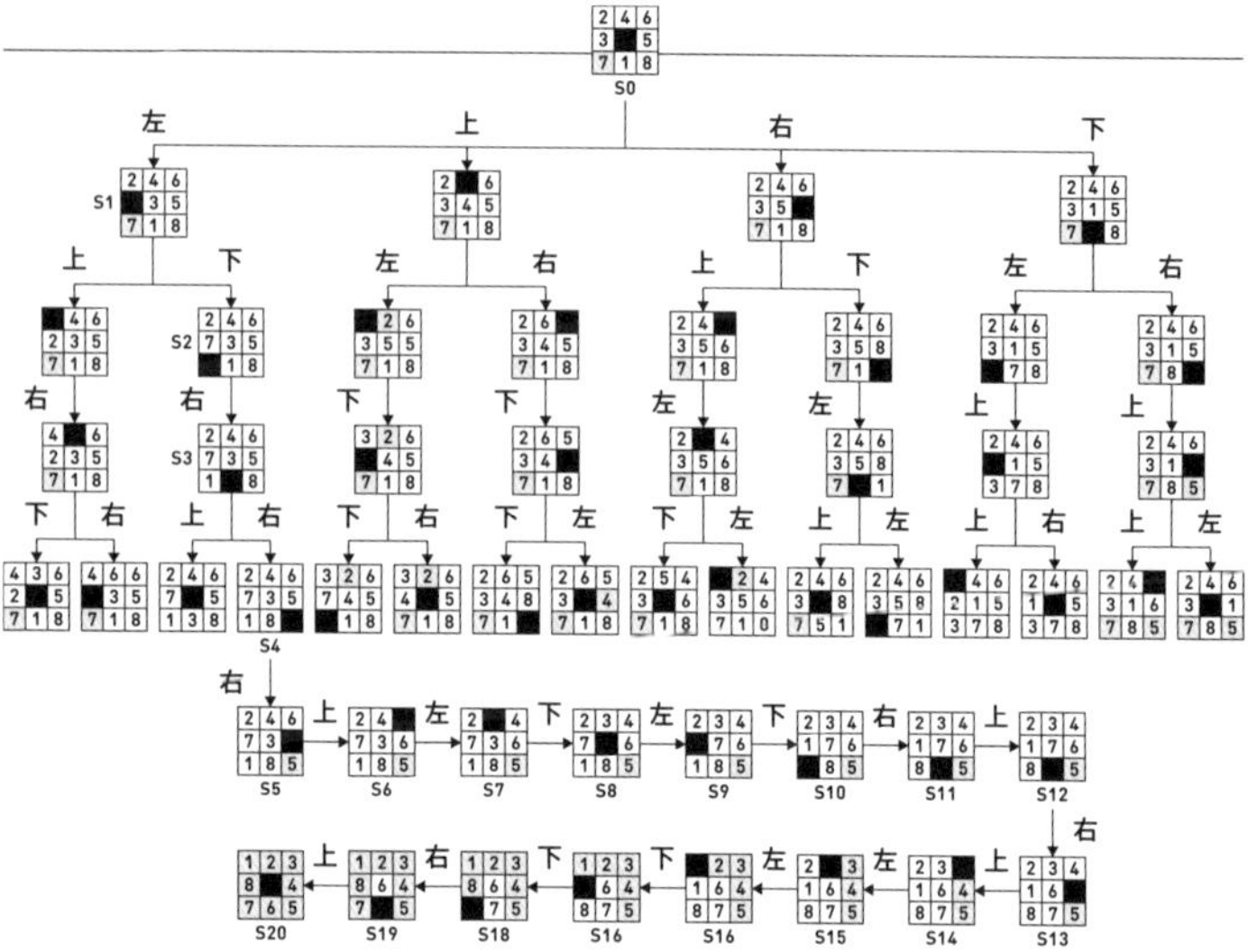

図68　8パズルの3つある最小解のうちの1つ

札の枚数が次第に——しかし、ときには減少もしつつ——増加している。

探し方のコツを与えて探索範囲を狭める発見的探索

では、どのようにしたら最小解をみつけることができるだろうか。素朴に考えれば、目標とする盤面はわかっているので、そこに少しでも近づくように番号札を動かせばいいように思われる。

これはそう悪くない考えのように思える。そこで、番号札を動かしてみて、一致度が高まるところを重点的に探す方法が考えられる。この思いつきをストレートに実施する方法は、山に登るとき最も勾配のきついところを選んで登っていくのが頂上への近道だというあてずっぽうの仮説に基づくものであり、丘登り法と呼ばれている。上下を逆にして同じ理屈で最も険しい下り坂を選ぶ方法は、最急降下法と呼ばれている。

ちょっと考えてみればわかるが、丘登り法は局所的に評価が大きくなるところ――局所最適解――で止まってしまうと、大域的な最適解を見つけられないという欠点がある。最急降下法も同様である。8パズルの場合も、残念ながら丘登り法で解を探すと、最小解が見つかるという保証はなく、たとえ解が見つかっても、最少回数よりもはるかに多いステップ数を要するものになってしまう。逆に、図68のように、与えられた盤面から1ステップで到達できる盤面を手始めにあらゆる盤面を一つずつ調べていけば、確実に最小解はみつかるが、長い探索時間がかかってしまう。黎明期のＡＩ研究では、発見的探索の研究の中で、いろいろなコツをうまく使う手法を編み出すことを試みた。この技術はやがて発展して、バックギャモンやオセロではすぐに人間のトップを凌駕し、ついには１９９７年に当時のチェスの世界チャンピオンであったカスパロフを打ち負かすまでになった。丘登り法／最急降下法も、問題の性質をよく調べて、使い方を工夫すれば、そう悪いものではなく、多用された。

しかし、どんなにすごくても本来の意味でＡＩと呼ぶには大きな不足があった。もっとも重要な点は、「解答探しのコツ」は、人間が探し出し、コンピュータにわかるように整備して「ＡＩプログラム」に与えなければならなかったことである。「解答探しのコツ」をすべてこちらがおぜん立てをして、コンピュータがそれをただ実行するということだけであれば、賢いのは「解答探しのコツ」を作り出した人であり、ＡＩプログラムではない。たとえそうした理念上の批判を保留したとしても、人が「解答探しのコツ」を作り出すということであれば、時間も人件費もかかることになり、ビジネス上のメリットも小さい。とはいうものの、コンピュータ登場までは、「解答探しのコツ」がわかっていてもそれを実行できるのは人間だけであったから、第一世代のＡＩで、「解答探しのコツ」をいったんプログラム化すれば、それをインストール・実行できるようになったことは大きな進歩であった。では次の段階は何か？

スキーママシンとしてのＡＩ

「解答探しのコツ」という概念の限界はその特殊性にある。「解答探しのコツ」は特殊なものであり、あちこちにころがっているわけではなく、見つけ出したり作り出したりするのに大きな手間がかかる。他方、人間に目をやると、人間は普通に毎日を暮らし、ふつうの知能を発揮している。専門家であっても、日常やってくる定型的な仕事をこなすときは、そう大して頭を使っていないように見える。そうしたふつうの知能をうまくとらえてＡＩ化することは可能であり、そうすることで価値を生み出せるのではないか？

例えば、ケーキ屋さんに行って、ケーキを買って帰ってくることができるロボットの頭脳となるＡＩをつくるにはどうしたらいいか考えてみよう。

そもそも人はどうしてこのような状況でうまく買い物ができるのか？　図69のようにお店の人もお客もケーキ屋の状況や商品についてほぼ同じスキーマ――状況の心的イメージ――を共有しているに違いない。そして、買い物が進むにつれて人々が共有されたスキーマを同じように更新していくことで、物事は進んでいく。そうだとしたら、その「スキーマ」がどのようなものであるかを解明し、スキーマの獲得・操作・記憶ができ、スキーマに基づく行動ができるＡＩロボット――スキーマ・マシン［西田２０１７ａ］――をつくればよいではないか。こうしたスキーマであれば、身の回りにありふれていて、収集に困ることもないだろう。

図69　ケーキ屋さんでの買い物スキーマ

スキーママシンは基本的には、図70のように、いろいろなスキーマのデータベースを持っていて、音声や画像のセンサで捉えた外界の情報を解釈して、眼前の状況に最も適合するスキーマを選び出し、スキーマに書かれた手順に従って行動し、獲得された情報でスキーマを更新していく。

スキーママシンとしてのＡＩを実現するためには、知覚情報処理や運動や、大量のスキーマの獲得などいくつものチャレンジがあるが、欲張らず、少しずつ実現するのであれば、いろいろな道があるにちがいない。

図70　スキーママシンとしてのAI

スキーママシンを手作りしようとした第二世代ＡＩ

発見的探索の次期の１９７０年代後半の第二世代ＡＩ研究では、スキーマを記号的に表現して、当時まだ実用からほど遠かった視覚や音声から切り離して、知識の表現として問題解決に利用する手法――記号的ＡＩ――が主流となった。この手法は、当時完成度が低かった音声情報処理や視覚情報処理の限界に制約されることなく、また、形式知として比較的整備されている専門的な知識の表現と利用に集中することで、今日から比べれば、規模の点でも性能の点でもはるかに劣る当時のコンピュータ技術でも一定の有用性も得ることができた［西田 １９９９］。

このアプローチは、情報や知識を「知識プログラム」が解読できるような人工言語で表現して、人工言語の表現を操作する高度なプログラミング言語とその実行系を作り上げて、多くの人が問題解決のための知識をマニュアルのように事細かく書き出して実行できるようにしたものである。

この時期にさまざまな知的問題解決の分類が行われ、解決のための枠組みが提出され、プロトタイピングが行われた。

プランニングというタイプの問題解決では、初期条件と行為に関する知識が与えられたとき、目標を達成するためのプランを立案する。

初期条件は、与えられた状況の記述である。行為に関する知識は、初期条件を目標に変換するために可能な行為に、行為を実行するための前提、行為によってどのような命題が追加され、どのような命題が削除されるかを含んでいる。

プランニング問題を解くためには、初期条件に対して、参加者がどのような行為をどのように実行すれば、目標を達成できるかを探索する。

例えば、初期条件として、

・ハルトは家にいる
・食べ物はスーパーで売っている
・石炭はスーパーで売っている
・海岸ではバーベキューができる
・ミオは来ることができる

を与え、可能な行動として、

・移動することで場所を変えることができる
・購入することでお金と引き換えに望んだものを手に入れることができる
・バーベキューをすることでハッピーになることができる
・誰かが来ることができれば、呼び出すことでやってくる

を与えたとき、プランニングにより、目標

・ハルトはミオといっしょにいる
・ハルトはハッピー

を達成するためには、図71のように、「ハルトがスーパーに行き、食べ物と石炭を購入した後、海岸に行き、ミオを呼び出して、バーベキューをすればよい」というプランが見つかる。

このようにプランニング問題は、基本的には、状態空間探索と同様の方法で解決できる。

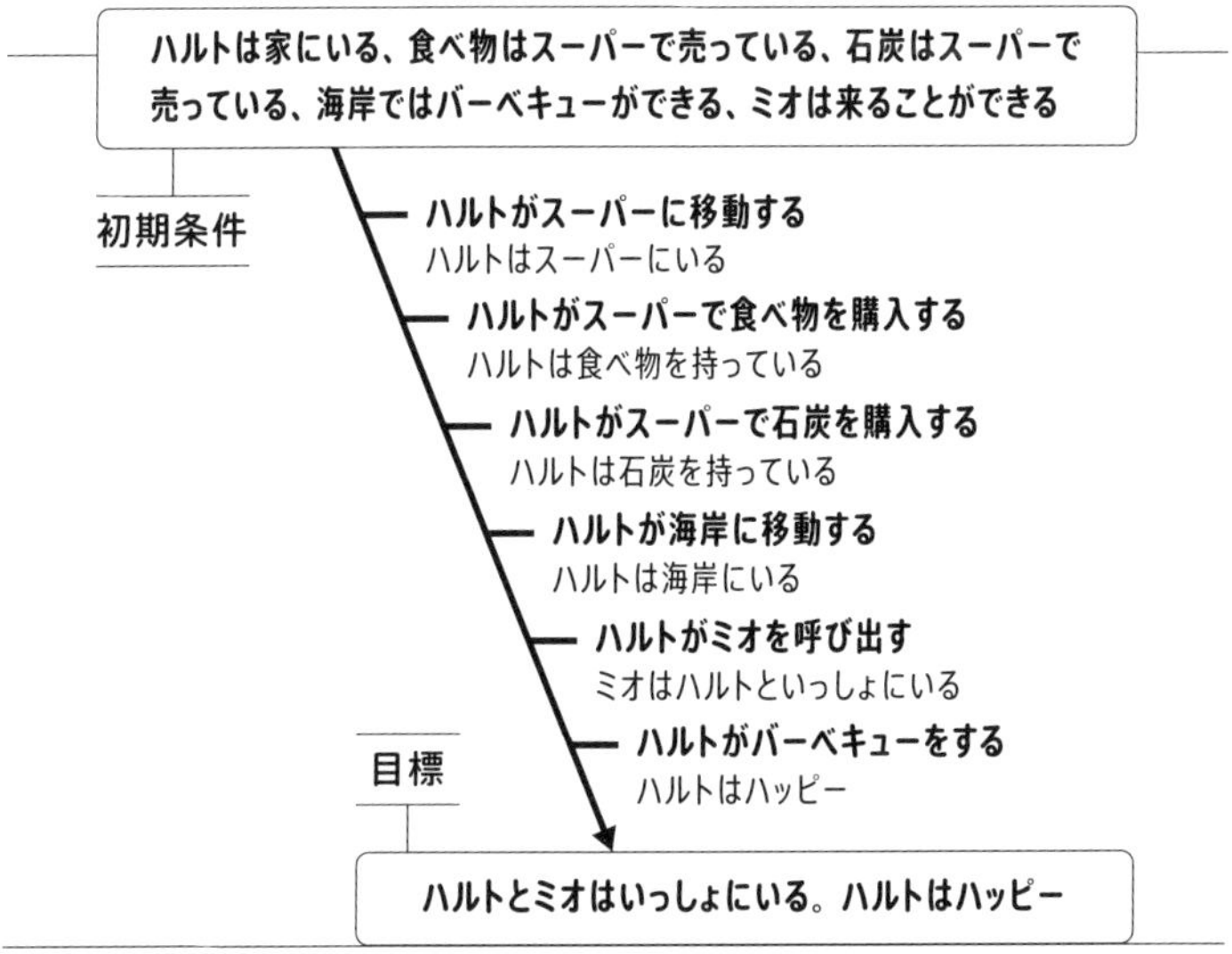
ハルトは家にいる、食べ物はスーパーで売っている、石炭はスーパーで売っている、海岸ではバーベキューができる、ミオは来ることができる
初期条件
ハルトがスーパーに移動する
ハルトはスーパーにいる
ハルトがスーパーで食べ物を購入する
ハルトは食べ物を持っている
ハルトがスーパーで石炭を購入する
ハルトは石炭を持っている
ハルトが海岸に移動する
ハルトは海岸にいる
ハルトがミオを呼び出す
ミオはハルトといっしょにいる
ハルトがバーベキューをする
ハルトはハッピー
目標
ハルトとミオはいっしょにいる。ハルトはハッピー

図71　プランニングの実行例

しかし、現実の問題を解くときは、単にプランが見つかればいいというものではなく、他にいくつもの作業をしなければならない。第一は、情報獲得である。プランに関わる世界の状況を獲得しなければならない。プランニングに必要な情報が得られないときや、獲得された情報に誤りが含まれていることを考慮する必要がある。第二は、プランの実行時のことも考慮しなければならない。プラン立案から実行までには時間差があるかもしれないし、実行中でも時間が経過する。その間に状況が変化していって、現在実行中のプランで前提としていたことが成立しなくなるかもしれない。そのような

場合は、プランを現実に合致するよう修正しなければならない。このような現実の多くの課題を解決した結果、いまやプランニング技術は、火星探検車や飛行場での管制作業支援などで広く使われるに至った。

理論的な側面から、ＡＩ搭載システムの、知的能力も状況察知能力も限界があることを前提とし、不完全な状況で人に助けを求めることなく自力で合理的に行動できる自律エージェントを実現する試みもさかんになった。基本的には、図71のようなアーキテクチャを持ち、ワールドを記号的に表現したルールベースとシステムが第二世代ＡＩの中心となった。前章で紹介したＢＤＩアーキテクチャはこのような研究の流れのなかで生まれたものである。

図72のアーキテクチャでは、ワールド（アクターが行動する世界）の中にいるアクター（ＡＩを搭載した行動主体）はセンサを用いて環境内の情報を収集して、過去の記憶と総合して行動を決定し、アクチュエータ（ロボットアームや移動装置のようにＡＩからの指令で外界に影響を与える装置）を作動させて、ワールドに変化をもたらす。記号ＡＩでは、アクター、アクチュエータ、ワールドのすべてが記号的に記述され、シミュレートされる。この場合、ワールドは、コンピュータのメモリ上に作られる一種の実験場となる。実世界ＡＩと呼ばれる応用では、

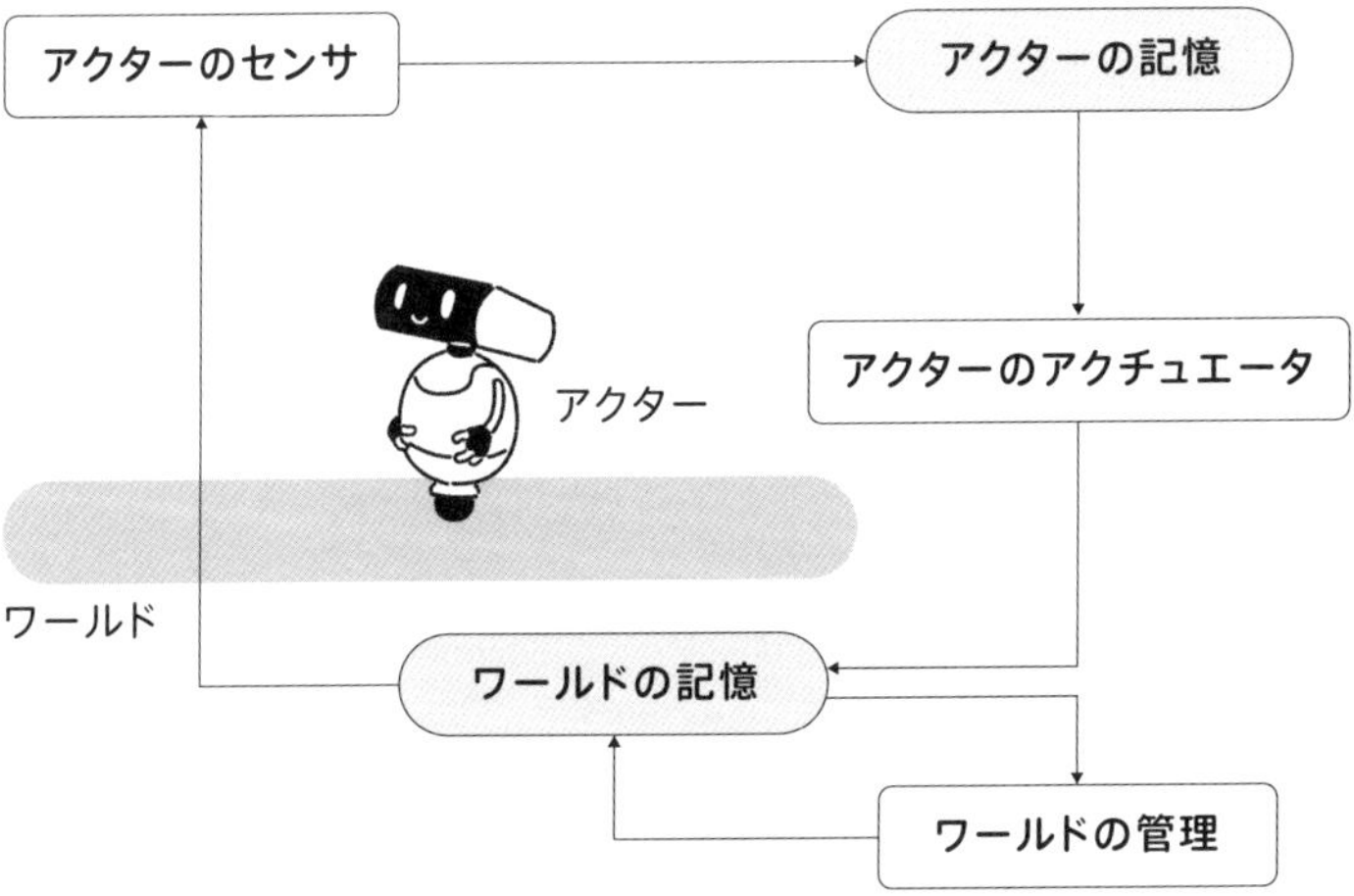

図72　自律エージェントのアーキテクチャ

ワールドは私たちの住む物理空間の一部であり、アクチュエータは物理的な装置である。

物事をマニュアル通り杓子定規に実行する「マニュアル人間」は、人間社会では必ずしも良く思われないが、問題解決のための知識をまるで持たない素人よりは仕事ができる。第二世代のＡＩもまさしく同様であった。第二世代のＡＩを代表する、この時期の成功例であるＤＥＮＤＲＡＬやＭＹＣＩＮの「エキスパートシステム」では、緻密かつ大規模に構成されたマニュアルに基づいてトップレベルの専門家の仕事をやってのけることができた。コンピュータシステムの一つの長所として、いったんシステムを作り上げるとそれを複製することはほとんどタダ同然でできるので、教育側も学習側も大きな時間とコストをかけないと一定水準まで到達しない専門教育の必要な領域では、そのインパクトは大きいものであった。

他方、「エキスパートシステム」には、直観に想像できる通りの限界があったことは論を俟たない。「エキスパートシステム」が依拠していた「専門知識」は字面だけのものであり、中身を伴わないから、「エキスパートシステム」の出した答えは言葉の上のロジックを連ねただけという危うさを有し、さらに、自ら学習して知識をより洗練されたものにしていく能力はなかった。「エキスパートシステム」に与える「専門知識」は、専門知識を理解する能力を有し、「エキスパートシステム」のプログラミングに熟達し、専門家にインタビューして「エキスパートシステム」のための「専門知識」を抽出する、「ナレッジエンジニア」によってつくられることになっていたが、この部分には大きなコストが発生した。先端的な領域では、「専門知識」は時々刻々と更新されていくが、ナレッジエンジニアの努力やサポートシステムの開発だけでは力不足であった。

かくして、第二世代のＡＩはビジネス社会からの期待に応えることができなくなり、１９８７年頃から第二番目の冬の時代に突入した。この冬の時代は、２００５年くらいまで続く長いものとなった。

ＡＩの冬の時代に実力をつけた機械学習とニューラルネット技術

技術の流れは面白いものであり、その源流は冬の時代に作られる。特に、夢に引っ張られたＡＩ研究では壁に突き当たると、まったく新しい考えでブレークスルーしようとする人たちが現れてくる。そうしたアプローチははじめのうちはあまりに天真爛漫で、古いパラダイムで普通にできていたものさえうまくできないので、そのような単純なやり方では到底うまくいかないだろうと目されているが、やがて何かのきっかけで難問が解けると突然世間の目が変わって、多くの人たちが参入を始めて、大きな流れになる。

２０１０年頃から大きなブームとなった機械学習・ニューラルネット学習の研究が盛んになり始めたのは、第二番目のＡＩブームさなかの１９８０年代であった。知識の表現と利用のパラダイムの研究は第二番目のＡＩの冬の時代にはすっかり影をひそめてしまったが、ＡＩ研究者たちの主たる関心は、機械学習・ニューラルネット学習に集中していった。ビジネスからの過剰な期待がなかったので、多くの研究者はむしろ腰を落ち着けて研究に

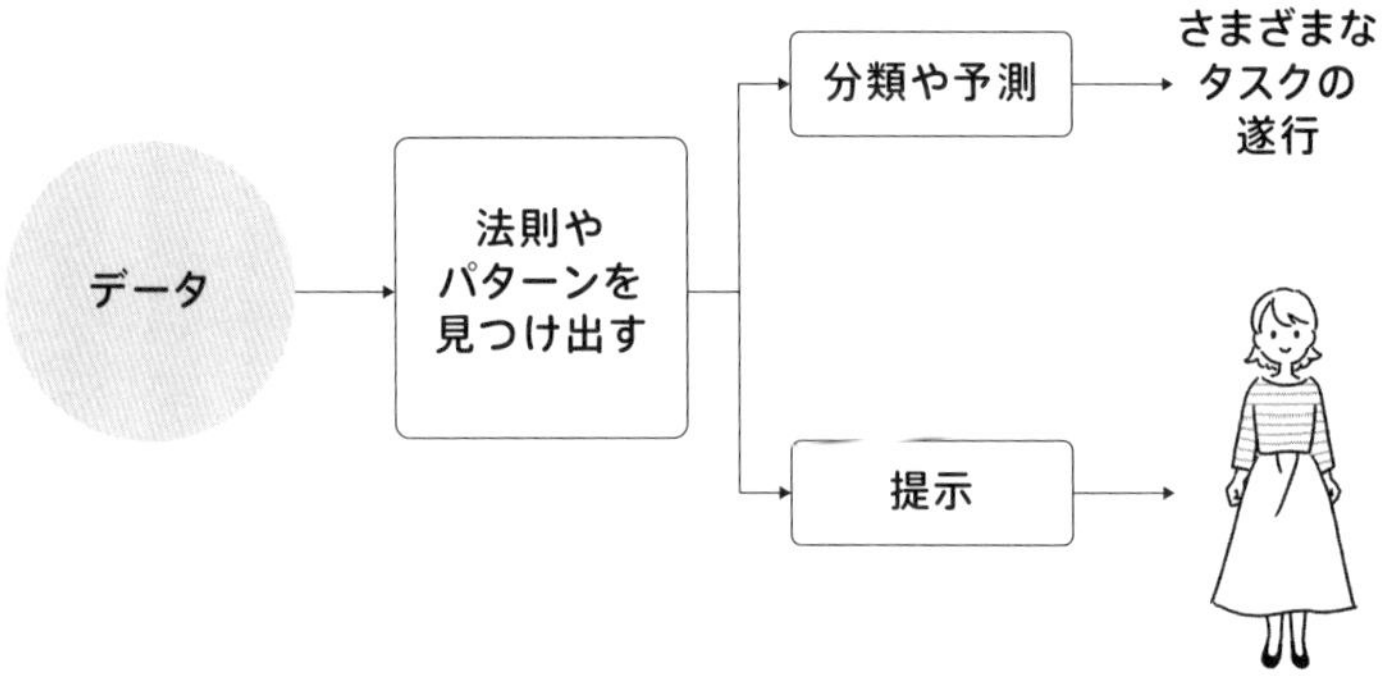

図73　機械学習とデータマイニング

打ち込むことができたとも考えられる。

機械学習とデータマイニングは、図73に示すように密接に関連した技術である。いずれも大量に集められたデータをインプットとし、そこに含まれている法則やパターンを見つけ出すことが共通する基本技術である。ＡＩシステムが経験を通して自らの振舞いや知識を改良できるようにすることを目標とした機械学習では、データとして与えられた経験から見つけ出した法則やパターンを用いて分類や予測などを中心とする様々なタスクを遂行する。例えば、画像に写っているものの内容を判断する画像理解や、音声波形を解析してその内容を理解する音声認識は分類問題の典型例であり、与えられた文章の続きがどうなるか推定するのは予測問題である。こうした問題をプログラミングによって解くのではなく、作っておいた機械学習プログラムにいろいろなデータを与えることで解くことを目指す。データマイニングも機械学習と共通するところが多いが、データの中から法則性やパターンを見つけて、人間に提示するところが、機械学習と異なる。

機械学習の方式は、多数の正解データ――「教師データ」とも呼ばれる――を与えて、データの導き方を機械学習システムに推定させる教師あり学習と、正解データを与えない教師なし学習がある。教師なし学習の場合は、データの近さを計量する方法を与えて、類似したデータのまとまりを見つけ出すことが機械学習システムのミッションとなる。

教師あり学習では機械学習の効果を得やすいが、良い性能を達成するためにはふつう高品質の大量の正解データが必要とされる。正解データは従来は手作業で収集され、大きなコストを要した。

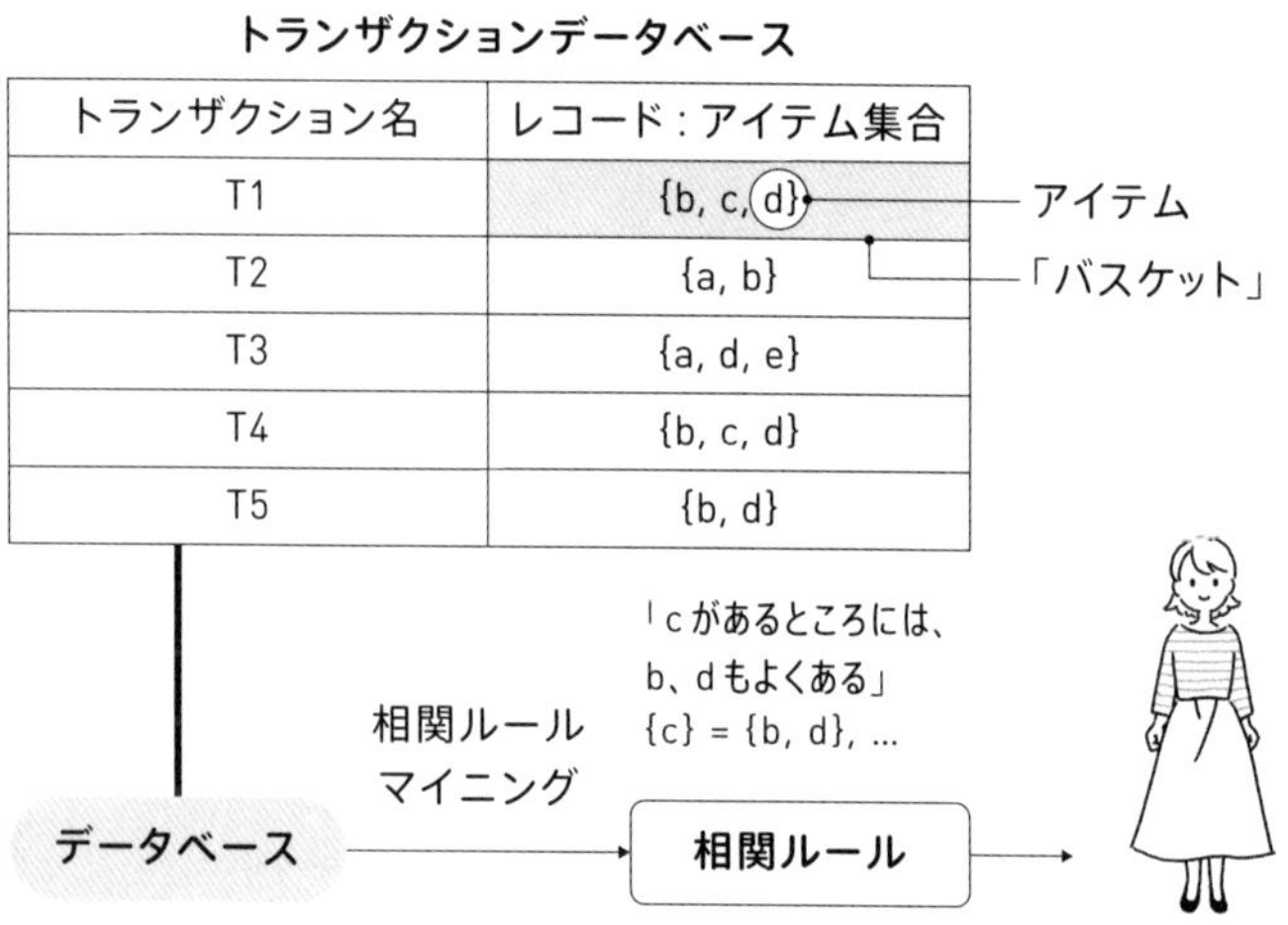

トランザクション名	レコード：アイテム集合
T1	{b, c, d}
T2	{a, b}
T3	{a, d, e}
T4	{b, c, d}
T5	{b, d}

「バスケット」

「cがあるところには、b、dもよくある」

図74　相関ルールマイニング

データの中の法則性を探し出す
データマイニング

データマイニングの代表的な手法である相関ルールマイニングの概要を図74に示す。

この例では、インプットとして与えられるのはアイテム集合、例えば、レジのデータのように、お客がアイテムb、c、dを購入したことを示すトランザクションT1、別のお客がアイテムa、bを購入したことを示すトランザクションT2…からなるトランザクション・データベースである。相関ルールマイニングでは、このデータを解析して、例えば、「アイテムcが購入されると、アイテムb、

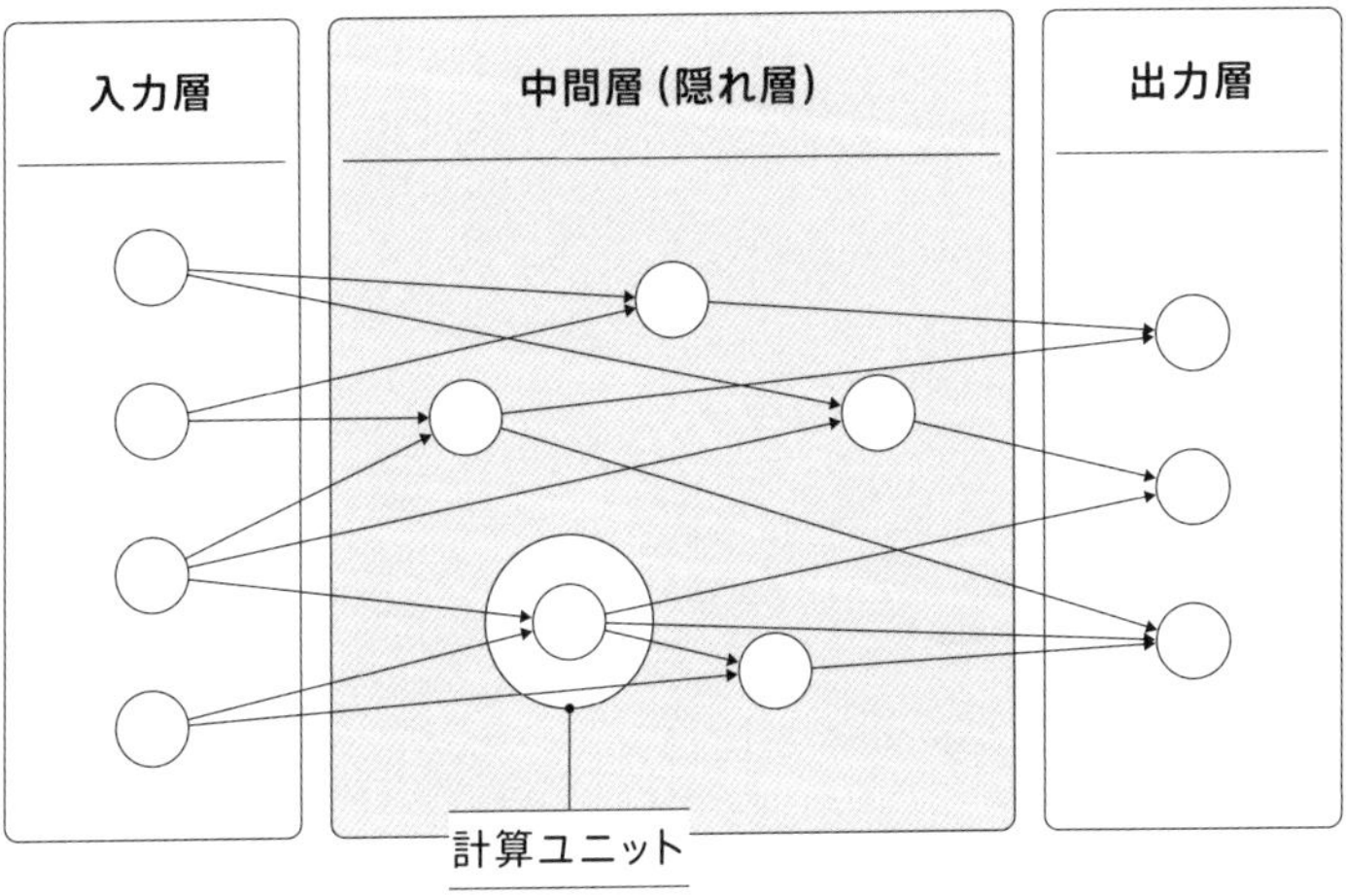

図75　フィードフォワード型ニューラルネットワークの構造

dも購入される」といった相関ルールを推定し、データベースから推定された法則として、人間に提示する。

教師ありニューラルネット学習システムの基礎

今やポピュラーになった深層学習アルゴリズムの基礎となるフィードフォワード型のニューラルネットワークのための教師あり学習アルゴリズムであるバックプロパゲーションについてまず説明しよう。

フィードフォワード型は図75のように、簡単な計算を行う計算ユニットを結合したものである。入力層（左端）は入力を受け取るための計算ユニットの集まり、出力層（右端）は計算結果を表示するための計算ユニットの集まりである。計算が開始されるとき、入力層の計算ユニットにそれぞれ1個の数値データ（実数）がセットされ、図中の矢印に従って、中間層にある計算ユニットに順に送られ、それぞれのユニットで計算されて出力層に送られていく。各計算ユニットでの計算は、一つまたは複数個の前段の計算ユニットから計算結果を受け取って、それを集約して次の段階に送る。入力層からの情報が、各計算ユニットで計算され、出力層に近い計算ユニットに逐次送られていくので、フィードフォワード（順方向）型のニューラルネットワークと呼ばれる。

こうした計算方法は、生命の脳での情報処理の仕方を模したものである。例えば、顔を見分ける場合は、入力層に近い計算ユニットでは、縦横斜めなどの線分や、色合いや色の変化の速さなど、時間的・空間的変化が捉えられ、中間層を経て、出力層に近づくにつれて、それがまとめられて、目や鼻や顔だちといった、より大域的で抽象的な特徴が認識されていく。

フィードフォワード型のニューラルネットワークは仕組みは簡単であるが、十分な個数の計算ユニットを用意して、うまく接続し、計算ユニット間の結合の強さをうまくセットすることで、いろいろな問題が解ける。

スキャナーで読み取った文字を判別する文字認識のタスクを考えてみよう。例えば、スキャナーに与えられる文字が、0から9までの10種類の文字であり、スキャナーからの読み取り結果が、横28行、縦28列の合計784個のピクセルと呼ばれるマス目のところの色がどれくらい黒いかが0〜255の256段階の数値で与えられるとしよう。

スキャナーからの784個の数値データに対応する784個の入力層計算ユニットの後ろに、隠れ層として100個ほどの計算ユニットを接続し、その後ろに答を表示するための、0〜9の確度を表示するだけの10個の計算ユニットを接続する。スキャナーからの読み取りデータを入力層に与えたとき、読み取りデータに対応する出力層の計算ユニットの出力が1になり、出力層の他の計算ユニットの出力がそれより小さければ正解である。あらゆる文字入力に対して、この問題を完全に解かせることはできないが、計算ユニット間の接続の強さをうまく調整すればある程度の精度での文字認識を実現できる。

いくつの隠れ層を作り、そこに何個の計算ユニットを配置し、どのように接続しておくかを理論や経験に基づいてあらかじめ決めておかなければならないが、この点については本書の視野を超えているので割愛する。以下では、ユニット間の接続の強さを算出するための基本となるバックプロパゲーションというアルゴリズムを紹介しよう。

バックプロパゲーション・アルゴリズムでは、正解のついたたくさんのサンプルを使い、以下に述べるようにニューラルネットワークを「トレーニング」することによって、ニューラルネットワークが正解通りの出力を出せるように、計算ユニット間の接続の強さを加減していく。

トレーニング開始時は、計算ユニット間の結びつきの強さを適当に決めておく。まったくのランダムで構わない。トレーニング自体はバックプロパゲーション・アルゴリズムが自動的に行ってくれるから、いい結果が得られなければ、計算ユニット間のはじめの結びつきの強さを変えて、とりあえずやり直してみればいい。

トレーニングでは、まず正解のついたトレーニングデータを1個取り出す。トレーニング中のニューラルネットワークにそのデータを入力すると、そのときの計算ネットワークの結びつきに従って、ニューラルネットワークで計算が行われ、出力層に結果が現れる。トレーニングを行うアルゴリズムは正解を知らされているので、出力された値が正解とどう違うかが直ちにわかる。出力を正解に近づけるために、出力層のユニットとその1つ前の層のユニット間の結合をどう修正したらいいかは、簡単に計算できるのでその通り修正する。それとともに、もう1つ前の層のユニット間の結合の修正のしかたもわかるので、もう1つ前の層の計算ユニットに遡って、さらに前の層の計算ユニットとの結びつきの修正を計算して、さらに前の層の計算ユニットに進む。このように出力層での誤差をなくすために、出力層から入力層に向かって、計算ユニット間の結合の強さを少しずつ修正していくという作業が、バックプロパゲーション——誤差逆伝播——の核心になる。

バックプロパゲーションアルゴリズムでは、1回のバックプロパゲーションですべての結合を修正しない。なぜならば、そのような方式にすると、次のデータに対する修正でも計算ユニット間の結びつきの強さを修正することになり、その結果、前の修正で得られた正解が得られなくなっていくからだ。そのため、バックプロパゲーションの各サイクルでは、計算ユニット間の結びつきの修正は、正解の方向へのわずかな量にとどめておき、バックプロパゲーションのサイクルを繰り返すことで、全体的な精度を高めていく。

このようなトレーニングのプロセスは、いろいろな問題を解きながら、正解に近づくよう少しずつ自分の動きを修正するという私たち自身のトレーニングの仕方と似ている。人間と異なり、コンピュータは飽きることも疲れることもなくその作業を続けることができる。先に挙げた文字認識の例題では、60000個ほどのトレーニングデータを使ったトレーニングを２００サイクルほど繰り返すことで、同じサンプルからとられた新規データに対して97%の認識率を達成することができた。

この手法を使って実現されたＮＥＴｔａｌｋというシステムでは、英語のテキストから音声発話のための発音記号の列を生成する。これは、子どもがしゃべった１０２４語のテキストでトレーニングされた。同じ子どもから採取され、トレーニングに用いられていないテスト用データ（４３９語）で評価したところ、78%の正解率が得られた [Sejnowski 1987]。１９８０年代後半のニューラルネットワーク研究の代表的成果である。

しかし、この方法にはいくつもの欠点がある。例えば、複雑なサンプルを学習させようとして、ニューラルネットワークの規模を大きくすると、トレーニングデータに対してしかうまくいかない過学習と呼ばれる現象が起きてしまう。また、広い範囲を見れば他に正解があるのに、狭い範囲だけ探すと正解にみえる局所最適解をほんとうの正解だと思ってそこで探すのをやめてしまうという現象も起きる。さらには、正解のついたトレーニングデータがたくさんいるので、そのためにかなりのコストがかかってしまう。

深層学習の時代

ＡＩの研究者たちはさらにいくつもの革新的なアイデアを取り入れて、膨大な量の研究を積み重ねた。大規模なニューラルネットワークを使って、大量のデータを使えるようにし、理論面でいくつかの革新的な進展を経て、今日の深層学習の全盛期に至った［西田２０１７ｂ］。その間の経緯をまとめることは本書の視野を超えているし、簡単に書いて過小評価することは著者の望むところではない、と断ったうえで、次のような点を指摘しておきたい。

第一に、統計学習など従来研究の成果を取り入れて、理論面での大きな進展があった。単にニューラルネットワークのノード数や層の数が増えただけではなく、自己符号化器を用いて、深層であっても１層ずつ階層ごとに学習していく（事前学習）手法が開発されたこと、畳み込み層とプーリング層を交互に繰り返す畳み込みニューラルネットワークのアーキテクチャと学習アルゴリズムが安定して高いパフォーマンスを示すことがわかったことなど多くの成果が積み重ねられている。

こうした技術の積み重ねにより、従来より飛躍的に大きなニューラルネットワークを学習できるようになった。先に述べたＮＥＴｔａｌｋでは、入力層２０３個、隠れ層80

個、出力層26個の合計３０９個の計算ユニットと１８６２８個の接続重みのニューラルネットワークを学習した〔Sejnowski 1987〕。これに対して、ヒントンのグループが２０１２年の画像認識コンテストImageNet LSVRC - 2012で使用しトップ5誤り率15・３%を達成し、二位の26・２%を大きく引き離した畳み込みニューラルネットワーク（ＣＮＮ）「Alexnet」は、ノード数が約65万個、学習した接続重みの個数は、約６０００万個〔Krizhevsky 2012〕であった。これを契機に畳み込みニューラルネットワークを用いた画像認識技術の研究が進み、２０１５年には人間の認識誤り率５%よりも小さな誤り率を達成し、大きなインパクトを与えた。また、層の数が精度に貢献することがわかり、最近では、8層の畳み込み層をつかったAlexnetよりもはるかに深い１５０層を超える畳み込みニューラルネットワークが用いられている。

第二に、深層学習といっても、多数の技術から構成されている。自然言語処理の分野で特に大きな変革は、前の章のシャオアイスの説明で少しだけ触れたように、意味のベクトル空間とでも呼ぶべき、高次元の巨大な空間の中に全部意味情報を格納する方式を採用したことである。図75に示唆したように、この方式を用いると、単語の意味も、文の意味、文脈も、さらには、写真や音声データまでも共通する空間の別々の点として、一様にベク

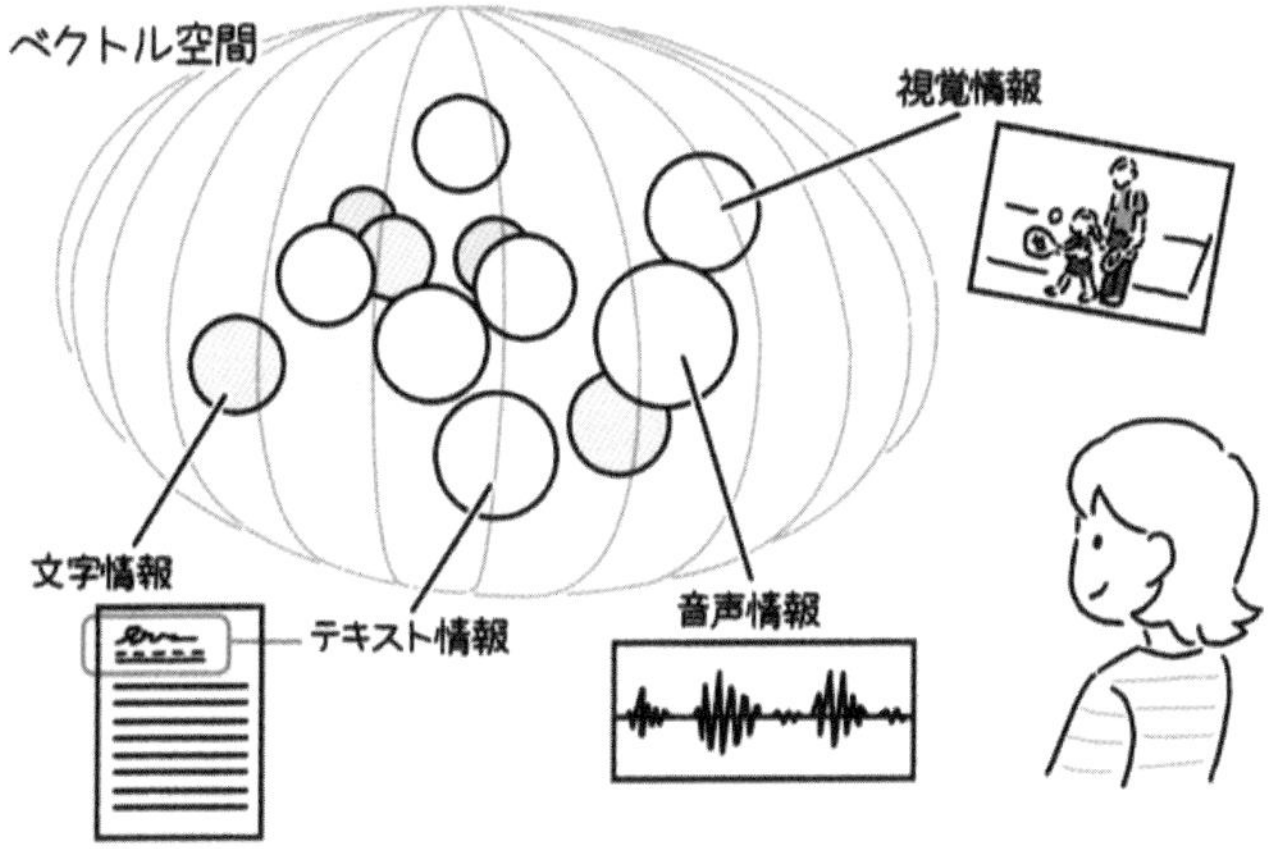

図76　ベクトル空間内への意味の埋め込み

トル表現できるうえ、従来の様々な数学的手法が活用できるようになり、大型計算に適している。これまでは、対象のモダリティに応じて情報表現が異なっており、特に、自然言語の場合は、記号的な表現が使われていたので、特殊な情報処理の方法を開発しなければならなかった。

情報を巨大なベクトル空間に埋め込む方法は、直観にかなっているだけではなく、文法や意味といった言語固有の構造的複雑さを一般的な枠組みの中で捉え、自然言語処理に特化した特殊技術を用いることなく、ニューラルネット学習の種々の手法を適用できるようにし、自然言語処理の分野に大きな進歩をもた

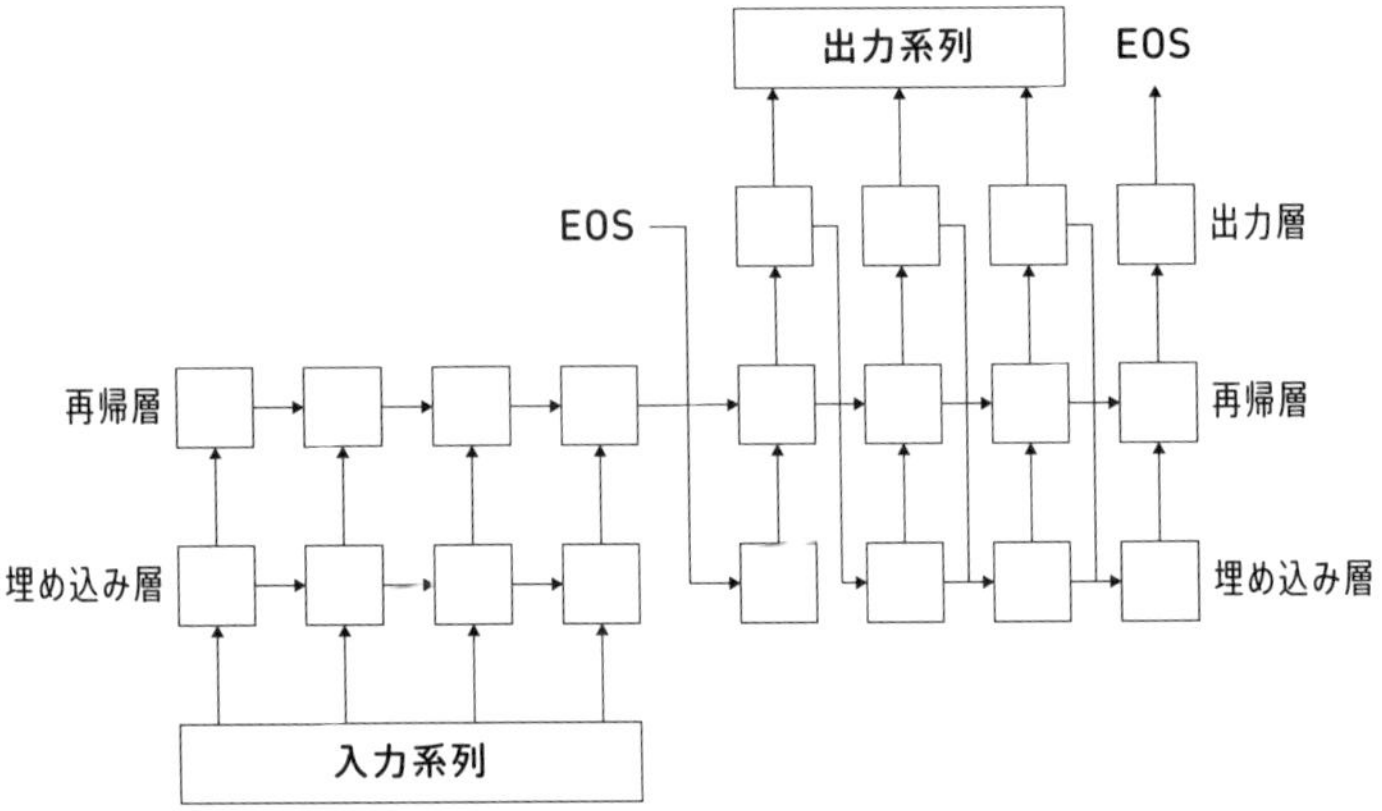

図77　系列変換モデル

らした。例えば、Google翻訳では、2016年11月から図77のような系列変換モデル［坪井2017］に基づいたニューラルネット学習によって、単純なアーキテクチャで系列と系列間の変換関係を学習できるようにした結果、飛躍的な精度の向上をもたらした。

さらに最近では、トランスフォーマーモデルなどの手法が導入されて、画期的な進歩が得られたことは前章で述べたとおりである。規模も大きくなり続けている。最初のGPT［Radford 2018］のパラメータ数は1・1億個であったとされているが、それがGPT-2［Radford 2019］では15億個に、GPT-3［Brown 2020］

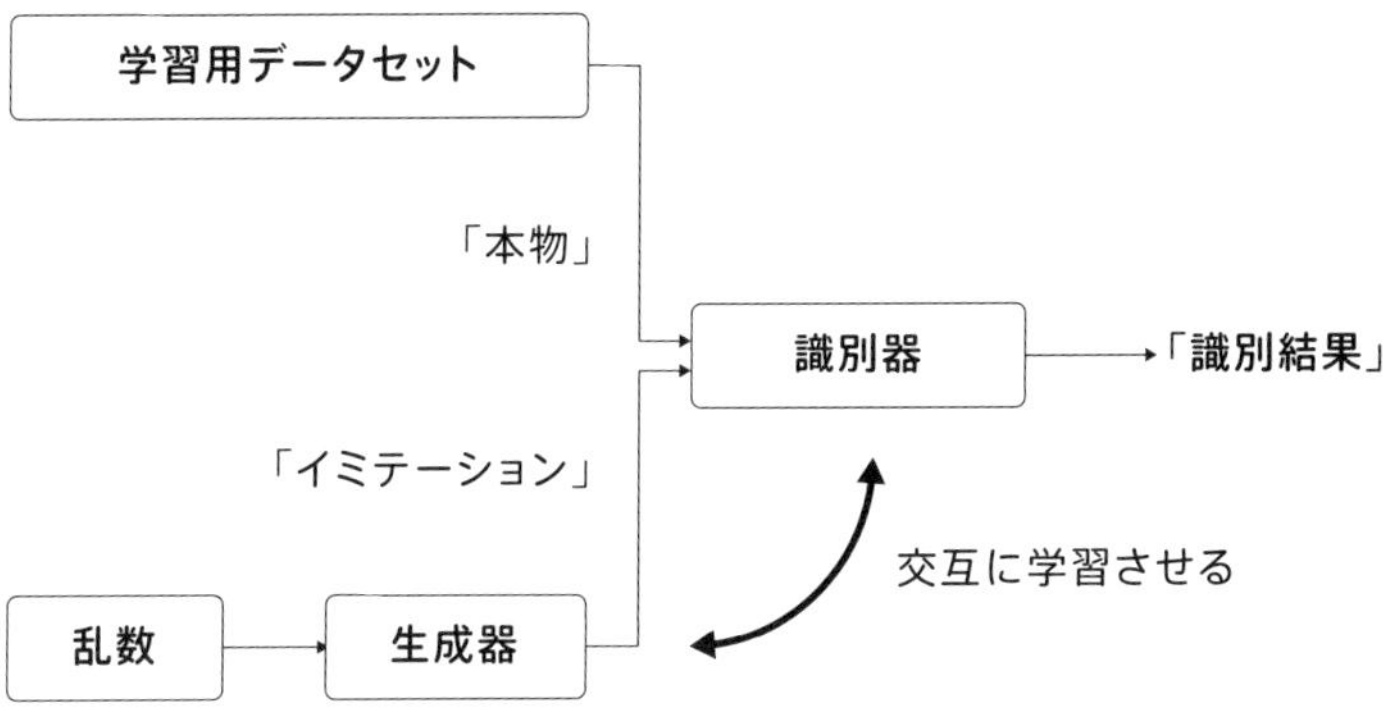

図78　敵対的生成ネットワーク

では1750億個に増加し、それに応じて性能も大きく向上している。

機械学習のメインストリームでも、敵対的生成ネットワーク（GAN）[Goodfellow 2014] が2014年に導入され、ニューラルネットワークの模倣能力の品質が飛躍的に高まった。GANは、図78のように、与えられたデータから本物そっくりの架空のデータを模造する生成器と、本物のデータと模造されたデータを区別する識別器から構成される教師なし学習手法である。

生成器と識別器を競わせて両者を極限までトレーニングすることにより、本物の特徴をとらえた、本物そっくりのサンプルを生成できるようにする。さらに畳み込みニューラルネットワークを導入して高品質化をしたＤＣＧＡＮ〔Radford 2015〕、生成クラスを指定できるConditional GAN〔Mirza 2014〕、画像の特徴間の変換を行うCycle GAN〔Zhu 2017〕などが開発された。

このほか、エンドツーエンド学習の導入によって、これまで、音響情報処理、画像情報処理、言語情報処理のモジュール別に行われていた機械学習が端（エンド）と端の対応関係だけから学習できるようになったこと、そしてその結果、音響情報、画像情報、言語情報といった異なるメディアにまたがる、異なるモダリティの間の変換（例えば、話し声と顔表情とジェスチャの間の変換）ができるようになったこと、最新の学習アルゴリズムがクラウド上で誰でも利用できるようになったこと、深層学習に関わる勉強会や書籍も比較的オープンになり、多くの人が研究分野に参入できるようになったこと、等々により、ＡＩはこの10年で大きな進展を見せて、科学技術から文化芸術に及ぶ広範な領域で基本的な手法として定着しつつある。

機械学習の手法を駆使して、いまや当たり前になった大規模なビッグデータに基づいてＡＩが自動的にスキーマを獲得し、行動できるようになった。いわば、大量のデータを介して、ＡＩが人間の行動の隅々まで観察し、人間が様々な状況で様々な行動をするさまを

図79　模倣能力を持つスキーママシンとしてのAI

模倣できるようになった（図79）。この手法をとてつもなく高速で大きなメモリーを持つコンピュータで実装することで、人間の能力を超えられるようになった。

さらに、いくつものスキーマをメモリの中に作り出して、仮想的な対戦相手にすることで、いろいろな場面でいろいろな相手と戦ったときに勝つための有効な戦術を発見していくというように自分で自分を鍛えることができる。これが強化学習の方法である。強化学習では、試行錯誤を繰り返して、状態の観測と行動の選択の最適な組み合わせかたを試して、環境から得られる価値を最大化する方略を探し出していく。

それに加えて、学習能力の高い模倣者と鑑定者を人工的に作り出して、競わせ続けることによって、限りなく本物に近いイミテーションを作り出せるようにもなってきた。かくしてＡＩはいくつもの領域で「青は藍より出でて藍より青し」ならぬ、師匠越えをやってのけた。

ＡＩとコモングラウンドを共進化させよう

ＣＮＮによるパターン発見、強化学習による行動学習、ＲＮＮやトランスフォーマーによる系列学習、ＧＡＮによる模倣能力など、大規模なデータを利用した多様な学習手法［神嶌２０１５］の開発が現代のＡＩの進展をもたらしたが、それらを総合しても現代のＡＩの能力は完全無欠と言える状態ではないし、人の知性に匹敵する広がりは獲得できていない。これまで述べてきたとおり、会話ＡＩはすぐに馬脚を現してしまう。

しかし、それ以上に問題であるのは、すでに多くの領域でごく少数の人たちだけが到達できたレベル、あるいはそれを超えたレベルの知的能力を手に入れたＡＩとの間に、私たちがコモングラウンドと認められる共有意識がまったく築けていないことである。本書でも論じてきたように、「完全なＡＩがないとコモングラウンドが作れない」、「コモングラウンドがないとＡＩが作れない」などと嘆きを口にしていてもしかたがない。

これまでに実現できたＡＩを使ってコモングラウンドづくりを加速できるところはとても多いし、それはより高度なＡＩ作りにも確実にメリットをもたらす。例えば、第二世代のＡＩは、学習・問題解決能力の点では不十分であっても、どのような記号操作の系列によって解が得られたかを外部に直接見せることができるという意味で、コモングラウンドの観点からみれば意義が大きい。第三世代のＡＩは、作者たちの想いに新たな知見を加えることのできるＡＩ俳優やＡＩ舞台監督を実現して、私たちがパーソナルグラウンドやコモングラウンドをエンビジョニングし、インタラクティブストーリーとして体験可能なものにする道を拓いた。

AIとコモングラウンド

ＡＩはコモングラウンドに関わる諸技術を実装するための基礎となるという側面と、人のよいパートナーとなるＡＩを実現するためには、両者の間のコモングラウンドを確立しておく必要があるという側面の両方で、コモングラウンドと関係する。

そのような想いを背景に、ＡＩ研究の本格的な開始から今日までの主要な成果を俯瞰した。ＡＩ研究は、人間の知的であると思われる思考過程を再現できるＡＩを作りたいという動機から始まり、職人芸的な実装、工学的な実装を経て、機械学習を本格的に使用した実装法へと発展してきた。専門的な領域では人間を凌駕するパフォーマンスを示すところまできたものの、まだ、その知的能力は広がりを欠いており、私たちとＡＩの間のコモングラウンドはいまのところ希薄である。

エンビジョニングによってコモングラウンドを体験可能にするという目標を考えると、ＡＩを使って情景や、情景の中に登場する人物を制作するばかりでなく、自律的にしていく必要がある。現在の最先端のＡＩ技術は十分強力である。第二世代のＡＩは、それ自体の知的能力は限られたものであったが、私たち自身の持つ知的能力の中で語りえるものを明示して、コモングラウンドの中に組み込むことを可能にした。図80のように、会話インタフェースの奥にあるサービスエンジンで行われていることを言語的に説明することができるようになり、人は協調作業のレベルで、サービスエンジンが行っているサービスの内容をＡＩとのコモングラウンドの中に引き込むことができるようになることが期待できる。

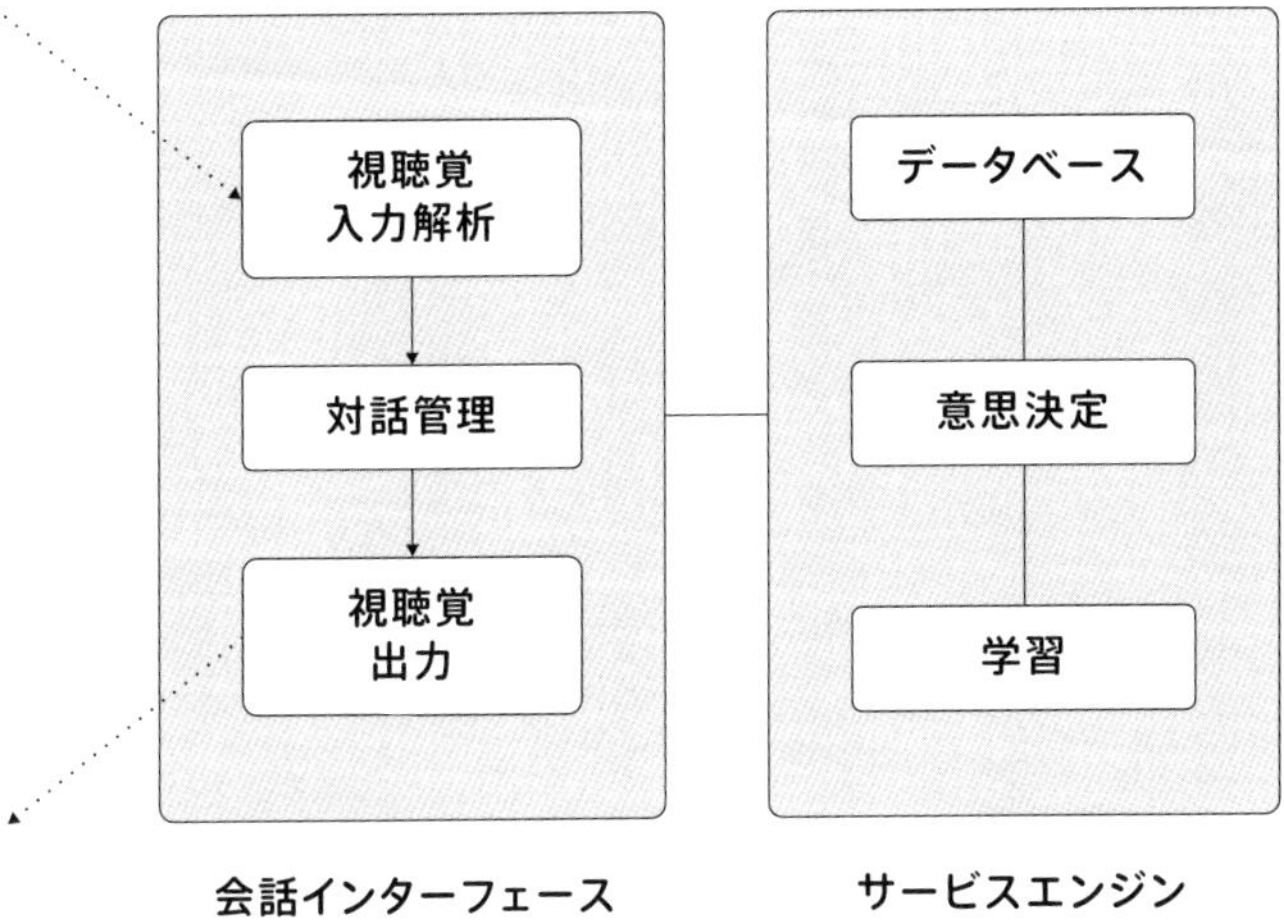

図80　AIとコモングラウンド

第三世代のＡＩは、ＡＩ俳優やＡＩ舞台監督を利用して誰でも自分たちのコモングラウンドを体験可能な実体として形にする道を拓いた。

シナジー

第8章

コミュニケーションにおいて、基盤としてはたらくものの役割は大きい。コモングラウンドが確実でないと、コミュニケーションは困難に陥り、参加者の不安は高まる。私たちの日常のコミュニケーションのコモングラウンドはうつろいやすく、その確かさは限られたものではなく、こみ入っていて、あいまい――まさしくVUCA――である。

VUCAは時として冒険に満ちていて、わくわく感をかもし出すこともあるが、これからAIプレイヤーも含めたこれまでにないアクターたちともコミュニケーションしていく時代になっていくことを考えると、今までに比べてはるかに堅固で迅速なコミュニケーションの基盤を確立しておくことが必要不可欠である。従来の私たちの――近未来から振り返ると驚くほど原始的にみえるであろう――コミュニケーションを、ときにはこれまでよりはるかに楽しく、別のときにははるかに確実で効率的なものにしたい。コミュニケーションの基盤となるコモングラウンドを理解し、よりよいものにデザインしていくためには、テクノロジーが不可欠である。現在のテクノロジーはまだ不十分であるが、何もできないというわけではない。現在のテクノロジーから出発して、次の段階に進めるための詳しめのロードマップを作っておくことが本書を執筆した動機であった。

本書ではこれまでの議論でコモングラウンドのイメージを、参加者の集団の視野の広さに応じて、会話レベル、協調作業レベル、コミュニティレベルに大別してきた。

会話レベルのコモングラウンドは、私がコモングラウンドについて考え始めた出発点である。コモングラウンドは会話の前提として存在し、会話の参加者は、言語的・非言語的手段を駆使して、足場（焦点やターンなど、参加者たちが協調するための一時的な手がかり）を作ったりくずしたりしながら、共有したい内容を効果的に組み立て、――時には破壊的に――会話の前提に組み込んでいく。

協調作業レベルのコモングラウンドは会話などによって実現される協調作業の進行状況（共有している情報と作業がどのようなものであり、参加者たちがそれぞれどのあたりまで作業を進めたか、といったこと）をとらえたものである。個々の会話の詳細はもはやあまり重要ではない。協調作業は、通常、何回もの会話の積み重ねとして位置付けられ、協調作業レベルの関心は、「足場を取り除かれた」ときに現れる会話の産物である。

コミュニティレベルのコモングラウンドは、もっと粗いものであり、そもそも誰と誰がつながっているか、どのような関心が共有されているか、コミュニティの背景にある物語はどのようなものか、といったことである。コミュニティのコモングラウンドは通常はゆっくりと変化し、各世代の経験が積み重ねられていく。

図81　重層的なコモングラウンドの世界

こうしたコモングラウンド間は重層的である。コモングラウンドはある題材について明確に捉えられ、共有された意識であるが、そのコモングラウンドそのものが今度は題材となり、人々が語りを重ねていく。そのようなことが幾重にも連鎖していく図81のような全体像こそが我々のコモングラウンドになっている。

コモングラウンドを理解し、デザインするための学術――コモングラウンド学――をつくるためには、一方で、コモングラウンドがどのようなものかを理解するための手法が必要である。

コモングラウンドに書かれていることを、生活経験に投影して知覚的な経験と

図82　手作業によるコモングラウンドのエンビジョニング

して捉えられるようにする**エンビジョニング**は全体を理解する上で非常に重要な作業である。効率的な作業のため、生活経験とはまったく異なる抽象的あるいは言語的な情報として取りざたされていた事柄が、エンビジョニングによって日常的な生活経験に投影され、人としての解釈を受けやすい状態になる。

コモングラウンドという呼ばれ方がされているにせよ、そうでないにせよ、人々は自分たちの思考の根底がどのようなものであるか知りたかった。これまでは、そうした試みをするためには、私たちの思考の内容を何らかの形で書き出して思考の対象にするしかなかった。しか

図83　ツールに支援されたコモングラウンドのエンビジョニング

し図82に示唆した通り、手作業によるエンビジョニングは苦難の作業であり、多大な時間を要した。

古典をひも解けば、コモングラウンド理解に有用な手法は数多い。その多くは観察によるものである。コモングラウンドのありさまとその背後にある脈絡に関わる気づきを綴りあげたものから多くを学ぶことができる。

しかし、もっと多くの人々がコモングラウンド解明の仕事に参加するためには、図83のように、テクノロジーの力を使って、コモングラウンドをよりよく、よりリッチにしていくための手法が不可欠である。

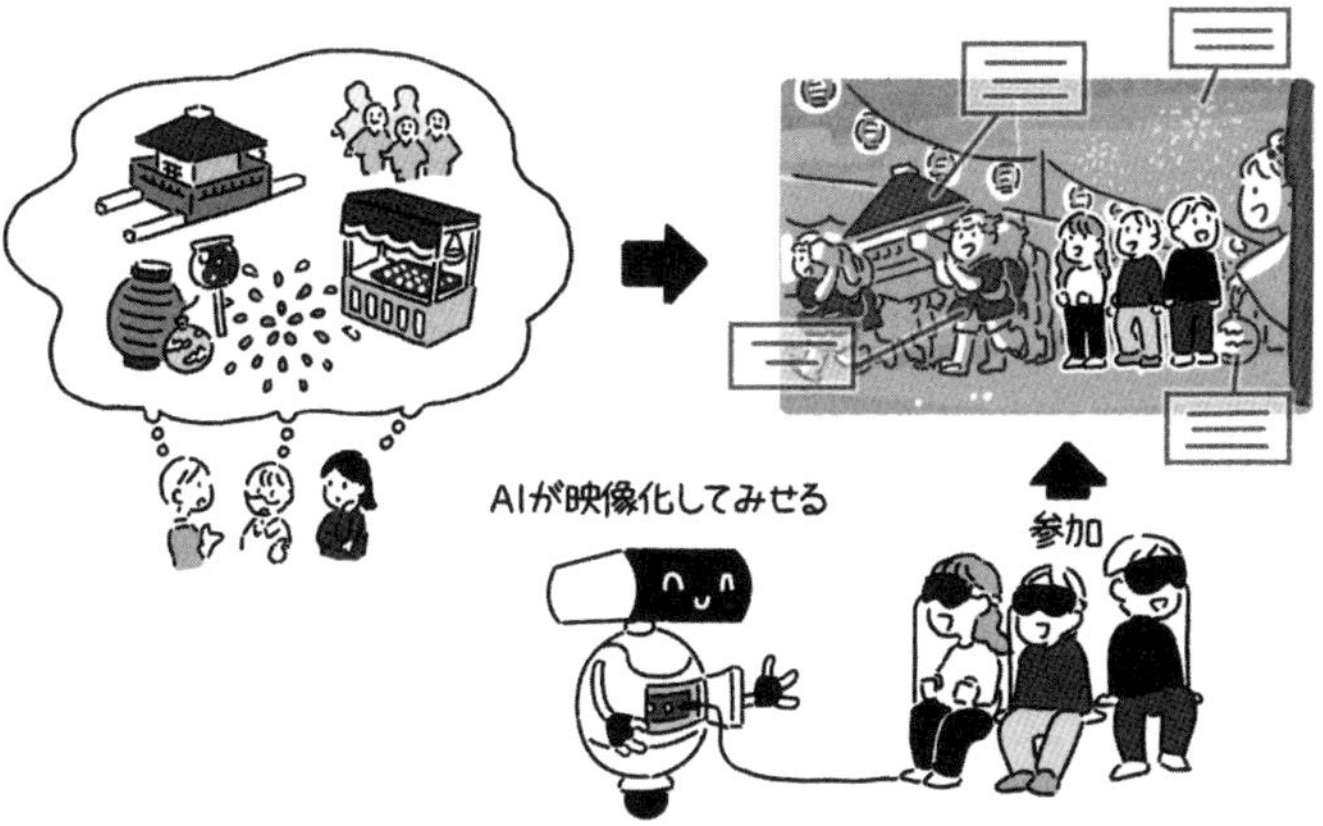

図84　会話エージェントとAI技術を導入したコモングラウンド・テクノロジーによるコモングラウンドのエンビジョニング

現代のテクノロジーを使えばコモングラウンドを拡張して、コモングラウンド参加者がより確実かつ効率的にコモングラウンドを作り、活用することがかなりできるようになってきた。仮想現実や拡張現実の技術を使うことで、エンビジョニングの結果を、体験可能な視聴覚的実体に変えることができる。しかし、現代の高度化したソフトをもってしても、エンビジョニングの結果を共有して議論の対象にしようとすると、映像の品質を高め、ナラティブに説得力を持たせる必要がある。それは誰にでもできるわけではない。この困難を乗り越えるには、図84のように、会話システムとＡＩ技術を導入して、さらに高度なコモングラウンド・テクノロジーを実現することである。

ＡＩプレイヤーも含めたアクターがコミュニケーション（コモングラウンドの更新のプロセス）のなかで起きていることを把握し、参加して貢献できるようにするためには、会話システムのテクノロジーが必要となる。ＡＩは、コミュニケーションの奥にある学習から意思決定、そして、もてなしに至る心の機能を再現し、エンビジョンされた世界に組み込むために必要となる。

会話システムとＡＩの役割はエンビジョニングを実現することだけにとどまらない。コモングラウンドは参加者たちの相互理解の基盤であり、他者の意図や信念を推定することが私たちのコミュニケーションの基本であることを考えると、コモングラウンドの内容を理解し、参加者に働きかけるアクターの知的能力とその「心」の働きには透明で、他の参加者から理解される社会的な側面を十分に確保しておく必要がある。

会話システムの技術やＡＩの技術は、現時点ではまだまだ未完成なものであり、高度化するためには、人とＡＩの間にコモングラウンドを確立することが必要である。しかし、ＡＩが未完成であったとしても、コモングラウンド作りの加速には十分有用であり、活用の道は多い。

本書は会話を中心とし、ＡＩによって強化した、コモングラウンドの理解とデザインを目指して執筆したものであるが、まだその一歩を踏み出したに過ぎない。今後は、学術をより精緻なものにしていかなければならないのは当然のこととして、これから考察を進めていきたいと思っている重要な方向性もだんだんはっきりしてきた。

第一は、情報で構成された仮想世界と物理で構成された物理世界に共通する基盤としてコモングラウンドを位置づけることである。この点については、豊田啓介氏との対談[*15]が契機となり、『Phronesis22』「13番目の人類」〔西田2020〕で、人と人との新しいつながりという観点から考えを進めることができた。

第二は、ゲーム性を導入することである。ゲームは、精神の奥深いところに眠っている心に働きかけてくれる。ゲーム性のもたらす精神作用〔三宅２０２０〕は人々にも共有されているはずであり、それをコモングラウンドにどのような形で取り入れるか、ぜひ考えてみたい。

第三は、抽象的な考えを知覚可能な経験に変換する手法の研究だ。これにより、知覚可能な経験に直接対応付けられる経験だけでなく、抽象的で言葉にしにくい思考内容を知覚可能な経験に変換し、多くの人がそれを体験することができるようになれば、我々のコモングラウンドは本書に述べたものよりも格段に深まり、有益なものになるであろう。

これまで繰り返し強調してきたように、コモングラウンドは過去から未来永劫に至るまで固定され、不変――once and for all――ということは全くなく、その真逆の、局所的で素早いものから、大域的でゆっくりしたものまで含む複雑なダイナミズムの織り成す世界である。人がこれまで培ってきた多様なコモングラウンドの誕生、変容、崩壊、そしてそれらの相互作用をより深く理解し、テクノロジーの力で飛躍するときがきた。

＊15
◆西田豊明（豊田啓介氏との対談記事）AIと人が協働できる「3D世界」構築が日本版スマートシティーの活路、日経ＸＴＥＣＨ、「次世代スマートシティー」が開く未来、第1回（上編）、2019年6月21日 [https://tech.nikkeibp.co.jp/atcl/nxt/column/18/00822/061300001/]
◆西田豊明（豊田啓介氏との対談記事）AIが現実世界を認識するには都市版「コモングラウンド」が必須、日経ＸＴＥＣＨ、「次世代スマートシティー」が開く未来、第1回（中編）、2019年6月25日 [https://tech.nikkeibp.co.jp/atcl/nxt/column/18/00822/062000002/]
◆西田豊明（豊田啓介氏との対談記事）「知能も身体能力も」人間をしのぐAIエージェントが都市変革の旗手に?!、日経ＸＴＥＣＨ、「次世代スマートシティー」が開く未来、第1回（下編）、2019年6月28日 [https://tech.nikkeibp.co.jp/atcl/nxt/column/18/00822/062600003/]

学術の世界に長らく身を置いていると、いろいろなことを断片的に知るようになるが、それらをつないで大きい流れにするためのまとまった機会はめったにやってこない。近年の科学技術は厳密な議論を展開しないと成果に結びつかないから、勢い、断片的な知識は捨て置かれ、さらに細部に入っていって状況を限定してより精密にしようという方向には進むが、断片的なことを総合して、一つの体系にしようとする動機はなかなか生まれない。

ことＡＩに関してはそれでは具合が悪い。人間の知能は総合的なものであり、さまざまな部分が総合して我々の知が生まれてくるプロセスを探求しなければ、ＡＩはうまくいかない。あれやこれやいろいろなものをつなぎ合わせて長くしていく試みを積み重ねないと深まらない。本書で取り上げるもう一つのテーマである会話も同じだ。いろいろな要素がかみ合ってはじめて、会話がうまく進んでいるかどうかが決まる。

議論の厳密さを犠牲にして、知能や会話について総合的に考えてみるにしても、何か統合原理がないと、ただあれやこれやと考えるだけになってしまう。このような悩みがあった中、ふと、「コモングラウンド」はいろいろなことを統合するための原理として働くにちがいない、と思い始めた。

本書は、その思いを形にする機会となった。

始末が悪いのは、人の考えが時々刻々と変わっていくことだ。統合には時間がかかる。たくさんのものを統合しようとすると、部分を確定していかなければならない。一つずつ頑張って部分を確定していくにはひとしきりの時間がかかる。一通り部品を作り終えて全体を見渡してみると、はじめのころ確定させた部分を見直すころには新たな考えが浮かんで、何だか陳腐なものに思えてしまう。

この陳腐化の問題から逃れるためには、一通り書きあげるまでの時間を短縮するしかない。ということであれば、部品の方は間に合わせで何とか済ませて、とにかく全体を作り上げてみることを優先せざるを得ない。論文をきちんと書き上げるのと逆の作業だ。

ほころびだらけの間に合わせをつないで、全体に仕上げていくのはつらい作業だ。こちらの問題に取り組もうとすると、あちらの問題のことも心に浮かび、とても落ち着かない。ほころびのために根幹をなす流れが一体何であったのか、自分でもはっきりしなくなり、迷ってしまうこともしばしばある。いったいいつになったら完成するか、見通しもままならず、朝から晩まで落ち着かない。一つのことに集中しようとしても、「この問題にいま深く関わっていると先に進まないぞ」というもう一つの声が聞こえてきて、気になって仕方がない。開き直りすぎて、書きなぐると、後でその痕跡を目にして、「これでは使い物にならない」と、自己嫌悪に陥ってしまう。

このつらい時期を乗り越えて、いったん全体像が見えたら、つらい作業は楽しい作業に一変する。全体を見渡すと、個々の部品がどのような役割を果たすのか明確になり、気になる部分も時間をかけて、じっくり読み直したり、調査したり、大改造することができる。コーヒーを手にして、ゆったりした気分で草稿全体を見返してみて、「よくここまで来たものだ」などと思いつつ、さて、今日はどこを直そうかなどと考えながら、集中して考えるのが本を執筆する醍醐味だ。

いったん修正作業をはじめるとそれは果てしなく続き、きりがない。これで終わり、と思ってもしばらくたつとまた新しい考えが浮かび上がってくる。そこでまた思考に耽るのが、楽しいひと時をもたらす。

そうしていると、「ちょっと待て！　本書で全てを解決しようとするのは欲張りすぎというものだ。落ち着いたところまででとどめておいて早く世に出し、また次に進める機会をねらった方がいい」、という声が遠くの方から聞こえてくる。

そうだ、コモングラウンドという考え方に賛同する人は、おぼろげながら見えるようになってきたコモングラウンドのコンセプトや技術をさらに有用なものにする取り組みを続け、その過程で使えるものは使い、そうでないと思うところは、躊躇なく破壊し、前に進んでほしい。ＡＩもそんな風に発展してきたのだ。

本書で題材として取り上げた話題は古典的なものが多い。本書の目的が最新テクノロジーの解説であれば、とても具合が悪い。

本書が答えであるとするならば、発せられた問いはいったい何であったのか？　はじめは思い付きで開始した執筆作業でも、心の中に湧き上がってくるアイデアの背後にある思いが何であるか、じっと耳を澄ませてみると、自分はいったい何のために考え続けてきたか、少しは見えてくる。

コミュニケーションの本質が、参加者たちが共有できる意識――コモングラウンド――を少しずつ作り上げることであるとすれば、少しずつ作り上げられていくコモングラウンドはどのようなものか、その様子をテクノロジーの力を使って描き出し、そのプロセスを人工的に再現できるところまで解明してみることで、これからの時代の私たちの間のコミュニケーション、それだけでなく、私たちとＡＩの間のコミュニケーションのパワーと質を飛躍的に高めることができるのではないか？　コミュニケーションが私たちにメリットをもたらすものであるのが確かならば、コモングラウンドを共同で作り上げるプロセスを飛躍的に高めることは、とてつもなく大きなメリットをもたらすのではないか？

たとえ、私たちの力不足で、コモングラウンドの解明そのものができなくても、コモングラウンドを共同で作り上げるプロセスを作り出せなくても、それがどのようなものか描き出すことができれば、次のステップへの手がかりがはっきりするのではないか？

そういうことであれば、なにもいきなりゴールをめざさなくても、古典として多くの人々に支持されてきた従来の学術研究の中から有用な糧を見つけ、その効用も限界もよくわかっている理論と技術によってつなぎ合わせ、次に作り出そうとしているテクノロジーの輪郭がどのようなものか明らかにすればよい。コモングラウンド・テクノロジーがどのようなものか？　どのような思想のもとで作られるべきか？　これこそが本書で答えようとした疑問であった。そしてそれは、本書の執筆を終えた時点で現時点での仮説とともに、これまでよりはるかにはっきりと結像した。

(杉之原寿一・訳、岩波書店、1957)
- [坪井 2017] 坪井祐太、海野裕也、鈴木潤『深層学習による自然言語処理』(講談社、2017)
- [Vaswani 2017] Ashish Vaswani, Noam Shazeer, Niki Parmar, Jakob Uszkoreit, Llion Jones, Aidan N. Gomez, Lukasz Kaiser, and Illia Polosukhin. "Attention is all you need" CoRR, 2017. http://arxiv.org/abs/1706.03762〔2021年1月最終閲覧〕, *arXiv*:1706.03762.
- [Wallace 2003] Richard S.Wallace. *The Elements of AIML Style*, ALICE A. I. Foundation, 2003.
- [Watts 1998] Duncan Watts, and Steven H. Strogatz. "Collective dynamics of 'small-world' networks", *Nature* 393:440-442, 1998.
- [Watts 1999] Duncan Watts. "Networks, dynamics and the small world phenomenon" *American Journal of Sociology*, 105(2):493-527 , 1999.
- [Weizenbaum 1966] Joseph Weizenbaum. "ELIZA -- A computer program for the study of natural language communication between man and machine" *Communications of the ACM*, Vol. 9, No. 1, pp. 36-45, 1966.
- [Wellman 2014] Henry M. Wellman. *Making minds: How theory of mind develops*, Oxford University Press, 2014.
- [Wimmer 1983] Wimmer, H., and Perner, J. "Beliefs about beliefs: Representation and constraining function of wrong beliefs in young children's understanding of deception" *Cognition*, 103–128, 1983.
- [Winograd 1972] Terry Winograd. *Understanding natural language*. Academic Press, 1972.
  〈邦訳〉テリー・ウィノグラード『言語理解の構造』(淵一博、田村浩一郎、白井良明・訳、産業図書、1976)
- [Winograd 1987] Terry Winograd. "A language/action perspective on the design of cooperative work" *Human-computer interaction*, Vol. 3, No. 1, 3-30, 1987-88.
- [Wittgenstein 1953] Ludwig Wittgenstein. *Philosophical investigations*. Blackwell Publishing 1953 / English Translation: G.E.M. Anscombe, P.M.S. Hacker and Joachim Schulte, Revised 4th edition, Wiley-Blackwell, 2009.
- [Woods 1973] Woods WA. "Progress in natural language understanding: An application to lunar geology" *Proceedings of the national computer conference and exposition*. ACM, 441–450, June 4–8, 1973.
- [山内 2013] 山内祐平、森玲奈、安斎勇樹『ワークショップデザイン論:創ることで学ぶ』(慶応義塾大学出版会、2013)
- [安田 1997] 安田雪『ネットワーク分析:何が行為を決定するか』(新曜社、1997)
- [Yngve 1970] Yngve, V. "On getting a word in edgewise" *6th Chicago Linguistic Society*, 567–578, 1970.
- [Zhou 2020] Li Zhou, Jianfeng Gao, Di Li, and Heung-Yeung Shum. "The design and implementation of XiaoIce, an empathetic social chatbot" *Computational Linguistics* 2020; 46 (1): 53–93, 2020.
- [Zhu 2017] Jun-Yan Zhu, Taesung Park, Phillip Isola, and Alexei A. Efros. "Unpaired image-to-image translation using cycle-consistent adversarial networks" *arXiv*:1703.10593, 2017.

- [Resnick 1997] Paul Resnick and Hal R. Varian: "Recommender systems" *Communications of ACM*, 40(3):56-58, 1997.
- [Rizzolatti 2008] Rizzolatti, G., and Sinigaglia, C. *Mirrors in the brain: How our minds share actions, emotions, and experience*. Oxford University Press, 2008.
- [Sacks 1974] Sacks, H., Schegloff, E. A., and Jefferson, G. A. "A simplest systematics for the organization of turn-taking in conversation" *Language*, 996–735, 1974.
- [Schank 1975] Schank, R.C. *Conceptual information processing*. Elsevier, 1975.
- [Schank 1977] Schank, R.C. and Abelson, R. *Scripts, plans, goals, and understanding*. Hillsdale , NJ: Earlbaum Assoc., 1977.
- [Schank 1982] Roger C. Schank. *Dynamic memory: A theory ofreminding and learning in computers and people*. Cambridge University Press, 1982.
- [Schank 1990] Roger Schank. *Tell me a story: A new look at real and artificial memory*. John Brockman Associates, Inc. 1990.

  〈邦訳〉ロジャー・C. シャンク『人はなぜ話すのか：知識と記憶のメカニズム』
  （長尾確、長尾加寿恵・訳、白揚社、1996）
- [Schegloff 1968] Schegloff, E. A. "Sequencing in conversational openings" *American anthropologist*, 70, 1075-1095, 1968.
- [Schegloff 1973] Schegloff, E. A., and Sacks, H. "Opening up closings" *Semiotica*, VIII(4), 289–327, 1973.
- [Schegloff 1977] Schegloff, E. A., Jefferson, G., and Sacks, H. "The preference for selfcorrection in the organization of repair in conversation" *Language*, 53(2), 361–382, 1977.
- [Schegloff 1999] Schegloff, E. A. "Discourse, pragmatics, conversation, analysis" *Discourse, studies*, 1(4), 405–435, 1999.
- [Schiller 2017] Anna Lena Schiller. *Graphic recording: Live illustrations for meetings, conferences and workshops*, Gestalten, 2017.
- [Sculley 1987] Sculley J, Byrne JA. *Odyssey: Pepsi to Apple: A journey of adventure, ideas, and the future*. Harpercollins, New York, 1987.

  〈邦訳〉ジョン・スカリー、ジョン・A. バーン『スカリー：世界を動かす経営哲学〈上〉〈下〉』
  （会津泉・訳、早川書房、1988）
- [Searle 1969] Searle, J. *Speech acts*. Cambridge University Press, 1969.

  〈邦訳〉ジョン・R・サール『言語行為』（坂本百大、土屋俊・訳、勁草書房、1986）
- [Sejnowski 1987] Terrence J. Sejnowski and Charles R. Rosenberg. "Parallel networks that learn to pronounce English text" Complex Systems 1, 145-168, 1987.
- [Tang 1991] Tang, J. C. and Minneman, S. L. "VideoDraw: A video interface for collaborative drawing" *ACM Transactions on Information Systems*, Vol. 9, No. 2, pp. 170-184, 1991.
- [Tönnies 1887] Ferdinand Tönnies. *Gemeinschaft und Gesellschaft*. Fues. 1887.

  〈邦訳〉フェルディナント・テンニエス『ゲマインシャフトとゲゼルシャフト：純粋社会学の基本概念』

- [西田 2020] 西田豊明「AIが会話を通じて人と人とをつなぐ」『Phronesis22 13番目の人類』(ダイヤモンド社、2020)
- [Noelle-Neumann 1966] Elisabeth Noelle-Neumann. "Öffentliche Meinung und Soziale Kontrolle" *Mohr*, Tübingen 1966.
- [Nonaka 1995] I. Nonaka and H. Takeuchi. *The knowledge-creating company: How Japanese companies create the dynamics of innovation*, Oxford University Press, 1995.
  〈邦訳〉野中郁次郎、竹内弘高『知識創造企業』(梅本勝博・訳、東洋経済新報社、1996)
- [Ortony 1988] Ortony, A., Clore, G. L., and Collins, A. *The cognitive structure of emotions*. Cambridge University Press, 1988.
- [Osborn 1953] Alex Faickney Osborn. *Applied imagination: Principles and procedures of creative problem solving*. Charles Scribner's Sons, 1953.
- [Picard 1997] Picard, R. W. *Affective computing*. MIT Press, 1997.
- [Plutchik 1980] Plutchik, R. *Emotion: A psychoevolutionary synthesis*. Harper & Row, 1980.
- [Polanyi 1966] M. Polanyi. *The tacit dimension*, Garden City: Doubleday & Co., 1966.
  〈邦訳〉マイケル ポランニー『暗黙知の次元』(高橋勇夫・訳、ちくま学芸文庫、2003)
- [Premack 1978] Premack, D., and Woodruff, G. "Does the chimpanzee have a theory of mind?" *The Behavioral and Brain Sciences*, 1(4), 515–526, 1978.
- [Premack 1988] Premack, D. "'Does the chimpanzee have a theory of mind' revisited" R. W. Byrne (Ed.), *Machiavellian intelligence: Social expertise and the evolution of intellect in monkeys, apes, and humans* (pp. xiv, 413). Clarendon Press/Oxford University Press, 1988.
- [Prendinger 2004] H. Prendinger, M. Ishizuka (eds.) *Life-like characters—tools, affective functions and applications*. Springer, 2004.
- [Prinz 1999] Prinz W. "NESSIE: An Awareness Environment for Cooperative Settings" Bødker S., Kyng M., Schmidt K. (eds) *ECSCW '99*. Springer, Dordrecht, 1999.
- [Radford 2015] Alec Radford, Luke Metz, and Soumith Chintala. "Unsupervised representation learning with deep convolutional generative adversarial networks" *arXiv:1511* .06434, 2015.
- [Radform 2018] Alec Radford, Karthik Narasimhan, Tim Salimans, and Ilya Sutskever. "Improving language understanding by generative pre-training" 2018. https://s3-us-west-2.amazonaws.com/openai-assets/research-covers/language-unsupervised/language_understanding_paper.pdf [2021年1月最終閲覧]
- [Radford 2019] A. Radford et al., "Language models are unsupervised multitask learners" 2019. https://d4mucfpksywv.cloudfront.net/better-language-models/language_models_are_unsupervised_multitask_learners.pdf [2021年1月最終閲覧]
- [Reeves 1996] Byron Reeves and Clifford Nass. *The media equation*, Cambridge University Press, 1996.
  〈邦訳〉バイロン・リーブス、クリフォード・ナス『人はなぜコンピュータを人間として扱うのか:「メディアの等式」の心理学』(細野宏通・訳、翔泳社、2001)

in Computing Systems (CHI '86). Association for Computing Machinery, 1–8.

- [Mateas 2010] Michael Mateas and Andrew Stern. "Writing Façade: A case study in procedural authorship"Harrigan, P., Wardrip-Fruin, N. Second Person: *Role-playing and story in games and playable media*, MIT Press, 2010, 183-207.
- [McCarthy 1969] J. McCarthy and P.J. Hayes. "Some philosophical problems from the standpoint of artificial intelligence" *Machine Intelligence*. 4: 463–502, 1969.
- [McNeill 2005] David McNeill. *Gesture and thought*. The University of Chicago Pres, 2005.
- [Mehrabian 1996] Mehrabian, A. "Pleasure-arousal-dominance: A general framework for describing and measuring individual differences in temperament" *Current Psychology*, 14(4), 261–292, 1996.
- [Milgram 1967] Stanley Milgram. *The small world problem, psychology today*, 60-67, 1967.
- [Mirza 2014] M Mirza, S Osindero. "Conditional generative adversarial nets" *arXiv preprint arXiv*:1411.1784, 2014.
- [三宅 2020] 三宅陽一郎 、大山匠、『人工知能のための哲学塾 未来社会篇：響きあう社会、他者、自己』（大内孝子・編、ビー・エヌ・エヌ新社、2020）
- [Nass 1994] Nass, C., Steuer, J., and Tauber, E. R. "Computers are social actors" *Proceedings of the SIGCHI Conference on human factors in computing systems*, 72–78. ACM, 1994.
- [Neches 1991] Robert Neches, Richard Fikes, Tim Finin, Thomas Gruber, Ramesh Patil, Ted Senator, and William R. Swartout. "Enabling technology for knowledge sharing" *AI Magazine*, 12(3):36-56, 1991.
- [西田 1988] 西田豊明『自然言語処理入門：ことばがわかるコンピュータをめざして』（オーム社、1988）
- [西田 1999] 西田豊明『人工知能の基礎』（丸善、1999）
- [Nishida 2007] Toyoaki Nishida (ed.) *Conversational informatics: an engineering approach*, John Wiley & Sons Ltd, 2007.
- [西田 2009] 西田豊明、角康之、松村真宏『社会知デザイン』（人工知能学会・編、オーム社、2009）
- [西田 2012] 西田豊明「人工知能研究半世紀の歩みと今後の課題」『情報管理』vol. 55, no. 7, 461-471, 2012
- [Nishida 2014] T. Nishida, A. Nakazawa, Y. Ohmoto, Y. Mohammad. *Conversational informatics: A Data-intensive approach with emphasis on nonverbal communication*, Springer 2014.
- [西田 2017a] 西田豊明「スキーマ・マシンとしての人工知能のインパクト」『情報管理』Vol. 60, No. 5, 339-344, 2017
- [西田 2017b] 西田豊明・編集、小特集「人工知能とインタラクション」『シミュレーション』Vol. 34, No. 4, 2017
- [Nishida 2018] Toyoaki Nishida. "Envisioning conversation, Keynote Talk" *14th International Conference on Advanced Visual Interfaces*, Resort Riva del Sole, Castiglione della Pescaia, Grosseto, 29 May – 1 June 2018.
- [西田 2018] 西田豊明「手づくりの会話情報学 ― 人と人工知能の未来のコミュニケーション」『第32回人工知能学会全国大会，基調講演』、2018年6月5日，鹿児島

31(4es, Article No.5), 1999.
- [Kleindorfer 1993] P.R. Kleindorfer et al. *StockiImage decision sciences: An integrative perspective*. Cambridge University Press, 1993.
- [Kopp et al, 2006] S. Kopp, B. Krenn, S. Marsella, A. Marshall, C. Pelachaud, H. Pirker, K. Thórisson, H. Vilhjálmsson. "Towards a common framework for multimodal generation: The behavior markup language" *Proceedings of the 6th international conference on intelligent virtual agents*. Springer, Berlin, 205–217, 2006.
- [Kopp et al, 2007] S. Kopp, P. Tepper, K. Striegnitz, K. Ferriman, and J. Cassell. "Trading spaces: How humans and humanoids use speech and gesture to give directions" Nishida T (ed) *Conversational informatics: an engineering approach*. Wiley, Chichester, 133–160, 2007.
- [Krizhevsky 2012] Alex Krizhevsky, Ilya Sutskever, and Geoffrey E. Hinton. "ImageNet classification with deep convolutional neural networks" *Proceedings of the 25th International Conference on Neural Information Processing Systems - Volume 1 (NIPS'12)*. Curran Associates Inc., Red Hook, 1097–1105, 2012.
- [Kumar 2017] Anjishnu Kumar, Arpit Gupta, Julian Chan, Sam Tucker, Bjorn Hoffmeister, Markus Dreyer, Stanislav Peshterliev, Ankur Gandhe, Denis Filiminov, Ariya Rastrow, Christian Monson, and Agnika Kumar. "Just ASK: Building an architecture for extensible self-service spoken language understanding" *NIPS 2017*, Workshop on Conversational AI, 2017. arXiv:1711.00549.
- [黒橋 2016] 黒橋禎夫、柴田知秀『自然言語処理概論』(サイエンス社、2016)
- [Lakoff 1987] George Lakoff. *Women, fire, and dangerous things: What categories reveal about the mind*, The University of Chicago Press, 1987.
  〈邦訳〉ジョージ・レイコフ『認知意味論』(池上嘉彦、川上誓作他・訳、紀伊国屋書店, 1993)
- [Leslie 1987] Leslie, A. M. "Pretense and representation: The origins of 'theory of mind'" *Psychological Review*, 94(4), 412–426, 1987.
- [Lim 2012] Lim, M. Y., Dias, J., Aylett, R., and Paiva, A. "Creating adaptive affective autonomous NPCs" *Autonomous Agents and Multi-Agent Systems*, 24(2), 287–311, 2012.
- [Matsuyama 2016] Yoichi Matsuyama, Arjun Bhardwaj, Ran Zhao, Oscar Romeo, Sushma Akoju, and Justine Cassell. "Socially-aware animated intelligent personal assistant agent" *Proceedings of the 17th Annual Meeting of the Special Interest Group on Discourse and Dialogue*, 224–227, 2016.
- [MacIver 1917] R. M. MacIver. *Community—A sociological study; Being an attempt to set out the nature and fundamental laws of social life*. Macmillan and Co., Limited, 1917.
  〈邦訳〉R・M・マッキーバー『コミュニティ』(中久郎、松本通晴・監訳、ミネルヴァ書房、1975)
- [Maes 1997] Pattie Maes, Trevor Darrell, Bruce Blumberg, and Alex Pentland. "The ALIVE system: Wireless, full-body interaction with autonomous agents" *Multimedia Systems* (1997) 5: 105–112, 1997.
- [Malone 1986] T. W. Malone, K. R. Grant, and F. A. Turbak. "The information lens: An intelligent system for information sharing in organizations" *Proceedings of the SIGCHI Conference on Human Factors*

- [Green 1961] Green BF Jr, Wolf AK, Chomsky C, and Laughery K. "Baseball: an automatic question-answerer" *Presented papers at the western joint IRE-AIEE-ACM computer conference*. ACM, pp 219–224, May 9–11, 1961.
- [Hardin 1968] Garrett Hardin. "The tragedy of the commons" *Science* 13 Dec 1968: Vol. 162, Issue 3859, 1243-1248, 1968.
- [Hayes-Roth 1998a] Hayes-Roth, B., Doyle, P. "Animate Characters" *Autonomous agents and multi-agent systems* 1, 195–230, 1998.
- [Hayes-Roth 1998b] Barbara Hayes-Roth. "Jennifer James, celebrity auto spokesperson" *International Conference on Computer Graphics and Interactive Techniques archive ACM SIGGRAPH 98 Conference abstracts and applications table of contents*, P. 136, 1998.
- [Heim 1998] Irene Heim and Angelika Kratzer. *Semantics in Generative Grammar*, Blackwell, 1998.
- [Iacoboni 2008] Iacoboni, M. *Mirroring people: The new science of how we connect with others*. Farrar, Straus & Giroux, 2008.
- [Isaacs 1990] Ellen A. Isaacs and Herbert H. Clark. "Ostensible Invitations" *Language in Society*, Vol. 19, No. 4 (Dec., 1990), 493-509.
- [Ishii 1992] Ishii, H. and Kobayashi, M. "ClearBoard: A seamless medium for shared drawing and conversation with eye contact" *CHI '92: Proceedings of the SIGCHI Conference on Human Factors in Computing Systems*, ACM, 525-532, 1992.
- [Janis 1972] Irving L. Janis. *Victims of Groupthink: A Psychological Study of Foreign-Policy Decisions and Fiascoes*. Mifflin, 1972.
- [神嶌 2015] 神嶌敏弘 編、麻生英樹、安田宗樹、前田新一、岡野原大輔、岡谷貴之、久保陽太郎、ボレガラ・ダヌシカ『深層学習—Deep Learning』(近代科学社、2015)
- [川喜田 1966] 川喜田二郎『発想法 創造性開発のために』(中公新書、1966)
- [Kendon 1967] Adam Kendon. "Some functions of gaze-direction in social interaction" *Acta Psychologica*, 26, 22–63, 1967.
- [Kendon 2004] Adam Kendon. *Gesture*. Cambridge University Press, 2004.
- [Kim 2000] Amy Jo Kim. *Community Building on the Web: Secret Strategies for Successful Online Communities*, Peachpit Press, 2000.
- [Kipp 2004] Michael Kipp. "Gesture generation by imitation: From human behavior to computer character animation, Boca Raton, Dissertation.com, December 2004.
- [Kipp 2007] Michael Kipp, Michael Neff, Kerstin H. Kipp, and Irene Albrecht. "Towards natural gesture synthesis: "Evaluating gesture units in a data-driven approach to gesture synthesis" C. Pelachaud et al. (Eds.): *IVA 2007*, LNAI 4722, 15–28, 2007.
- [Kita 2003] Kita, S., and Özyürek, A. "What does cross-linguistic variation in semantic coordination of speech and gesture reveal?: Evidence for an interface representation of spatial thinking and speaking" *Journal of Memory and Language*, 48, 16-32, 2003.
- [Kleinberg 1999] J. Kleinberg. Hubs, "Authorities, and communities" *ACM Computing Surveys*,

- [Ellis 1991] Clarence Ellis, Simon Bibbs, and Gail Rein. "Groupware — some issues and experiences" *Communications of the ACM*, Vol. 34, No. 1, 39-58, 1991.
- [Ekman 1992] Ekman, P. "An Argument for Basic Emotions" *Cognition and Emotion*, 6:3-4, 169-200, 1992.
- [Erman 1980] Erman, L. D., Hayes-Roth, F., Lesser, V. R., and Reddy, D. R. "The Hearsay-II speech-understanding system: Integrating knowledge to resolve uncertainty" *ACM Computing Surveys*, 12(2), 213–253, 1980.
- [Frith 2007J] Frith, C. *Making up the mind: How the brain creates our mental world*. Blackwell Publishing, 2007.
  〈邦訳〉クリス・フリス『心をつくる：脳が生み出す心の世界』(大堀壽夫 訳、岩波書店、2009)
- [古川 1999] 古川一郎『出会いの「場」の構想力：マーケティングと消費の「知」の進化』(有斐閣、1999)
- [Gallese 2007] Gallese, V., Eagle, M. N., and Migone, P. "Intentional attunement: Mirror neurons and the neural underpinnings of interpersonal relations" *Journal of the American Psychoanalytic Association*, 55(1), 131–175, 2007.
- [Garfinkel 1967] Harold Garfinkel. *Studies in Ethnomethodology*, Englewood Cliffs, N.J.: Prentice-Hall, 1967.
- [Georgeff 1990] Michael P. Georgeff and Bansois Felix Ingrand. "Real-Time Reasoning: The Monitoring and Control of Spacecraft Systems" *Sixth conference on artificial intelligence applications*, Vol. 1, 198 - 204, 1990.
- [Goffman 1955] Erving Goffman. "On face work: An analysis of ritual elements in social interaction" *Psychiatry*, 213–231, 1955.
- [Goffman 1963] Erving Goffman. *Behavior in public places*. The Free Press, 1963.
  〈邦訳〉E. ゴッフマン『集まりの構造』(丸木恵祐・本名信行 訳、誠信書房, 1980)
- [Goffman 1967] Erving Goffman. *Interaction ritual: Essays face-to-face behavior*. Aldin, 1967.
  〈邦訳〉アーヴィング・ゴッフマン『儀礼としての相互行為』(浅野敏夫 訳、法政大学出版局 2002)
- [Goffman 1981] Erving Goffman. *Forms of talk*. University of Pennsylvania Press, 1981.
- [Gongla 2001] P. Gongla and C. R. Rizzuto. "Evolving communities of practice: IBM Global Services experience" *IBM Systems Journal*, 40(4), 842-862, 2001.
- [Goodfellow 2014] Ian Goodfellow et al. "Generative adversarial nets" Z. Ghahramani, M. Welling, C. Cortes, N. D. Lawrence, and K. Q. Weinberger (eds.): *Advances in Neural Information Processing Systems* 27, 2672–2680. Curran Associates, Inc., 2014.
- [Goodwin 1981] Charles Goodwin. *Conversational organization: interaction between speakers and hearers*, Academic Press, 1981.
- [Goodwin 1990] Charles Goodwin and John Heritage. "Conversation Analysis" *Annual review of anthropology*, Vol. 19: 283-307, 1990.
- [Granovetter 1973] Granovetter, M. S. "The strength of weak ties" *American journal of sociology*, Vol. 76, No. 6, 1360-1380 , 1973.

Information Processing Systems 33 (NeurIPS 2020), 2020.

- [Buzan 1996] Tony Buzan and Barry Buzan. *The mind map book: How to use radiant thinking to maximize your brain's untapped potential* (reprint ed.). Plume, 1996.
- [Cassell 1999] Cassell J, Bickmore T, Billinghurst M, Campbell L, Chang K, Vilhjálmsson H, and Yan H. "Embodiment in conversational interfaces: Rea" *Proceedings of the SIGCHI conference on human factors in computing systems*. ACM, 520–527, 1999.
- [Cassell 2000] Cassell, J., Sullivan, J., Prevost, S., and Churchill, E. (Eds.) *Embodied conversational agents*. The MIT Press, 2000.
- [Cassell 2001] Cassell, J., Vilhjálmsson, H., and Bickmore, T. "BEAT: The behavior expression animation toolkit" *Proceedings of SIGGRAPH '01*, 477-486. August 12-17, Los Angeles, CA, 2001.
- [Clark 1996] Herbert Clark. *Using language*. Cambridge University Press, 1996
- [Conklin 1988] Conklin, J. and Begeman, M. L. "gIBIS: A hypertext tool for exploratory policy discussion" *ACM Transaction on Office Information Systems*, Vol. 6, No. 4, 303-331, 1988.
- [Cooley 1909] C. H. Cooley. *Social Organization*. Schocken Books, 1909.
  〈邦訳〉大橋幸『社会組織論』(菊池美代志 訳、青木書店、1970)
- [Damasio 1994] Damasio, A. R. *Descartes' error: Emotion, reason, and the human brain*. Penguin books, 1994.
  〈邦訳〉アントニオ.R.ダマシオ『生存する脳』(田中三彦 訳、講談社、2000)
- [Darwin 1872] Charles Darwin. *The expression of emotions in man and animals*, Murray, 1872
- [Darwin 1881] Charles Darwin, *The formation of vegetable mould, through the action of worms, with observations on their habits*. John Murray. 1881.
  〈邦訳〉チャールズ・ダーウィン『ミミズと土』(渡辺弘之 訳、平凡社ライブラリー、1994)
- [Davies 1995] Davies, M., and Stone, T. *Mental simulation: Evaluations and applications—Reading in mind and language*. Blackwell Publishers, 1995.
- [Dejong 1979] DeJong , Gerald F. "Skimming stories in real time: An experiment in integrated understanding (Technical Report YALE/DCS/tr158)" *New Haven, CT: Computer Science Department*, Yale University, 1979.
- [Dennett 1989] Dennett, D. C. *The international stance*. The MIT press, 1989 .
  〈邦訳〉ダニエル・C.デネット『志向姿勢:人は人の行動を読めるのか?』(若島正・河田学 訳、白揚社、1996)
- [Duncan 1972] Duncan Jr., S. "Some signals and rules for taking speaking turns in conversations" *Journal of Personality and Social Psychology*, 23(2), 283–292, 1972.
- [Duncan 1974a] Duncan Jr., S. "On the structure of speaker-auditor interaction during speaking turns" *Language in Society*, 161–180, 1974.
- [Duncan 1974b] Duncan Jr., S., and Niederehe, G. "On signaling that its your turn to speak" *Journal of Experimental Social Psychology*, 234–247, 1974.
- [Edwards 1997] Edwards, D. *Discourse and cognition*. Sage, 1997.

参考文献

◆ [Allport 1952] Gordon W. Allport and Leo Postman. *The psychology of rumor*. Russell & Russell, 1965
〈邦訳〉G.W.オルポート, L.ポストマン『デマの心理学』(南博 訳、岩波モダンクラシックス、2008)

◆ [安斎 2020] 安斎勇樹, 塩瀬隆之『問いのデザイン：創造的対話のファシリテーション』(学芸出版社, 2020)

◆ [Austin 1962] Austin, J. *How to do things with words*. Harvard University Press, 1962.
〈邦訳〉J. L. オースティン『言語と行為』(坂本百大 訳、大修館書店、1978)

◆ [Baron-Cohen 1985] Baron-Cohen, S., Leslie, A. M., and Frith, U. "Does the autistic child have a 'theory of mind'?" *Cognition*, 37–46, 1985.

◆ [Baron-Cohen 1995] Baron-Cohen, S. *Mindblindness: An essay on autism and theory of mind*. The MIT Press, 1995.

◆ [Bates 1994] Bates, J. "The role of emotion in believable agents" *Communications of the ACM*, 37(7),122–125, 1994.

◆ [Ball 1997] Gene Ball, Dan Ling, David Kurlander, John Miller, David Pugh, Tim Skelly, Andy Stankosky, David Thiel, Maarten Van Dantzich, and Trace Wax. "Lifelike Computer Characters: The Persona Project at Microsoft Research" *Software Agents*. Jeffrey M. Bradshaw (ed.). AAAI/MIT Press, 1997.

◆ [Becker-Asano 2008] Becker-Asano C. "WASABI: affect simulation for agents with believable interactivity" *IOS Press*, 2008.

◆ [Blumberg 1997] Bruce Mitchell Blumberg. "Old Tricks, New Dogs: Ethology and Interactive Creatures" *Doctoral Dissertation*, MIT, 1997.

◆ [Bolt 1980] Bolt RA. "Put-that-there: voice and gesture at the graphics interface" *SIGGRAPH ComputGraph* 14(3):262–270, 1980.

◆ [Bond 1988] Alan H. Bond and Les Gasser (eds.) *Readings in distributed artificial intelligence*, Morgan Kaufmann Publishers, Inc., 1988.

◆ [Braitenberg 1984] Braitenberg, V. *Vehicles: Experiments in synthetic psychology*, MIT Press, 1984.

◆ [Brin 1998] S. Brin and L. Page. "The anatomy of a large-scale hypertextual Web search engine" *Computer Networks and ISDN Systems*, Vol. 30, No. 1-7, 107–117, 1998.

◆ [Broder 2000] Andrei Broder, Ravi Kumar, Farzin Maghoul, Prabhakar Raghavan, Sridhar Rajagopalan, Raymie Stata, Andrew Tomkins, and Janet Wiener. "Graph structure in the web" *Computer Networks* 33(1-6):309-320, 2000.

◆ [Brown 1978] Brown, P., and Levinson, S. C. *Politeness: Some universals in language usage*. Cambridge University Press, 1978.

◆ [Brown 1983] G. Brown and G. Yule, *Discourse analysis*. Cambridge University Press, 1983.

◆ [Brown 2020] Tom Brown et al., "Language models are few-shot learners" *Advances in Neural*

西田豊明　にしだ・とよあき
1977年京都大学工学部卒業。
奈良先端科学技術大学院大学教授、東京大学教授、京都大学教授を経て、
2020年より福知山公立大学教授。東京大学・京都大学名誉教授。
人工知能とインタラクションの研究に従事し、会話情報学を提唱。
主な著書に『人工知能の基礎』(丸善、1999)、
『インタラクションの理解とデザイン』(岩波書店、2000)がある。

AIが会話《かいわ》できないのはなぜか
コモングラウンドがひらく未来

2022年2月5日　初版

著　　者　西田豊明
発 行 者　株式会社晶文社
東京都千代田区神田神保町1-11　〒101-0051
電話　03-3518-4940(代表)・4942(編集)
URL https://www.shobunsha.co.jp
印刷・製本　ベクトル印刷株式会社

ISBN978-4-7949-7297-2 Printed in Japan